艾雯全集1

散文卷一

青春篇

漁港書簡

【總論】

艾雯和戰後台灣散文長流

◎陳芳明

在現代主義運動蔚為風氣之前的文學發展，往往被劃入反共文學的範疇。就文學史的觀點來看，以「反共文學」一詞概括整個一九五〇年代似乎過於籠統。國內學界常常出現「一九五〇年代書寫」這樣的專有名詞，這是相當怠惰的學術思維。許多重要的作品，往往並不出現在那個年代。如果回到歷史現場，真正在那個年代較為豐收的作家，就只有艾雯與張秀亞。她們所處的位置一方面上承五四白話文傳統，一方面下接現代主義濃縮的文字藝術。在時間的流變中，她們所營造的散文正好提供一個例證，彰顯文學語言是如何從鬆散透明過渡到精緻鍛鍊。

艾雯在台灣文壇的成名，較張秀亞還早。她的第一本散文集《青春篇》，曾經在那蒼白年代撫慰多少受傷心靈。她之成為前現代主義時期的重要作家，可能不是她在那時期產量豐富，而是因為她以文字實踐協助鍛鍊了白話文傳統。從文學史系譜來看，一九二〇年代的五四作家，浩浩蕩蕩推動了白話文運動。但是在藝術成就上，相當有限。真正看到可觀的成績，必須要到一九三〇年代之後，才有其高度與深度，其中以魯迅最為重要。緊接在《野草》與《吶喊》之後，他的雜文，建立相當可敬的規模。他容許白話文能夠伸縮自如，進可干涉政治，退可營造藝術，使平淡無味的語言注入嗆辣的力道。在那時代梁實秋、林語堂、徐志摩、周作人已經崛起，但他們如果不是表現晚明小品文的遺緒，就是強烈帶有洋腔的翻譯文體。稍後又有沈從文、何其芳的散文實踐，卻因為抗戰的爆發，白話文運動逐漸偏離美文的鍛鑄。

白話文運動之卓然有成，最後就在兩個孤島找到延續的命脈。一是孤島上海，一是孤島台灣。在整個戰爭期間，所有的作家都投入了戰爭，當時的作家為了使文字立即產生效用，無不訴諸熱血的民族主義。留在上海的張愛玲與錢鍾書，使白話文出現生動的轉機。張愛玲的《流言》，錢鍾書的《寫在人生邊上》，都是以散文寫出內心的真實感受，使白話文的藝術成就到達一個高度。戰爭結束後，他們都被籠罩在肅殺的政治陰影之下，無法延續文學生命力。一九五〇年後，張愛玲遠離中國，錢鍾書遭到政治挾持，整個中國的作家都被迫為政治服務。白話文從此失去了它獨立自主的文學道路。

廣闊的華文世界裡，白話文在戰後跨海引渡到台灣，終於獲得開花結果的天地。在此之前，孤島台灣受到日本殖民文化的強勢支配。在一九四五年日本投降時，島上住民有百分之八十五以上都在使用日語。縱然中國白話文在殖民地作家之間傳播，卻無法彰顯語言特質。自二〇年代賴和、陳虛谷、張我軍、楊雲萍，歷經三〇年代的王詩琅、楊守愚、楊華、郭秋生、葉榮鐘，都相當熟練地操用白話文，卻始終未曾打開藝術格局。戰後初期，台灣開始見證大陸來台作家的文字，其中以左翼信仰者居多，白話文實踐仍然受到時代的限制。一九五〇年之後，隨著流亡潮的席捲，大量公教人員與知識分子湧上台灣。他們是戰後改造台灣文學的重要推動者，艾雯、張秀亞及其同時代女性作家，正是在時代浪潮中捲入流離族群的行列中。

五〇年代作家的文學位置，或許不宜誇大，但如果考察當時的歷史環境，他們確實面臨極大的挑戰。一方面許多重要的白話文作家並沒有來到台灣，而一方面在孤島上又存在著龐大的日語文化。艾雯與她同時代作家在島上出現時，既落入五四白話文傳統的斷裂，又背負著殖民地社會帝國語言的遺緒。她們不能不承擔開創時代的關鍵角色，不僅要使白話文獲得新的生命力，也要使日語的表達方式換軌，從而與漢字文化連結起來。歷史往往是在無意中發生，在那荒涼年代的文學家，從未意識到自己在台灣文壇的位置；必須經過長時間的累積，也經過連續不斷的投入創作，使整個文學到達一個高度時，才容許後人得以清楚回望。

從政治結構來看，那是一個戒嚴時期，所有的精神出口都遭到封閉，因此每位作家自有他的難處。正是從這樣艱困的角度來看，艾雯寫下的每一篇散文，簡直就是在貧瘠的土地彎腰播種。每一顆種籽容納著她的漂泊心境，也揉雜著她所感受的台灣風土人情。她整個散文書寫的演變，無疑是如何把異鄉轉化為故鄉的心路歷程。在她靈魂深處其實有兩個故鄉，一個是蘇州，一個是台灣。前者是她的夢想，後者是她的現實。雙軌記憶永恆地在她的文字中反覆出現，構成了她一生藝術營造的主軸與特質。她的文學心靈，不斷浮現雙鄉的意象，其中彰顯了強烈的時間感與空間感。

離亂時代的漂流，從來不會預見未來的命運。蒼茫的歲月使他們無法確知究竟要停泊在何處，當未來都成為未知之際，作家看見的只是過去與現在，那是所能把握僅有的記憶。被時代羈押在小小島上時，書寫本身不僅是治療也是救贖。渡海來台的作家，不斷回頭瞭望故鄉，也持續埋首現實經驗的點滴，完全是因為受到歷史條件的限制。尤其是傳統典範日漸消失，理想願望又還未締造，艾雯所寫出來的作品，平心而論，無疑就是在創造一個全新傳統。她在一九五〇年代完成的四冊散文，《青春篇》（一九五一）、《漁港書簡》（一九五五）、《生活小品》（一九五五）、《艾雯散文選》（一九五六），等於是為日後的台灣文壇畫出一條抒情的迹線。她寫出的六本小說《生死盟》（一九五三）、《小樓春遲》（一九五四）、《魔鬼的契約》（一九五五）、《夫婦們》（一九五七）、《霧之谷》（一九五八）、《一家春》（一九六〇），則寫出流亡時代最深層的願望。如此豐碩的收穫，可能僅次於小說家孟瑤的產量。在藝術成就上，艾雯以散文知名，絕對有其美學上的獨特魅力。

就台灣女性抒情傳統來看，她的散文書寫跨域甚寬，從家國之情到男女之愛，從思鄉悲懷到現實關懷，幾乎容納了親情、友情、愛情、鄉情所有的相關議題。她所開展的格局，正是日後其他作者繼續要填補、擴充的重要方向。在現代主義還未崛起之前，無意識世界的探索技巧，仍然還停留在蒙昧狀態。艾雯走在時代之前，就已經開發出書信體與獨白體的書寫策略。也許在她散文裡並未揭露人性黑暗沉淪的一面，但是透過書信與日記的表現方式，已經完整呈露動盪時代的浮游心情。

至少在現代主義運動臻於蓬勃狀態之前，艾雯的書寫協助完成文學史的一個鍛接。縱然有時必須配合反共政策，她的散文與小說逐漸偏離政治口號的呼應，在心靈裡保留一塊淨土，容許內在的情緒恣意流動。也許那並不符合現代主義思潮裡所謂的「意識流」，卻相當有效把權力支配摒除在文字之外。這是一個時代的開始，在顛沛流離與國仇家恨的衝擊下，她找到極為寧靜的空間，可以專注在情緒的整理與淘洗。這並不意味她不關心現實或者與時代脫節，恰恰相反，在散文的段落與段落之間，常常可以感知現實壓力加諸她生命中的重量。背對著一個回不去的故鄉，面對著一個不確定的未來，艾雯總是有能力與毅力，寫出她如何與當下的環境相互對話。即使在小小的海島上，她也一直過著飄盪的生活。從東港、岡山到新店、天母，不同鄉鎮的風情與人情，時時出沒在她抒情的筆下。

不同於抗戰文學的吶喊，也不同於反共文學的叫囂，她的作品過濾了許多政治雜質，為白話文傳統尋找可能的方向。當她挺起筆時，頂住來自政治宣傳的干涉，也抵禦來自現實生活的混亂。在深夜孤燈下，黑暗圍住她的城堡，只有她確切知道怎樣的文字可供驅使。她在散文集《孤獨，凌駕於一切》（二〇〇八）的後記引述法國作家紀德的話：「別停留在與你相似的周遭，如一個環境正與你相似起來，或是你自己變得與這環境相似，此刻它對你已不再有益，離開它。」艾雯有這樣的體認時，其實已經相當接近現代主義美學所說的「陌生化」，這正是能夠使文字技巧起死回生的重要轉折。當白話文不斷在政治場域遭到誤用、惡用與濫用之際，她刻意避開陳腔濫調。即使她寫的是抒情散文，她從不吝於推陳出新，使平面文字產生活潑的節奏與色彩的靈動。

「聚攏又飄散，落英甬歸溟濛，幽暗中旋即迸發更多更鮮豔的繁花，一波疊一波，如浪潮般從半空湧升，向四周氾濫，億萬朵花的浪，億萬朵光的泡沫，翻滾展揚，閃耀著綠的翠，紅的豔，黃的燦，紫的奼，金和銀的炫……」〈火樹銀花不夜天〉像這樣描述夜空裡的煙火，幾乎把白話文能夠展現的張力完全表達出來。類似這樣危險的筆法，既真實又夢幻，既繁華又虛榮，彷彿走在懸崖邊緣，不慎就會落入庸俗。這裡面沒有牽涉到無意識的挖掘，也沒有觸及精神世界的探索，完全只是對外在風景的描寫，竟把火光形容成波浪或泡沫，簡直使鬆散的白話文翻轉成為神奇的力量。藉由這樣的藝術技巧，艾雯到達的文字峰頂極為可觀。在她之前，很少有散文家樂於如此經營；在她之後，許多散文家都投入文字鍊金術，耽溺於意象的濃縮與聯想的懸宕。艾雯大概是五四傳統的最後守夜人之一，使白話文再一次釋放魅惑的能力，使透明的文字不致那麼透明，使淺白的語言也不致那麼淺白。

孤懸海外的台灣，讓她找到一個疏離的位置，冷靜思索白話文的提煉與改造。多風多雨多地震的海島，曾經使她感到疑懼，早期的散文常常不經意透露內在的不安與惶恐。恰恰就是因為寫出最初的感覺，她反而保留了一九五〇年代生活中的荒涼與蒼白，從而寫出外省族群如何在心靈上與這塊土地產生默契。女性作家的空間感，在她身上最為鮮明。這裡所謂的空間，一方面是指她與地理環境的交感作用，一方面則是指她內心世界的情感流動。無法定義的政治環境，難於預測的未來前景，使她更寄託於台灣鄉鎮風景所釀造的溫馨與撫慰，總是緊緊抓住稍縱即逝的吉光片羽。或許是哀愁，或許是喜悅，她的文字可以準確掌握幽微的情緒。瑣碎的生活細節，在她文字中形成自然秩序，不僅過濾雜質，完成沉澱；同時也達到昇華的境界，對自己所處的時代看得更加明白。

艾雯在《綴網集》的後記〈不具「風格」的風格〉自承，她與天地萬物隨時都在對話，不必然有確切風格。然而，文學風格往往不是創作者能夠產生自覺，它總是在長期的書寫實踐中慢慢形塑。經過半世紀以上的投入營造，她已經在時間累積中開闢出一個抒情傳統。她把白話文從「感時憂國」的政治訴求中拯救出來，文史文學無須淪為即時效用的載體。放眼當時中國的十七年（一九四九～一九六六）文學，白話文完全降格成為權力驅使的工具。那種共和國式的文學語言，使純淨的白話文長期受到汙染。對照當時台灣的反共散文，文字與語言也同樣難以遁逃政治干涉的掌控。必須從這樣的歷史條件來觀察，艾雯與她同世代作家所開拓的「美文」，就是後來作家積極要維護的自主書寫。

她並沒有與後來的現代主義運動匯流，也沒有與稍後的鄉土文學運動結盟。但是她作品的在地性卻躍然可見，尤其在二〇〇三年出版的《花韻》，文字貼近島上萌芽抽長的花卉，以工筆手法描繪台灣大自然的婀娜多姿。全書二十八朵花種，配以林智信的細筆木刻，正好可以彰顯艾雯的描畫功力。在她的美學世界裡，並沒有現代主義式的負面書寫，從來未曾出現人性的墮落與沉淪，當然也不曾觸探邪惡的無意識世界。即使她寫小說時，縱然有愛情的背叛，或自私的占有，那些情節無非都在呈現亂世的價值崩潰，以及對太平盛世的嚮往。這位蘇州女子在台灣找到安身立命的淨土時，從來沒偏離最初的文學信仰：通過文字的洗刷，可以看見夢與理想在生命中浮現。終其一生，她貫注在細膩文字的反覆鍛鍊。對她而言，文字到達之處，就是救贖的地方。全部文字總結了台灣文學史的漂亮翻轉，她是散文長流的起點，也是抒情傳統的開端。她建立起來的高度，容許後人看見台灣文學是如此有情，如此多情，如此盛情。

編序

◎封德屏

二〇〇九年的八月杪，我正帶著病後初癒的爸媽，回到台中清水老家度假。突然接到恬恬的電話，用近乎痛哭的聲音，告訴我艾雯過世的消息。極度震驚下，一時也無法在電話中抒解恬恬的悲傷，腦海中浮現的盡是幾天前和艾雯大姊通了長長電話的情景。

在五〇年代的女作家中，說起來和艾雯大姊的往來是最長的、最密的。和張秀亞大姊認識的最早，大學時候一篇為《幼獅文藝》做的採訪稿開始結緣，但因秀亞大姊長年住在美國，往來聯絡較少。接著是一九八四年後，因《文訊》工作的關係認識了琦君、張漱菡、劉枋、林海音、葉蟬貞，但當時我還年輕，只敢像一個編輯仰望她所崇拜的作者一樣，對這些前輩作家不敢太靠近，況且她們也都才六十多歲，健康狀況都還不錯，彼此時相往來，我只是偶爾被她們請來吃飯的「小妹妹」。

幾位五〇年代的女作家，幾乎都是在一九八〇年代之後就逐漸停筆了。但讓人佩服的是，艾雯從沒有放下創作的筆，以及創作的心情。一九七三年她自高雄岡山遷到台北新店中央新村，她在自己取名「倚風樓」的屋子裡一住十年，寫作的速度放慢了，但她行腳放遠了，觀看世界的角度放寬了。她欣喜台北有這麼多的博物館、畫廊、藝廊，有這麼多的藝文活動。她有時獨自，有時女兒陪著，她將文學藝術及對大自然的喜愛，實踐在日常的生活美學中。她逛博物館，看畫展，院子裡種滿各式各樣花草植物，繼續的收集她所愛的小擺飾，和漂亮的特色火柴盒。

一九八三年艾雯自中央新村搬到天母，住在電梯大樓，沒有院子，沒有庭園，但她很快的收拾起沮喪的心情，尋找到更大的庭院——戶外的天母公園，她循著磺溪，探訪、踏尋，一路的溪水、人聲、花草全湧上來，她愛上大自然賜給她的一切：晨間運動經過巷弄的純樸的小販、居民的朗聲笑談，……，慢慢的，艾雯用心、用筆、用畫，陸續發表了〈人在磺溪〉系列。

這時她的寫作的速度雖然緩慢，但更講究文字的藝術了。二〇〇三年，艾雯以八十高齡出版散文集《花韻》。二〇〇五年以〈人在磺溪〉入選《九十三年度散文選》，二〇〇八年以八十五高齡出版散文集《孤獨，凌駕於一切》，二〇〇九年又出版《老家蘇州》。這三本書顯現，艾雯從沒有停止生活及創作更高境界的追尋。

艾雯大姊因為先天氣喘的關係，身體十分虛弱，但只要她狀況還好，幾年前「女作家慶生會」的每月餐會，她幾乎月月參加，更不要說是每年一度「文藝界重陽敬老聯誼活動」

了。但到了二〇〇〇年後，老友逐漸凋零、遠離，再加上自己的身體也更虛弱了，她便淡出一些活動與應酬，我和她的聯繫只能靠電話了。

她曾不止一次在電話中對自己的早期作品斷版、絕版表示遺憾，我也鼓勵她整理自己所有的作品，告訴她以她在文學上的成就，應該試著把全集編印出來。二〇〇六年後我們試著向國立台灣文學館提出重編《艾雯全集》計畫的可能，得到的答案是不可能。於是這樣的心願，就暫時擱在艾雯大姊和我心中。

因此，當恬恬因母親驟逝悲傷逾恆，好幾次和我說著說著電話，就哭起來了，恬恬原本就是善解人意的女兒，和媽媽十分親。我告訴她，紀念媽媽最好的方式，是幫她完成她生前的心願，我鼓勵她開始整理媽媽的文稿，想辦法幫媽媽出版全集。如果需要，我願意幫忙。話說出去，我自己也忐忑不安，心理上是十分願意的，但手上的仍有許多繁雜的事，真不知真的可以幫上忙嗎？

二〇一〇年五月，艾雯過世未滿一年，恬恬打電話來重提整理艾雯全集的事。我帶著穎萍和恬恬約好重回艾雯生前的住家，坐在窗台擺滿綠色盆栽的客廳，走進滿是書籍、資料、收藏品的書房，睹物思人，不勝唏噓。

六月開始，我們請國立台北教育大學的明蘭去幫忙了一段時間，耙梳了大部分的資料，了解艾雯作品的數量，以及未結集作品的大致數量。之後，恬恬忙，我也忙。經過一些思考，及人力的調整，去年七月，我們和恬恬幾次書面及會議後，終於開始著手進行《艾雯全集》的委託工作，這也是我們繼《戴國煇全集》後，再次接受作家家屬委託進行全集的編纂及印刷工作。

對我來說，為重要作家編全集，如果僅止於將看到的現成出版品排列組合，那將有愧作家一生創作歷程，以及重視作家史料，珍惜全集機緣得來不易的原始初衷。

因此在正式從事編輯工作之前，我們花了半年多的時間，做艾雯資料調查，而後又請同是國立台北教育大學的宣吟，從圖書館，從評論資料，從艾雯自己留存資料中搜索散佚的文稿，我們不放棄任何的蛛絲馬跡。從台北，到全台灣，從蘇州到江西，縱使不能親自到當地，但間接動員的人力也很可觀。

為萱在中央大學拿到碩士後進入文訊，經過《戴國煇全集》兩年編輯工作的訓練，成長不少。《艾雯全集》的編輯工作對她來說，更是接近她所學的另一種挑戰。

此外，恬恬對母親創作與作品的了解與用心，也是這份全集工作的最大助力。她幫忙核對版本，挑選圖畫、照片，加圖片背景說明等，也因為恬恬本身對藝術的喜愛與研究，也參與全集部分的美術呈現。她把對母親的愛和思念，藉這次出版，留下永恆的紀念。

十大鉅冊的《艾雯全集》出版了，從永遠的《青春篇》到《老家蘇州》等二十四本作品，包括艾雯大姊生前自己編選了一本還來不及出版的散文集「與誰同坐」，以及許多許多她生前還來不及整理出版的作品，如今都在這套全集裡了。

從一九四一年她創作的第一篇一萬字的小說〈意外〉，得到《江西婦女》徵文第一名開始，她找到了一個可以宣洩內心憂傷、苦悶和希望方式，從此就沒有停止創作。除了一九四〇～一九四七年在江西擔任圖書館員、副刊主編外，至一九四九年來台後，她一生除了「作家」的單純身分，再從沒有從事別的行業了。但她認真對待創作，持續近七十年的堅持與實踐，不斷的在創作上力圖精進，留下量與質俱佳的作品。

相信艾雯大姊在天上，一定也為恬恬為她完成心願感到高興，在多變混亂的世事中，什麼是永恆不變的，我想唯有好的文學作品吧。

二〇一二年七月十二日於《文訊》編輯部

有關《艾雯全集》出版說明

一、《艾雯全集》收錄作家艾雯一九四一年至二〇〇八年間的作品，包括已出版著作二十四冊，以及刊載於報章雜誌等未結集之作二七四篇。

（一）二十四冊已出版著作：

散文集：十二冊十一種，分別為：青春篇／漁港書簡／生活小品／曇花開的晚上／浮生散記（後更名《明天，去迎接陽光》重新出版）／不沉的小舟／倚風樓書簡／綴網集／花韻／孤獨，凌駕於一切／老家蘇州。

小說集：十冊，分別為：生死盟／小樓春遲／魔鬼的契約／夫婦們／霧之谷／一家春／與君同在／森林裡的祕密／池蓮／弟弟的婚禮。

散文選集：一冊，艾雯散文選。

自選集：一冊，艾雯自選集。

（二）艾雯未結集作品：

未結集散文：共一八九篇，其中九篇為手稿、五十篇結集為「與誰同坐」。

未結集書簡：共八篇。

未結集小說：共七十三篇，其中二篇為手稿。

未結集劇作：共四篇，其中二篇為手稿。

二、全集各卷收錄作品如下：

全集1◎散文卷一：青春篇／漁港書簡

全集2◎散文卷二：生活小品／艾雯散文選／曇花開的晚上／浮生散記

全集3◎散文卷三：不沉的小舟／艾雯自選集／倚風樓書簡／綴網集

全集4◎散文卷四：花韻／孤獨，凌駕於一切／老家蘇州／與誰同坐

全集5◎散文卷五：未結集散文／未結集書簡

全集6◎小說卷一：生死盟／小樓春遲／魔鬼的契約

全集7◎小說卷二：夫婦們／霧之谷

全集8◎小說卷三：一家春／與君同在／森林裡的祕密

全集9◎小說卷四：池蓮／弟弟的婚禮

全集10◎小說卷五：未結集小說／未結集劇作

本次出版承蒙下列出版社無償授權，使本全集能順利出版，謹致謝忱。
正中書局：《霧之谷》、《一家春》、《池蓮》。
大地出版社：《綴網集》。
爾雅出版社：《青春篇》。
漢藝色研文化事業公司：《明天，去迎接陽光》、《倚風樓書簡》。
印刻文學出版公司：《孤獨，凌駕於一切》。
古吳軒出版公司：《老家蘇州》。

編輯體例

一、《艾雯全集》（以下簡稱《全集》）收錄作家艾雯自一九四一年開始創作以來六十七年間的作品，包括已出版的二十四冊以及未結集之作。

二、《全集》共計十冊，依文類分卷，依序為散文卷五冊、小說卷五冊。

三、《全集》散文卷一卷首有總論、編序、出版說明、編輯體例、總目錄、圖片集。

四、各卷編排以原作品集（以下簡稱「原集」）之出版先後為序；原集書名頁後皆有該集之版本說明。

五、各卷所收以尊重原集為原則，後出作品集如有重出者，只存目而不錄原文。原集之附錄如為他人評論、作者簡介、年表、出版書目等皆刪去不錄。

六、舊書新印者，增刪狀況見書名頁後之版本說明，新增篇章編入內文最末。

七、未結集之篇章，計有散文一八九篇、書簡八篇、小說七十三篇、劇作四篇，分置於所屬文類卷末，以「未結集」為名，冠以文類名稱，唯書簡與劇作篇幅無法成冊，各別歸於散文卷與小說卷中。已刊者註明出處，以發表時間排序；發表時間未明者略依寫作年代集中置於其後；艾雯未刊手稿亦編入其中。

八、未結集散文中，艾雯自行編選五十篇散文作品，題名為「與誰同坐」，係未出版之文稿，為呈現其原貌，乃獨立為一輯，編於散文卷四「老家蘇州」之後。

九、編輯時，如遇須要說明之處，加註「編註」二字，以便和原集之「註」區別。

十、《全集》之校對說明如下：

（一）部分用字改為目前常用字，如有明顯誤植、個別錯字則予以改正，不加說明；帶有時代性的字詞則沿用不改。

（二）原刊字跡模糊、無法辨識者，以□號代替。

（三）標點符號部分，去掉私名號，書名及篇名改用《》、〈〉，刪節號用六個小圓點。

（四）同一翻譯外國地名、人名出現於不同書中，或於同一書中不同篇中而前後不一時，維持原用法不予以統一；同篇中的譯法前後不一時，則以出現次數較多者予以統一。

總目錄

艾雯全集1・散文卷一

3 總論
11 編序
16 有關《艾雯全集》出版說明
19 編輯體例
21 總目錄
45 圖片集

青春篇

80 寫在前面
82 門裡門外
86 夏夜戀歌
94 青春篇
98 迎向黎明
103 這一年
106 都市之訪
112 海角燈影
115 祝福
119 散文時代
122 藍色的夢
126 花開時節
130 過年
134 寂寞的心靈
139 伴
141 細雨黃昏
144 柔情頃刻入冥煙
150 夜闌人語
153 靜靜，她正睡著
156 刷新
159 為了情熱
161 惦念
164 生活在罪惡中
167 遲暮
170 橋
174 購筆記
177 月亮・太陽
180 處處花香
183 神，信仰
185 黃昏的祝福

189 長橋夕暉
192 幽禁
195 沉默
198 為什麼不寫
201 不眠之夜
203 船夫
205 月未圓
208 路
210 水的戀念（外一章）
213 尋求
216 魚
219 戀愛與事業
223 心靈的縈寄
227 愛情的渴念
231 主婦與寫作
235 再版小言
237 它
242 鄉居閒情
246 牆
249 失落的心
253 在片刻的黑暗中
257 收穫
260 作者的話
262 新版題記
265 青春不老
271 風雨念故人

漁港書簡

279 寫在前面
◎輯一
281 無盡的愛
285 虹一般的憶念
290 年輕的日子
293 生命的音樂
298 夢的幻滅
304 無聲的弦琴
◎輯二
307 春的召喚
309 趕在太陽前面
312 種花記
322 庭園二章
327 狸奴
331 控訴
335 枇杷
◎輯三
340 漁港書簡
351 大地的祝福
354 航程

362 台北來去
370 當我回到家鄉的時候
373 山城憶
◎輯四
376 白雲故鄉
382 母女
389 拐角那一家
395 春雨
399 我是怎樣從事寫作的
411 漁者有其船
415 栗子之戀
418 初歷地震
421 綠色幻想曲
424 方老教授
431 有朋自遠方來
436 四重溪之春
446 白雲深處覓歌舞
450 山在虛無縹緲間
455 晴山綠縈西子灣
459 從贛南到台灣

艾雯全集2・散文卷二

生活小品

9 寫在前面
11 良好的開始
14 歡樂年年
17 日曆
20 春的喜悅
23 手和心
26 聲音的奇蹟
29 生活的陽光
32 家庭食客
35 地上的天堂
38 人生的階梯
41 生命之筆
44 習慣的奴隸
47 精神上的疫症
50 回憶的泥潭
53 莫等待
56 旅行
59 魚與熊掌
62 工具?魔鬼?
65 撲滿教育
68 小心靈的潤澤
71 池水
74 早春的蓓蕾
77 祝福母親
80 端陽瑣語

83 狐狸性格
86 愛情的陰影
89 偷得浮生半日閒
92 嘗試
95 最苦的孤獨
98 珍惜語言
101 缺陷人生
104 婚姻悲劇
107 幽蘭與素石
110 聯誼會
113 三千煩惱絲
116 謹防氾濫
119 「流行」病
122 生活的羅盤
125 無形的書
128 一枕綠窗小睡
131 竹馬
134 思想之舟
137 黑暗的啟示
140 福燈長明
143 不散的筵席
146 新年禮物
149 再版小言

艾雯散文選

154 鄉村老郵差
159 孩子和蠶
164 希望
166 春日短箋

曇花開的晚上

174 旅途上
179 綠色書簡
185 童心來復
190 朵雲
193 乳燕出谷
197 餽贈
201 在泥土裡生根
205 心香一瓣祝平安
208 青年、春天、筆
210 生命
215 夜語
219 秋天裡的春天
223 鐵樹與我
227 秋的腳步
234 一束小花
240 心靈之井
243 一粒微塵
248 小花瓶
253 曇花開的晚上
258 窗前

262 乍晴
267 初航
276 表演者
280 風雨課
284 負重的孩子
288 綠巷、燈光、人家
295 小鎮上
300 這只是南台灣的冬天
305 天竹、蠟梅、憶新年
307 翳
315 感情的遺產
320 新版小言
322 不具「風格」的風格

浮生散記

331 蒼涼的心路歷程
333 心中自有丘壑在
342 道路伸展的地方
352 擕回一束小花
362 舊年新歲
370 牆和橋
380 家與燈
389 站在比現實更高的地方
401 明天，去迎接陽光
410 昨夜風雨中
421 夏日，在燃燒
434 新版小言

艾雯全集3・散文卷三

不沉的小舟

11 敬禮！明天
15 平安磐石
18 光榮的日子
21 月台
24 年的序幕
27 不沉的小舟
31 遊牧吟
33 兩個世界
41 風雨歸車
47 寂靜的時光
51 驛馬車
54 載著春天的船
58 又再擁抱世界
82 有霧的日子
86 疾馳在夢的邊緣
90 一個人在旅途上
94 花好月圓
97 春遲

101 浮萍之感
104 心靈的喚醒
106 優遊歲月
111 小小茉莉
117 水仙花
123 玫瑰酒
131 童年瑣憶
137 無師傳授
142 好一個暑假
148 知識的窄門
153 我們去阿里山
158 綠水三千
164 寧謐的風沙島
174 大道之行
182 海上長城
184 池凝寒鏡貯秋光

艾雯自選集

194 自由——生命的生命
198 思想——人類的尊嚴
201 書香溢於路畔
207 火樹銀花不夜天
212 夢入江南煙水路
224 人在山谷中
228 歲寒一品紅
233 浩然正氣・瀰漫人寰

倚風樓書簡

241 倚風樓外
246 春暖花開時
250 雨中的沉思
255 第一個冬天
259 滴不盡的更漏
263 寂寞的奉獻
268 寶石瓔珞翡翠簾
273 哀傷後的堅定
278 聞聲聊慰故鄉情
284 從格爾尼卡想起
290 還似舊時遊上苑
296 又待荷淨納涼時
302 夢迴天涯芳草遠
307 一切繼續中
312 只是將息
315 寄我一朵鳳凰花
321 曉窗窺夢有鳥鄰
327 爐香靜逐游絲轉
333 結實成蔭都未卜
339 昨夜幽夢忽回鄉
345 萬物皆有情
351 獨立市橋人不識

357 又見天香第一枝
363 晝長蝴蝶飛
369 門前樹已秋
375 無言倚修竹
382 第一座城
388 載情不去載秋去
395 往日情懷

綴網集

404 回響（代序）
406 綴網自縛
408 土地的歸屬
410 淡在喜中
412 想想「曾經」
414 蚌和珠
416 思想錄形
418 心的貞潔
420 眼下青青
422 一杯龍井
424 失落的鑰匙
426 巨木小蟲
428 無夢
430 古井不波
432 自己的陰影
434 審判自己
436 最大的言語
438 忘性
440 兩種症狀
442 遊蕩的意志
444 突破自囚
446 今之隱者
448 經驗的負荷
450 星
452 告別
454 孤獨是完整
456 等
458 可愛陷阱
460 潛能
462 蛻變
464 悠閒
466 露根蘭花
468 謙受益
470 三個撲滿
472 歉疚
474 高樓樓高
476 疏竹寒潭
478 帳單免付
480 減速慢行
482 無形的負重
484 焚一爐沉香
486 修訂本

488 一念三千
490 欣賞別人
492 不好意思
494 孤雲獨去閒
496 潮
498 針黹之美
500 無聲之聲
502 山之頂禮
504 何妨白髮生
506 居有竹
508 生存的勇氣
511 塑造自己
514 執著
516 灰燼和塵土
518 憤怒是敵
520 秩序之美
523 侮辱自己
526 生來富有
529 與物為春
532 心中孤島
535 水流心不競
538 能源透支
541 返樸歸簡
544 分享喜悅

艾雯全集4・散文卷四

花韻

9 優雅自在
12 迎春花
13 康乃馨
15 豌豆花
16 孤挺
18 茉莉
20 木棉花
22 樹蘭
24 珊瑚藤
26 日日春
28 安石榴
30 梔子
32 曼陀羅
34 鳶尾
36 蔦蘿
38 珊瑚刺桐
40 菡萏
42 鳳仙花
44 軟枝黃蟬
46 龍吐珠
48 花麒麟
50 忍冬

52 紫薇
54 九重葛
55 仙丹
57 炮竹紅
59 緬梔
61 馬纓丹
62 極樂鳥
63 後記

孤獨，凌駕於一切

◎輯一 忘憂草
67 孤獨，凌駕於一切
72 真好，燈那麼亮！
77 那個摘星之夜
83 去看花的日子
89 家在雲深不知處
95 靜靜的畫廊
100 寧靜地帶
105 嗳！你，和平的使者
111 慧心和巧手
117 永恆的一剎
123 美好的星期天
129 若和春同住
135 純樸智慧的境界
141 莊嚴的語言
147 剪一幀「萬象春回」

◎輯二 藝術步入生活
154 從起點出發
160 假日，花展
166 視聽藝術的幻境
171 藝術家的遊戲
177 把世界穿在身上
183 野柳，岩柳
189 藝術步入生活
196 來自泥土的控訴
203 童心·童趣·鄉土情
210 掌中別有春
216 古文明的魅力
223 後記

老家蘇州

229 序
234 小時候
236 野蝶飛來都變黃
241 玫瑰花雕
253 軋神仙
260 鄉心新歲切
273 一樹獨先天下春
283 五月石榴照眼明

292 天涼好個秋
304 千載香火玄妙觀
318 版畫年畫桃花塢
331 月華濃處是姑蘇
340 聞聲聊慰故鄉情
344 蘇州餚饌

與誰同坐

355 三千歲月春常在
359 山之雛型
365 自我塑像
373 十月小陽春
376 走過抗戰
383 夢裡的家園
386 一支搖蕩鼓
390 與誰同坐
394 生命中不能承受的痛和恨
401 鳳凰花的歲月
404 小鎮溫情
408 小溪一曲抱村流
412 柳橋風光
417 鳳凰林蔭道
422 我們那個村子
427 牽牛花人家
432 早安．晨光
440 春雷．驚蟄
444 花鬧
447 蛙潮
450 小小使者
454 春城杜鵑
459 嗨，春假
463 青山有約
469 微笑的聲音
472 美的喜悅
475 時光的腳步
478 那一片盆地
483 缽中番薯
485 小貓咪
487 小小訪客
492 一個字的震撼
496 那個奇異之夜
501 中國只有一個，國旗只有一面
505 贛江水流不盡
521 你我的書
523 生命——從永恆的到永恆
526 智慧——心靈的太陽
529 信仰——精神之歸依
532 希望，與生命同在

535 情感——人體內的電紐
539 千古知己
542 心心葉葉樹長青
547 路的開始，人生的起步
551 我和寫作
555 不僅是興趣
559 散文怎樣寫景
567 在飛揚的時代
570 鳳凰花的歲月——耕讀在南方
591 同步半世紀

艾雯全集5．散文卷五

未結集散文

◎一九四〇年代

11 雨
13 笑
15 悼慈父
17 婦女需要職業！
20 走
22 演說
25 火的舞蹈
28 水，人生
30 這不過是嶺南的冬天
33 狗與其「同僚」
36 絆腳石
39 某種官
41 為公務員經商進一言
44 傻子
46 寫在創刊週年
48 時間的妙用
50 不平則鳴
53 誰在開玩笑？
55 汽笛
57 病中寄語
60 閒談「名」
63 門面
65 寂寞及歌
68 陽光
71 簫
73 火·風
76 這一角
78 生命

81 迎著三四年
83 石榴花紅時
86 遊街及示眾
89 《大地》的回顧與前瞻
92 勝利感言
94 建立「心防」
97 這是求「享樂」的時候了嗎？
100 剜肉補瘡
103 悼一個戰士的倒下
106 告別讀者
108 揭開了生活的另一頁
117 半開化的人
120 春寒
123 副刊性質的商榷
127 三請女傭記
131 也談貓
133 守宮
135 夜市
137 母親的徬徨
140 孩子賴地怎麼辦？
142 孩子的天性
144 台灣
146 焦急的期待
149 模仿與薰染
151 心理上的蟊賊
153 哈代的《黛絲姑娘》
156 靦腆呢，怯懦？
159 小街
◎一九五〇年代
162 再來一次文藝運動
166 論宣傳應採取話劇
169 頭髮的故事
171 是哪一家做莊？
173 漫談業餘寫作
177 新歲話新舊
179 真耶？戲耶？
181 精神戮戕
183 拉住時代的人
186 生活的考驗
190 花・花瓶
193 軍中義務教育在屏東
197 勝利的號角
201 風雨同舟縫征衣
205 不做生活的俘虜
208 童心的享受
211 婦女衛國數今朝
216 十年一覺寫作夢
220 主婦的終身事業

223 主婦與文學
225 奈何路
230 選載優秀文藝，多登各種圖片
232 寫在文協二週年
234 綠塚
238 小城大事
241 婦女們舉手起誓
244 文藝節小言
246 門面哲學
249 我的寫作生活
255 孩子的品行
260 虎頭埤記遊
266 七年甘苦
269 雲水蒼茫日月潭
279 日月潭水天一色
285 一分熱，一分光
294 母親的矛盾
298 燈月交輝登壽山
◎一九六〇年代
303 筆耕十年
307 我寫作因生活寂寞，也可以說享受生活
310 我怎樣寫散文
315 湖上春不老
327 旗山行
335 玲瓏寶塔春秋閣
341 在這屬於你的季節
344 田園之歌
353 文藝復興在今朝
356 使命與方向
359 不凋的花朵
◎一九七〇年代
362 沙漠變綠洲
365 最好的慶祝
367 誰家好女兒
372 三點小小的意見
374 童心
378 夫妻本是同林鳥
383 美的喜悅．靈的享受
388 巨星不滅，永照宇宙
394 精神砥柱
402 成長之歌
◎一九八〇年代
407 自強年的文藝路向
409 艾雯情話
410 心中的島

413 巧婦
415 蘇州水印木刻
◎一九九〇年代
417 舵
420 艾雯自述
433 心嚮往的地方
453 北寺塔
◎二〇〇〇年代
460 文學情緣
463 人在磺溪
469 越冷越開花
473 青春的里程碑
475 母親與我
477 也是流域
483 無限美好
◎待查年代
485 大庾風景線
491 幽默四則
494 我人應有的職業觀
496 願意和應該
499 發揮散文的感人力量
502 生活角度
505 我看《梭羅日記》
507 行腳偶拾
508 卡片與我

未結集書簡

513 作家書簡一
514 作家書簡二
516 作家書簡三
518 散文是性靈的閃爍
520 艾雯望女成鳳
522 艾雯不見《亞文》之面
523 艾雯宿疾復發
524 書川，安心好走

艾雯全集6・小說卷一

生死盟

7 寫在前面
9 生死盟
20 隔岸的控訴
37 距離
51 吹笛子的人
61 密不錄由
71 夥計老闆

79 有生命的日子
88 夜潮
101 銀色的悲哀
120 正義的使者
128 沒有身分證的女人
137 季大夫
144 二十五孝
151 狡兔

小樓春遲

163 在並轡馳騁的日子
172 漩渦
183 割愛
212 小樓春遲
235 生命的綠洲
252 螟蛉
267 落寞的女客

280 菲菲
291 漁家女
306 狼

魔鬼的契約

325 罪與恨
338 偶像
359 魔鬼的契約
410 表兄妹
433 春歸夢殘
452 海嫁
461 家庭教師
474 一個女作家

艾雯全集7・小說卷二

夫婦們

8 楔子
11 夫婦們

霧之谷

217 東吉嶼海峽
240 神童
250 考驗
272 遙遠的祝福
284 人生的另一課
301 不是故事的故事
315 死水微瀾
332 雙翼
339 戒指

360 奔向自由
373 痞戀
392 無言的責備
403 扇子
409 狂歡之夜
416 孿生兄弟
439 異國溫情
471 路是怎樣走出來的
486 霧之谷

艾雯全集8・小說卷三

一家春

7 一家春
19 負心
53 賭徒
67 魔劫
87 雲消霧散
105 糖渣
125 吾妻
142 分水嶺
161 太太的信仰
173 永保青春
186 淘金夢
199 犧牲者
208 乾親家
220 級長
231 群魔宴

與君同在

243 父子島
259 鄉下醫生
279 勇士
292 與君同在
306 花魂
325 彼岸
347 捐
361 復活的春天
390 孤女恨
417 藤篋裡的祕密
429 永恆的路
446 蘋果
456 明月千里
467 麻花老人
481 恩重如山

森林裡的祕密

505 火的故事
512 鏡子裡的真理
520 腳踏車「飛利」

528 夜鶯和音樂家
532 兩學徒
537 人怎樣豢養了家畜
542 魔笛
546 神仙山
555 沙漠船
563 杜鵑花和杜鵑鳥
566 鐵幕裡的孩子
574 森林裡的祕密
586 童話．童年．童心
（後記）

艾雯全集9．小說卷四

池蓮

7 池蓮
22 花濺淚
34 虎子
49 卑微的生命
64 假期
77 愛情鳥
89 左右為難
109 復活
129 斑竹
141 義母
190 樂園外面的孩子
210 墊腳石
223 殞星
236 血緣
249 潭上風雨
261 苦海墜珠
322 十月芙蓉小陽春
335 殼
351 風雨之夕
363 生命的延續

弟弟的婚禮

377 好學不倦
400 弟弟的婚禮
446 安排
475 快樂回憶
495 老人與牌
515 手
536 在迷茫的遠方
558 一年將盡夜
569 繡繃子的姑娘

艾雯全集10・小說卷五

未結集小說

◎一九四〇年代

9 意外
30 發薪水
33 薦
38 林薇娜
46 幸福的消失
51 髮的喜劇
55 小明的悲哀
61 難民
67 被歧視的人們
81 阿俞的保障
84 在車廂裡發生的小事情
88 生產
92 春雨之夜
99 議婚記
108 小草子
125 母與子
135 沙灘上
139 新女性
146 熱浪
149 風聲鶴唳
152 溫室裡的花
155 傻大姊

◎一九五〇年代

158 困惑
162 閃電夜
167 生活第一課
172 最後一班列車
176 心臟病患者
181 結婚禮物
186 乞婦
190 一見鍾情
201 克難英雌
205 結婚五週年
212 證據
220 晚會
228 鳳求凰
235 愛情的考驗
241 神人之間
247 一枚銀洋
252 遠景
257 貼除的一頁
267 一場電影
279 伊甸園

288 倔強的靈魂
296 戰鬥鴛鴦
306 白雲深處是伊家
319 女瘋子
325 小巷風波
331 蟲難
339 贖罪
351 醉人醉語
360 我數著青春和年少
368 風雨同傘
382 捕鼠機
391 十年如一日
399 姊妹行
◎一九六〇年代
405 無根的花
414 鋸樹的日子
435 青春長在
449 朦朧地帶
460 第一雙皮鞋
476 開一朵玫瑰的春天
◎一九七〇年代
498 一個爬梯子的人
516 荔枝成熟時
◎待查年代
545 一百五十元
548 橋
551 一顆珠子
555 生日禮物
560 願望之星
566 小凱利
572 酷戀
584 待產記
589 牆上的臉譜

未結集劇作

599 出路
610 燕爾劫
648 二十五孝
651 她們都去了

目次 Contents

3 總論
11 編序
16 有關《艾雯全集》出版說明
19 編輯體例
21 總目錄
45 圖片集

青春篇

80 寫在前面
82 門裡門外
86 夏夜戀歌——散文詩
94 青春篇
98 迎向黎明
103 這一年
106 都市之訪
112 海角燈影
115 祝福——寫在恬兒兩週歲
119 散文時代
122 藍色的夢
126 花開時節
130 過年
134 寂寞的心靈

139 伴
141 細雨黃昏
144 柔情頃刻入冥煙
150 夜闌人語——給一顆寂寞的心
153 靜靜，她正睡著
156 刷新
159 為了情熱
161 惦念
164 生活在罪惡中
167 遲暮
170 橋——愛即創造（羅素）
174 購筆記
177 月亮．太陽
180 處處花香
183 神，信仰
185 黃昏的祝福
189 長橋夕暉
192 幽禁——山村小簡之一
195 沉默——山村小簡之二
198 為什麼不寫——山村小簡之三
201 不眠之夜
203 船夫
205 月未圓——紀念自己的生日
208 路
210 水的戀念（外一章）
213 尋求
216 魚
219 戀愛與事業——綠窗絮語之一
223 心靈的縈寄——綠窗絮語之二
227 愛情的渴念——綠窗絮語之三

231 主婦與寫作——綠窗絮語之四
235 再版小言
237 它
242 鄉居閒情
246 牆
249 失落的心
253 在片刻的黑暗中
257 收穫
260 作者的話——寫在第六版
262 新版題記
265 青春不老——爾雅版《青春篇》
新記
271 風雨念故人——山村小簡之二

漁港書簡

279 寫在前面

◎輯一

281 無盡的愛——寫在母親節
285 虹一般的憶念
290 年輕的日子
293 生命的音樂
298 夢的幻滅
304 無聲的弦琴

◎輯二

307 春的召喚
309 趕在太陽前面
312 種花記

322 庭園二章
327 狸奴
331 控訴
335 枇杷

◎輯三

340 漁港書簡
351 大地的祝福
354 航程
362 台北來去
370 當我回到家鄉的時候
373 山城憶

◎輯四

376 白雲故鄉
382 母女
389 拐角那一家
395 春雨
399 我是怎樣從事寫作的
411 漁者有其船——新版的話
415 栗子之戀
418 初歷地震
421 綠色幻想曲
424 方老教授
431 有朋自遠方來
436 四重溪之春——萍蹤履痕
446 白雲深處覓歌舞——山地門記遊
450 山在虛無縹緲間——琉球嶼記遊
455 晴山綠縈西子灣
459 從贛南到台灣

1928年，五歲的艾雯與母親攝於故鄉蘇州。

1932年，九歲的艾雯與父親攝於上海浦東。

1940年，艾雯在學的最後一個暑假，攝於江西大庾。

1943年，抗戰時期艾雯在江西大庾。

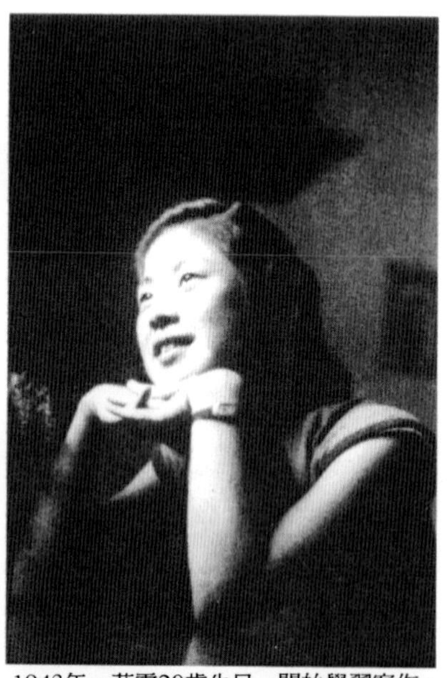

1943年，艾雯20歲生日，開始學習寫作，攝於江西大庾。

1949年，艾雯與朱樸、女兒朱恬恬攝於屏東。

1949年，艾雯與夫婿朱樸攝於屏東。

1951年5月4日文藝節，艾雯（前排右二）參加「中國文藝協會成立」一週年活動，攝於台北一女中禮堂前。

1951年，攝於屏東公園。

1954年，於住家旁的柳橋（位於高雄市岡山區）留影。

1956年3月14日，「四十四年度全國青年最喜閱讀文藝作品及最推崇文藝作家測驗」入選作家，於台北市「婦女之家」留影，左起艾雯、張漱菡、朱白水、徐鍾珮、唐紹華、蔣經國、申江、王宇清、蘇雪林、鍾雷、紀弦、謝冰瑩。

1956年秋，案前筆耕，攝於高雄岡山家中。

1956年，攝於中國文藝協會年會會場。

1958 年，與愛犬娜娜趴在窗台，攝於高雄岡山家中。

1958 年，小院蒔花，攝於高雄岡山家中。

1958年，小院中與手植孤挺花。

1961年夏，門前小立，攝於高雄岡山家中。

1959年5月12日，與友人聚會，左起王文漪、艾雯、鍾梅音、章一萍。

1961年，與朱樸遊高雄澄清湖，攝於湖畔。

1962年暖冬，與愛貓咪咪愛犬安安在門前台階上曬太陽，攝於高雄岡山家中。

1962年12月16日，攝於台北碧潭。

1963年秋，艾雯40歲生日，自裁新裝，攝於高雄岡山。

1962年秋，艾雯一襲風衣墨鏡，風姿綽約。

1964年12月，攝於高雄澄清湖。

1965年5月4日，獲頒中國文藝協會文學散文創作獎章，攝於台北。

1965年5月4日，參加台灣省婦女寫作協會年會，攝於台北。

1968年，與家人春節團聚，攝於高雄岡山，前為艾雯母親（手抱外甥女改韻華），後排左起朱樸、艾雯、朱恬恬、妹妹熊潤珍、妹婿改傳德。

1970年，穿著自己設計縫製之新裝，攝於澄清湖圓山飯店。

1974年，手植珊瑚藤已攀滿了二樓陽台，
攝於新店中央新村。

1974年夏，小院中，攝於新店中央新村。

1978年5月14日，艾雯夫婿朱樸60壽辰，前排左起艾雯、母親、朱樸（手抱外孫黃浩倫）、改韻華，後排左起改傳德、熊潤珍、朱恬恬、女婿黃維金，攝於新店中央新村。

1982年秋，倚風樓前臨別依依，攝於新店中央新村。

1982年9月，小坐綠叢中，臨別新店中央新村。

1984年10月，女作家慶生會，前排左起張明、王琰如、夏龢，後排左起艾雯、蓉子、王文漪、樸月、唐潤鈿，攝於中國飯店。

1985年，參加中韓作家會議，攝於台北圓山。

1985年夏，攝於磺溪，天母公園。

1988年，和心愛的小文鳥及小玩意收藏，
攝於天母家中書房。

1988年，名攝影師周相露拍艾雯於
天母家中書房。

1990年9月，返鄉，攝
於蘇州網師園引靜橋。

1990年9月，返鄉，與女兒朱恬恬（右）合影於蘇州二千五百年古城盤門前。

1991年9月18日，艾雯68歲生日，和女兒繪粉彩畫像合影。

1990年9月，返鄉，攝於蘇州寒山寺前江村橋上，遠處為楓橋。

1993年12月，艾雯母親百齡壽慶全家福，前排左起艾雯、母親、熊潤珍，後排左起朱樸、外孫黃浩倫、黃浩鈞、黃維金、朱恬恬、改韻華，攝於台北圓山大飯店。

1995年9月，艾雯72歲生日，攝於白沙灣。

1997年夏，老友相聚於艾雯天母家中，左起邱七七、艾雯、王黛影、王書川、於世達、馬各。

1998年，攝於天母家中書房前，門口對聯「艾納書香留一室，雯華月色照千篇」，為詩人羊令野題字。

1998年，參觀台北國際藝術博覽會，攝於甥孫畫家葉放作品前。

1999年3月5日，學人來訪，左起沈謙、艾雯、蘇州大學范培松教授、張堂錡，攝於天母家中。

1999年5月，婦女寫作協會東北角海岸旅遊，左起趙文藝、呂青、友人、艾雯、龔書綿。

2000年4月底，二度返家鄉蘇州，攝於獅子林。

2000年4月27日，與葉放攝於蘇州獅子林。

2000年春，攝於蘇州南園賓館庭院。

2000年9月，出席陳其茂畫展，左起歸人、朱恬恬、艾雯、魏子雲、丁貞婉、陳其茂、龔智明、友人，攝於雅逸藝術中心。

2000年10月，首屆艾雯青年散文獎頒獎儀式於蘇州，葉放（前排左一）代表出席，蘇州雜誌社社長陸文夫（前排左三）、范培松（前排左四）列席參加。

2003年9月，《花韻》新書發表會，前排左起於世達、邱七七、艾雯、林貴真，後排左起王書川、歸人、李宗慈、朱恬恬、隱地、林煥彰，攝於雅逸藝術中心。

2003年農曆8月11日，艾雯80壽辰，前排左起朱恬恬、艾雯、黃維金，後排左起黃浩鈞、黃浩倫，攝於台北圓山飯店。

2003年9月，朱恬恬（左）設計編印出版《花韻》，作為母親80壽慶賀禮。

2004年10月22日，出席文訊雜誌社舉辦「文藝界重陽敬老聯誼活動」，與文友歡聚，前排左起夏穌、朱恬恬、艾雯、畢璞、蓉子，後排左起封德屏、姚家彥、晨曦，攝於天成大飯店二樓宴會廳。

2005年10月11日，出席文訊雜誌社舉辦「文藝界重陽敬老聯誼活動」，前排左起畢璞、艾雯、朱恬恬，後排左起丘秀芷、廖咸浩，攝於台北青少年育樂中心五樓。

2006年秋，攝於淡水。

2006年春，偕女兒朱恬恬遊三芝淺水灣。

2008年春，與外孫黃浩倫合影，攝於天母家中。

2007年，攝於天母家中。

2009年1月26日，大年初一和胞妹熊潤珍（右）、女兒朱恬恬（左）合影，攝於天母家中。

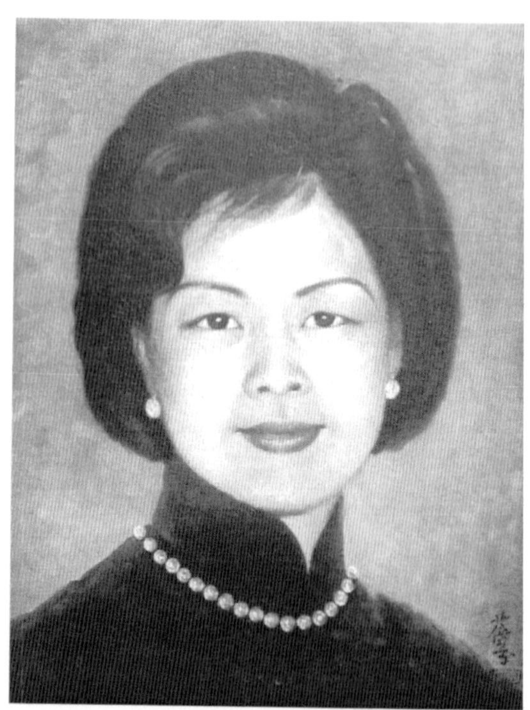

1967年，好友女畫家葉䓬芬繪艾雯畫像，繪於高雄畫室。

1945年10月，黃永玉製艾雯剪影。

1965年6月，艾雯獨照刊於《文壇》第60期封面 。

1991年9月16日，朱恬恬繪艾雯粉彩肖像。

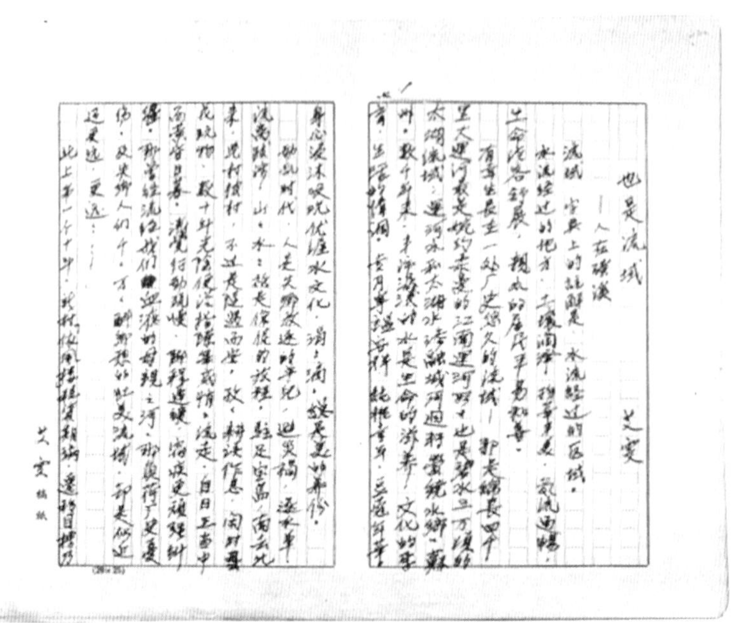
也是流域

艾雯

艾雯創作手稿，〈也是流域〉。

艾雯自做已發表作品剪貼簿，《語絲文屑》、《綴網集》。

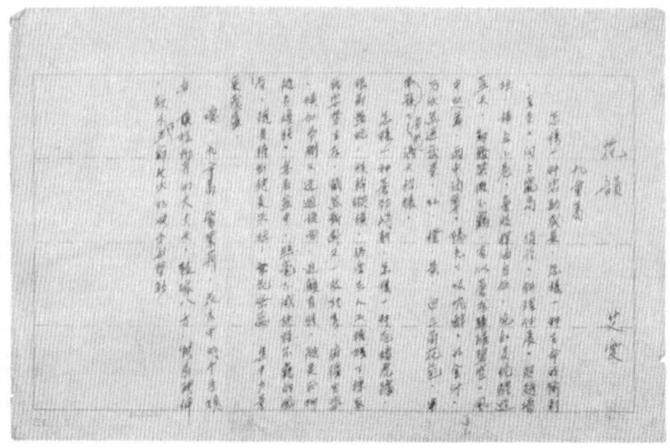
花韻
九重葛
艾雯

艾雯創作手稿，〈花韻——九重葛〉。

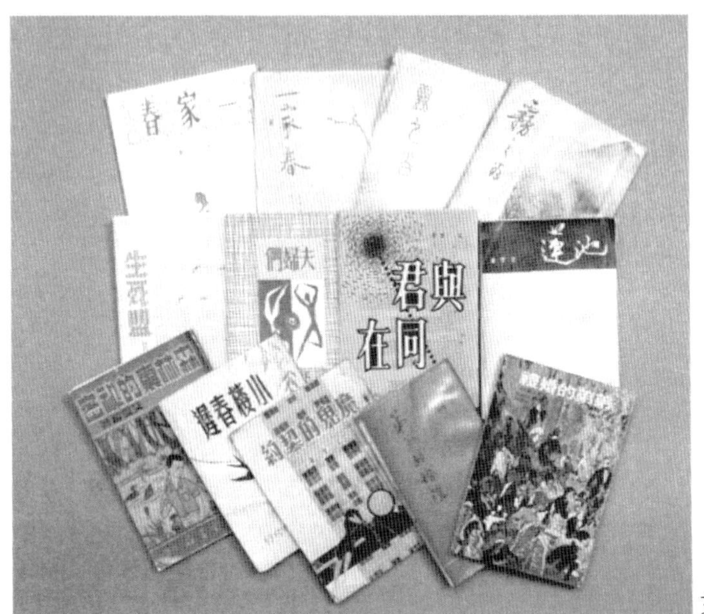

艾雯小說著作。

艾雯散文著作與作品選集。

艾雯繪蘇州橋影——橫塘彩雲橋。

艾雯繪蘇州橋影——楓橋夜泊。

艾雯繪蘇州橋影——虎丘海湧橋。

艾雯寫生野生花草——南國薊。

艾雯寫生野生花草——火炭母草。

艾雯寫生野生花草——大莎草。

艾雯寫生野生花草——葛藤草。

艾雯寫生野生花草——瑪瑙珠。

1992年蘇州雜誌社贈送之紅木雕畫舫，始終在客廳電視櫃上陪伴著思鄉的艾雯。

艾雯收藏品——齊白石畫作火柴盒。

艾雯收藏品——摺扇火柴盒。

艾雯收藏品——各種小貓。

艾雯收藏品——各式小花瓶。

艾雯全集1

散文卷一

青春篇

青春篇：高雄，啓文出版社，一九五一年四月初版。三十二開，一二八頁。後改由高雄市，大業書店重排印行，一九六三年六月發行初版，三十二開，一三七頁；台北市，水芙蓉出版社，一九七八年十二月發行新一版，三十二開，二〇七頁；台北市，爾雅出版社，一九八七年五月發行初版，三十二開，二三二頁。

◎啟文版原目：

寫在前面、門裡門外、夏夜戀歌、青春篇、迎向黎明、這一年、都市之訪、海角燈影、祝福、散文時代、藍色的夢、花開時節、過年、寂寞的心靈、伴、細雨黃昏、柔情頃刻入冥煙、夜闌人語、靜靜，她正睡著、刷新、為了情熱、惦念、生活在罪惡中、遲暮、橋、購筆記、月亮・太陽、處處花香、永恆的創痛、神，信仰、黃昏的祝福、長橋夕暉、幽禁、沉默、為什麼不寫、不眠之夜、船夫、月未圓、路、水的戀念（外一章）、尋求、魚、戀愛事業、心靈的紮寄、愛情的渴念、主婦與寫作。

◎大業書店版新增篇目：

再版小言、它、鄉居閒情、牆、失落的心、在片刻的黑暗中、收穫、作者的話，並抽去夜闌人語、生活在罪惡中、購筆記、不眠之夜等四篇，改原題篇名「月亮・太陽」為「太陽・月亮」。

◎水芙蓉版新增篇目：

作者的話、新版題記、山居、評介《青春篇》（葛賢寧）、散文的藝術（王平陵）、《青春篇》的青春（季薇）、青春永在（劉心皇）、讀《青春篇》後（孫旗）、生命的春天（李莎）、青春的熱情（啟明）、讀《青春篇》（亞敏）、艾雯與《青春篇》（張雪茵）。

◎爾雅版新增篇目：

青春不老、風雨念故人、艾雯寫作年表、艾雯書目，並抽去這一年、刷新、戀愛與事業等三篇。

◎說明：

本集據啟文初版編入。

大業書店版、水芙蓉版、爾雅版新增篇目收錄於啟文版末，評論文章、艾雯寫作年表、艾雯書目未收入。

寫在前面

「人在寂寞時便能創作，在孤獨時思想便是慰藉。」這二句至理名言，也正是我從事寫作生涯的一個啟示。

是遠在十年前，正值我無憂無愁地遨遊於夢之王國，生命像三春陽光下的花朵般蓬勃燦爛時，家庭裡一個突然的轉變，把我從理想的雲端打入生活的泥沼，周圍的一切是那麼陌生而複雜，稚弱的心靈一時不能適應這驟然的現實的考驗，我變得苦悶，消沉。就在這時，恰似一個溺水的人撈著了一片浮木般，我終於找著了寄託心靈，宣洩情感的路子——學習寫作。我寫著自己心裡的聲音：我寫下對光明的渴念，也寫下對醜惡的詛咒，慢慢地，我不再消沉苦悶，我不僅敢正視現實，對生活也堅定了信心，我把學習寫作當作一支舵，按上我那時漂流在人海風濤中獨自奮鬥的小舟。不管波浪猖獗，風飆慘厲，我只是潛心地把著我的舵。為著克服生活，我不斷地搏鬥，為著愛那份人類的自由，我更歷盡了流浪的艱辛。如今，我把小舟駛進了避風港——台灣，難得在反攻大陸的暴風雨前有那麼一陣風平浪靜。我趁此時檢點這一段旅程的風霜痕印。將歷年來寫成的作品整理出二份，先將這一份付印。除了算給自己即將褪蝕的青春豎立一座里程碑外，更希望這一嘗試能帶給我更多指示和勇氣，在未來那一段艱鉅的旅程上！

本書出版諸承墨人、秦嶺雪先生協助，高敬久先生設計封面，謹此敬謝。

於屏東・民國四十年四月

門裡門外

門外淒迷地飄著雨，颳著風，我緊緊關上了門。門內安逸溫馨。門外紛沓著市廛聲，囂嘩聲，我輕輕掩上了門。門內闃寂恬靜。只薄薄的一門之隔，門裡門外，便截然成了兩個世界！

我愛在門裡沉思，在門裡緬想，更愛門裡那份溫暖，那份安謐。可是我又嫌門，是門造成了人與人之間的隔閡，是門造成了狹隘自私的心胸，是門把人摒棄於大自然之外。在門裡關久的心不會了解宇宙的博大，領悟自然的莊嚴；在門裡關久的人，更會把自己孤立起來。越是在門裡把「自我」看得偉大優越的人，一到浩闊無極的門外，越是顯得渺小猥瑣。

門裡門外，是兩個截然不同的世界，人們對門也就有了截然不同的觀念：有人愛不聲不響把自己拘禁於門裡，有人愛跑東跑西讓自己流浪在門外。

我曾問那促蹇於門裡的人：

「不管周遭是驚浪駭濤，你安居在自己的巢裡；不問四處是風雨飄搖，你滿足於自己那份安謐，你，該是世上最幸福的人了！」

「請勿笑我，朋友，」他說，不勝感慨地。「我亦曾有過輝煌的理想，蓬勃的雄心，我何況不想轟轟烈烈幹一番事？可是，」他抬起眼睛落在那扇森嚴的門上，「環境限制了我！」

「你原可勇敢地跨出這道門檻！」我說。他俯下眼瞼，聲音低沉得近於自語：

「只是我是人，我擺脫不了人的感情。」我默然無語。

我也曾問過那逗留於門外的人：

「四處是風雨飄搖，你為什麼不覓一扇遮風蔽雨的門？周遭是驚浪駭濤，你為什麼不築一個避浪的巢？一旦鷹隼倦飛，也該有個歸宿。」

「風雨可以磨練我的意志，浪濤可以壯勵我的心胸；只有在風浪中才能顯出堅定，才能鑄造不朽鉅業。」他矚望著遼闊的海天，豪壯的語氣轉成猶豫，「我怕，我怕門裡那種自私的愛，淺狹的溫暖，那會剝奪去人的意志和自由。」

「可是你得想著你事業的繼承！」

「如果我的事業值得傳授，繼承的人不一定要在家門。」他依然眼望著遠方，堅毅地說。我肅然無語。

然而，帶有神祕性的事物總是具有魔力，富有誘惑性，不是嗎？只薄薄一門之隔，卻能將門裡門外截成兩個不同的世界！於是每年每月每天，多少青年男女瘋魔地想為自己築一幢門。

當一個莊嚴的聲音問著愉快、軒昂的新郎：

「結婚是一道神聖的門，從此你將貢獻一切，負起門裡的責任？」

「是的。」新郎的眼中寫出答覆。

「結婚是一道嚴肅的門，從此你將犧牲一切，負起門裡的責任？」聲音又向美麗、活潑的新娘。

「知道。」新娘的嘴邊漾出回音。

一道一道的門，便這麼築成，擴展，繁密……有簡單的柴門，有輕便的木門，有巍峨的石庫門，有森嚴的鐵門，一種門代表著一種人的身分、生活、盛衰。最使我不了解的是鐵門，多少不幸地被迫關進門裡的人，是怎樣全副心靈地渴望著門外的自由，渴望著親一親門外的陽光；但奇怪的是，居然有人自願摒棄了門外的自由和陽光，用金錢築成鐵門把自己關在門裡。

闔攏著的門顯得莊矜，虛掩著的門透著神祕，洞開著的門表示歡迎。門裡有溫暖，有殷勤，有恬靜的夢，編綴的幻想。門外有風雨，有浪濤，有遼闊的天地，遠大的前程。

只薄薄地一門之隔，門裡門外，便截然成了兩個世界。

一九五〇年十一月二十四日

夏夜戀歌

——散文詩

仲夏夜，月光滲透了大地，沁涼的空氣中融和著夜來香和薔薇的芬芳，一幢纏蔓在薔薇叢中的白色小屋，幽靜地浸浴在銀輝中。杏黃色的窗簾飄拂在柔和的晚風裡。屋裡沒有燃燈，月光從拱門形的窗洞裡氾濫進去，正好照著女主人挺秀的身影，端坐在鋼琴前。白色的長裙曳著地板，柔髮用一根杏黃色的緞帶束在肩後，削直的鼻子透著高貴和端麗，微翹的嘴角顯著驕傲和智慧，那對星星般明媚清澈的眸子，此刻卻浸在夢一般情景裡。象牙似的纖指嫻熟地按著鍵盤，憂鬱地、深沉地樂聲像一支流水，從玫瑰色的指尖下流出來，滑下潔白的羅衣，滑進柔盈的月光。這裡面有著愛的渴念，夢的憧憬，希望的冀求。少女的聖潔的心的顫慄……流著流著，琴聲終於以一個深永沉綿的音符終止了。女郎盈盈起立，拽著白色長裙，似仙女彳亍於渺無人跡的白雲深處。她靠著窗櫺停下來，做夢般的眼睛縈寄無限深思於蒼穹，月光照著她凝神肅穆的姿態，超潔端莊。就像一座大理石雕像。突然，那一排修長的，靜靜展開著的睫毛顫了顫，她又恢復成一個敏感的少女，女人特有的微妙的感覺，使她又意識到身後六支無形的暗箭，六支燃著強烈的愛慕之情的眼光灼著她的背脊。她一轉身扭亮了房裡的電燈。

燈光透過杏黃色的紗罩，使月色掩映下幽邃的情景，驟然變的輝煌華貴。原是坐在黑暗裡的三位男人，卻讓這突如其來的光亮弄的有點局促，大家眨眨眼睛來掩飾自己的窘態。

「你們」，女郎迅疾而敏銳地掃射了他們一眼——他們就同遭遇了一個閃電般輕輕一震——驕矜地走過去投身在墊著杏花色緞墊的沙發裡。「你們為什麼成天監視著我，不讓我安靜？」

「不敢，小姐，我們怎敢斗膽監視妳！」三人不約而同惶恐地申辯。

「我追隨著妳，就同一個忠實的僕人追隨他的主人一樣隨時聽候妳差遣。」一個紳士卑恭地上前一步說。

「我追隨著妳，就同一個古騎士追隨他的皇后一樣，隨時準備為妳效勞。」一個繫著大紅領結的詩人殷勤地說。

「我，」一個充沛著活力朝氣的英偉青年吶吶地說：「我愛世上一切的真、善、美，而妳，便是它們的總和，它們的化身。一種看不見的力量驅使我追隨著妳。」

「唔！」挑一挑眉毛，嘴角盪漾著一絲揶揄的笑。

「我生命的主宰，可否允許我做妳終身的忠僕？」

「尊貴的女皇，可否答應我做妳永生的騎士？」

「美麗的人兒，可否讓那份真善美的光輝，永遠照耀著我？」

女郎深沉地望了他們一眼，冷峻地說：

「一顆崇高的心不能隨便給予，一份聖潔的愛不能輕易布施。誰能取得世上最珍貴最恆久的東西，他便將獲得願望。」她望一眼壁上的鐘，長短針正聚集在十二上。「三年後的此時此刻，我仍舊在這裡等待。」

揉和著希望和亢奮，三人恭敬地吻一下象牙般的纖指，悄悄地退出屋子。

三年過去了，又是一個晚風輕柔，花氣氤氳的仲夏夜。只是沒有月亮，小白屋裡投射出杏黃的燈光，給黑夜沐飾上一層溫柔的光輝，女郎托腮倚窗，融在這一片溫柔裡。

白扉輕輕地啟開了，紳士捧著一只飾金雕花的盒子，喜氣洋洋地走到女郎身畔，屈一膝獻上了寶盒。

「這裡，我足足耗了三年的精力，換來這世間最珍貴的東西，妳的美麗因它而相得益彰。你的高貴將舉世無敵。我生命的主宰。請實踐妳的諾言吧！」

女郎緩緩地啟開盒子，一滿盒晶瑩瑰麗的珠寶頓時奪去了電燈的光輝，紅的、藍的寶石，綠的翡翠，白的鑽石……直耀得人眼花撩亂。

「多美麗的小石子！」女郎隨手抓了一把在掌心裡，又讓它們從指隙紛紛地墜落下來，

「可是它們充其量也只能做為裝飾品，而且只能裝飾身軀，不能裝飾靈魂，世間最珍貴的東西，是不能以俗世的財物來估價的。我不能讓俗物來玷辱我的愛情。」

女郎撇下珠寶，紳士的希望幻滅了，抖慄著嘴唇卻說不出一句話。

門又再啟，詩人挾著一大本錦裝燙金的巨書，興匆匆地進來，彎著腰獻給女郎。

「尊貴的女皇，我足足耗費了三年的心血，為妳寫成了這本可與但丁、荷馬的史詩媲美的詩集。還有什麼比得上永世不朽的美名那樣恆久？請實踐妳的諾言吧！女皇！」

女郎輕輕地揭開詩頁，頌揚、讚美、歌頌的詩句像迭連的浪花般，一個比一個更美的簇擁而來，她看著、看著，微笑著掩上了書頁。

「寫得真美，我相信世上的好字眼好句子全讓你用光了，可是我只是一個平凡的人，不是神。過分的讚美有時卻是譏諷，世上最恆久的東西，該是沒有矯揉的真實存在。我不需要虛偽裝飾我的靈魂。」

女郎擱下詩集，詩人的願望摧毀了，祈求般伸舉著雙手，卻說不出半句言詞。

等待又等待，徘徊又徘徊，鐘上的長短針又聚集在十二上了。女郎失望地跌坐進沙發，可是就在響到第十一響時，一陣雄豪的歌聲迎風送來。

……

真實歸於你
公理歸於你
濁浪瀰漫
你終是淨潔不變
天翻地覆
你依然固若磐石……

歌聲倏然中止，英偉的青年，風塵僕僕，一身行裝出現在門口。

「可愛的人兒；我不是來要妳實踐諾言，而是告訴妳我已放棄了願望。」

「你是說，這三年來，你始終不曾覓得世間最永恆、最珍貴的東西？」

「哦！不，謝謝妳給我的啟示。使我發現了世上最永恆、最珍貴的是什麼。我現在正要去追求。」

「它比愛情還溫柔？」

「不，它是冷酷無情的。」

「它比青春還綺麗？」

「不，它是肅穆嚴謹的。」

「那麼，你為什麼甘願放棄眼前的萬般溫柔，千種綺麗，而苦苦去追求、掘發？」

「因為它在世界的顛狂中依然屹立不動，它在宇宙的混亂中仍是淨潔不變，一切的是非善惡，在它面前自會彰明，一切的殘暴陰險，在它面前自會泯滅。再堅貞的感情，比起它來不過是過眼煙雲，再美滿的人生，比起它來也只是瞬息風塵。它是昔在、今在、永在，只是愚昧的人不知理解，作惡的人不敢企仰。而我，我的心靈促使我去尋求，我的良知促使我向它服膺。」

「它的名字？」

「真理。」

「哦！」女郎激動地歡嗅，「請問，怎樣才能求取？」

「意志、信念和無畏的精神，有著這三樣，才能跋涉那漫漫無涯、艱辛苦難的旅程。」

「在世界的顛狂中依然屹立不動，在宇宙的混亂中仍是淨潔不變。」女郎喃喃吟唔片刻，夢似的眼睛裡揚射出喜悅的光芒。「這真是我需要的，請遞過你的手臂來，青年人；我將同你一路去尋求世間最珍貴最永恆的真理。」

琴無語，花默然，白色的人影挽著結實的臂膀，從溫柔的燈光中走進茫茫的黑夜。

瀰天的烏雲遮掩了點點星星，輕柔的微風轉成憤激的狂飆。遠處有閃電，也有沉悶的雷聲，黑夜不安地預示著將來的風暴。

兩個失神的人木立在風飆燈影中。滿盒的珠寶黯淡了，燙金的詩卷褪色了，一陣歌聲摻和著風嘯電吼，逐漸遠颺——

你是宇宙的巨人
你是恆世的磐石
天翻地覆你無恙
魔焰瀰漫你無傷
天涯海角
我們要將你尋覓
流血搏鬥
我們要為你作戰
當你的光芒燦然呈現在世人面前
一切強暴魑魅
都將在你面前遁跡，泯滅
那時，請聽我們為你謳歌，將你禮讚

編註：爾雅出版社版本，於文末加記「民國三十九年十二月・屏東」。

青春篇

黃昏，我伏案凝思，想在凡庸的生命裡發掘一些不凡的塵屑。一片黃葉輕輕地，悄悄地，像微風掠過夢境，像雲朵浮過天空，飄落在案頭。我一舉手便把它拈在指間。薑黃色的底子裡摻著赭色的花紋，點綴著細小的深褐色斑點。褐點間還剩餘著褪蝕的綠斑，斑爛有致，很是美麗。

只是這美，美得像將墜的夕陽，少著點充沛的青春活力。從那殘剩的綠斑裡，依稀看到它在歡唱的季節裡軒昂舒展的英姿；在那剝蝕的綠斑裡，依稀看到它在炎暑中欣欣向榮的風采。而如今，雖然纖維裡依舊蘊藏著濡濕的水分——生命的源泉，脈絡也還有著生的韌性，可是只為消失了那一分青翠，便只得由著風的意志零落風塵——我順手將葉子夾入玻璃板下，空白的心頭卻憑空嵌入一分莫名的惆悵。擲下筆，暮色悄然從窗際湧入……

晚上我做了一個夢，彷彿是蹬蹀在一條漫長漫長走不完的路上，一邊是廣漠大野，一邊是綿亙數十里一片如雲如霧的蘆花。前途渺茫，後程隱約。路畔點綴的黃色小花，宛如黃昏初現的星星，一路淡去。我走著走著，忽然從身後閃出一個矯健的女郎——不，一個莊矜的女神，她戴著綠色的冠冕，披著白色的輕紗，赤足散髮，右手拿一朵嬌豔的玫瑰，左手執一枝輝煌的金杖，容光煥發的臉上、卻是莊嚴凝冷，她回過頭來，向我揚了揚手：

「再見了！人兒。」

「你是？……」我遲疑地端詳著她似曾相識的臉龐。

「我猜想你已把我忘懷。」她悻然地說：「我是『青春』，曾伴隨你十多年歲月。」

「哦！你便是青春！美麗的青春！」我驚喜地趨前去觸摸著她的衣裙。「我怎能忘懷你？千萬、千萬別離開我。」

「可是你並不需要我。」她冷冷地說。

「我需要你，我需要你給我充沛的生命力，我需要你給我無比的嬌豔，我需要你支持我對你的矜傲，我需要你……」

她倏然抬起眼睛，嚴厲地望著我說：

「十幾年來，我那一樣不曾給予你？而你又拿什麼光耀了我？」

「我，我把你編織成旖旎的夢幻，我把你渲染了絢麗的愛情，我還把你……」我原想說把她獻給輝煌的事業，可是我環顧、我回溯，那有什麼豐功偉績！我囁嚅地俯下了頭。

「你需要我？你只是把我當作生命的裝飾，愛情的點綴，卻漠視了我莊嚴神聖的使命！」她舉起手中的金杖，千萬道光芒迫射得我不敢正視，「庸淺的人喲！一陣玫瑰的芬芳就使你迷醉，一點玫瑰的嬌豔就使你滿足，可是香味淡了，花兒凋了，你還不是你，隨著眾生泯滅！你就不曉得把短促獻給永恆，去為一個理想奮鬥，去切切實實、勤勤懇懇地創造，也好讓我由你的成就獲得榮耀——你是大大地辜負了我！你不僅過去辜負了我，而現在，你還故意冷淡我。」

「天！我怎麼會冷淡你！」我冤屈地申辯。

但她沒有理睬我，仍是小溪流水般不停地說她的話：

「你不僅冷淡我，你還故意讓那些我最憎嫌的敵人——憂慮、愁苦、庸思俗務來戕害我，使我難堪，使我不能立足。好了，打從今天起，我決定離開你。」她決絕地掉頭向前走去。

「請你相信我，這一切絕不是我故意，那只是生活，現實的生活使我冷落了你，疏淡了一切。」我惶惑地追上一步，牽住她的裙角苦苦哀求。「你千萬不要捨我而去，從今以後，我發誓要加倍地愛護你、尊重你，請你、請你留下吧！」

「哼！這都是你們說的一貫的話。」她冷笑著停下腳步。「當我整天廝守著你們時，你們一味將我浪費，從不珍惜；可是等我一旦離開了你們，又不勝悔恨地嗟歎著青春易逝，青春不再！對不起，我可再不能為不知愛惜我的人，虛擲我寶貴的光陰了。」說罷，她擺脫我的攀附，頭也不回地躍上蘆花，舉著玫瑰，舞金杖，輕盈地款步向前……就這麼輕易地讓她離我而去嗎？哦，不，我要捉住她捉住她，我不顧一切地朝白茫茫地蘆花叢中一躍，身子就那麼往下一沉，沉、沉、沉……我驟然睜開眼來，周圍依然是灰茫茫的一片。略一凝神，才分辨出那不是蘆花叢而是黎明的曙光，一聲接著一聲遠處傳來了晨雞報曉聲。又是一天，一天的生活開始。我披衣下牀，扭亮電燈，玻璃板下那片黃葉又赫然呈現眼底。

屏東・民國三十九年十一月

編註：本文原刊於《中央日報・副刊》，一九五〇年十一月十日，第八版。

迎向黎明

黃昏星在一年中的最末一晚燦然升起在穹蒼。樹巔風止，叢山穆然，四野在夜的鎮懾下靜肅了。只有溪流歌唱著，一路吹著水泡泡，潑濺著浪花，掙出山谷，穿過石罅，愉快地向前奔流。

兩個人影，一左一右，幾乎是同時出現在原野。雖然來自不同的路途，看那矯健的步伐，顯然是朝著一個方向——日出的方向行進。月亮尚未出來，星光下看不清崎嶇的地面。突然一聲驚噢，右首的黑影頹然顛躓了，左首的黑影急忙朝聲音發出的所在跑去，伸出援助的手。

「朋友，摔痛了哪裡？」是一個沉毅的男聲。

「謝謝，只是石子絆了一跤。」是一個堅定的女音。

不曾彈一下灰土，摸一摸痛處，她又站起來走了。他略一遲疑，也灑開了腳步。兩人默默地並步在荒野，是一雙情侶，還是一對愛人？可是，他開口了：

「請問妳是去……」

「我不曉得。」她輕輕搖落了沉思。「我只記得今天是一年最後的一天，最後的一晚。我不願以狂歌痛飲來打發這僅僅剩餘的光陰，我也不願讓鄉愁惡夢蠶食了它。我想著要用我的腳步叩著它的腳步，踏破這漫漫長夜，便走來了這裡——你呢？」

「呵！不想我們竟是同路。」他忭然歡呼道：「是的，不僅要踏破漫漫長夜，還要迎著新的開始——黎明的來臨。」

原來他們只是兩個不相識的行人，但這時他卻誠摯地遞過臂膀去，胳膊扣住胳膊，腳步叩著溪岸，溪水輕快地向前奔流。

夜越來越深沉，月亮出來，一會兒又躲進濃厚的雲堆。潺潺的溪流突然憤怒了，擋在前面的是一座高山，它沖撲著、碰撞著，兇猛地激越過山岩。他在前，她在後，他們用腳探索著，用手攀附著，爬上陡峭的山脊。兩旁嶙峋的怪石就像一群猙獰的惡魔，環伺著這兩個新客，松濤中摻雜著野獸飢餓的咆哮。

「哎！」

「怕嗎？」

「不。是石鋒戳了腳。」

「讓我扶著妳，翻過這嶺前面便是廣坦的平原了。」

「聽！彷彿是豺狼近來的腳聲。」

「別慌，拿出勇氣來，牠們便不敢近身。」

終於翻過了山巒了。多累人喲！不憩憩嗎？看小溪也在山腳喘息，它遇著它的同伴——澗流了。那樣叫嘯著躍騰著，帶著難以壓制的勝利的微笑，匯合成更強壯的一股洪流，向前奔流。驟然間，前面又是一大片鬱密的森林。

森林裡瀰漫著烏黑的夜霧，到處是嘁嘁喳喳的私語，彷彿永遠在進行著什麼陰謀詭計。澗流的歌唱在這裡成了嗚咽。他們緊扣著胳膊走進樹林。梟鳥朝著他們淒厲的獰笑，橫生的枝芽到處捉弄著他們。

「喲！是誰扯住了我的衣角。」

「我的頭髮也被勾住了。是討厭的荊棘哩！」

「看，看那邊，黑幢幢晃動著的是什麼？好不怕人！」

「別怕，妳且向他們正視，什麼鬼怪在正氣面前也只得銷聲匿跡。」

好了，終於走出了森林。她欣忭地唱起一支進行曲，他敲著拍子。澗流在林外又匯合成一支浩闊的江流，彼此相撲著、迴旋著，波浪與波浪撞激、歡呼，然而又迅疾地向前奔流。不遠處傳來一種更雄壯的聲響——那是海嘯。離大海不遠了，可是夜空更黑了，連星星都遮蔽在黑雲裡，沉重的雲塊直壓著頭頂，大氣窒息到了極點。

「怎麼還是這般地黑暗！」她猶豫著停了歌唱。

「是的。這是黎明前最濃厚的黑暗。可是黑夜總會有盡頭。來，振作起來！」

一道閃電劃過夜空，燃亮了宇宙，只見樹木開始搖動，大海劇烈地激盪著，現出可怕的景象，江流叫嘯著昂起了頭，洶湧地注入大海——加入戰鬥的行列。沖激起白花花的排浪，互相擁抱著，跳躍著，忽然掀起巨山似的水柱，又猝然沉落。後浪摧著前浪，海激盪得更猛烈了。狂風從天邊呼嘯著撲來，接著一聲驚天動地的霹靂，暴雨驟然從夜空急驟地瀉落。風聲、雨聲、雷聲，夾著大海的怒吼，咆嘯，宇宙震撼了。

兩個蹀躞的人兒為這件偉大雄壯的景象震懾了，怔忡著、惶悚著，突然他向空揚起手臂歡呼道：

「啊！暴風雨。黎明的前奏。快，我們迎上去吧！」他牽住她的手，在狂風驟雨中向前奔去。

一陣猛烈的暴風雨後，風輕了，雨點小，海面上浪慢波微，逐驅退去的灰雲裡透著一片霞輝。黎明終於來臨了。蔚藍的天，藍得那麼明朗；幽藍的海，藍得那麼深邃。天與海連結在一起，顯得那麼壯麗，那麼和諧。一輪紅日，從海天連接處升起，萬丈光芒照臨著海邊兩個莊穆肅空的人兒，髮上猶自在淌著水滴。

一九五一年一月六日

編註：本文原刊於《中央日報・副刊》，一九五一年二月六日，第六版。

這一年

來台灣，不覺已是整整一年了。一年以前，我還寄居在千岩萬壑中的那個小山城裡，雖是簡陋偏僻卻也樸實單純。人們「日出而作，日入而息」地工作著，那裡，沒有火藥血腥味，那裡，沒有奢華和荒淫。那是座靜寂之城，可也是塊福澤之地。抗戰時，敵人侵略的鐵蹄蹂躪遍鄰近各縣，唯獨山城屹立無恙。在那裡，我一度避過了魔劫，在那裡我拓展了心靈上的新天地。在那裡，我的生命開了花又結了果。而山，那莊穆寧靜的山，更教會了我怎樣沉思，怎樣忍耐。除了那一份近乎忘世的安謐，山城對我還有更密切的牽繫。因此一年、二年、三年……我總是像隻倦飛的鳥兒，靜靜地蟄居在山城裡，默默地工作著。

赤色的洪流氾濫著，今天淹沒了一塊土地，明天又吞噬了一座城市。山城裡的居民讀著隔夜報，像在講一則遼遠的故事。可是距離山城一條江流，丈夫服務的那個機關，卻準備撤退了。他趁著找房子的機會，來了一次山城，他問我有沒有意思去台灣，他們一部分人將調去。

「不。」我堅決地回答。雖然夙聞寶島美麗，但越耽於安謐，就越怕跋涉的艱勞。他走了，可是不到一星期又踅了回來。他們的原駐地棄守，準備退守的那個省會也岌岌可危，人員全部遷台。

「這下，妳總該去。」

終於，我收拾起惜別的心情，在一路歡樂度新年的氣氛中，默默地踏上了征途。第一次我接觸到海，那無邊無涯的遼闊浩瀚的海，擴展了我狹窄的心襟。第一次我看見了海鷗，那奮勇的，與險惡的風浪搏鬥場面，啟示了戰鬥的真諦。雖是波浪振盪得我昏暈嘔吐，而我卻有了更堅定的信念。

前浪推著後浪，就在一年前的今天，我投進了寶島的懷抱。

自然，我們不是攜了滿箱滿篋的金條來做「寓公」，我們也不是想來富庶的寶島淘金。我們只有一個希望，一個酷愛和平自由的人們共同有的希望，早日擊敗暴力，還我們自由寧靜的生活。

可是，一年過去了，八千七百六十個小時，不算少的時間。可是，這一年國家做了些什麼？個人又做了什麼？瞻望祖國，大陸在一年間完全變了色。（自然，那安謐的山城也不能倖免。）回顧自己，沒有為苦難中的祖國作一份貢獻。

這一年，我不曾受到北風凜冽冰天雪地的威脅，可是在單純的煥暖中，我時常想念著園爐談笑的融洩，踏雪尋梅的風趣。

這一年，我做了不少的夢，夢著江南桃紅柳綠，草色入簾青；夢著江南肥沃的田野裡菜花黃了，稻麥黃了，莊稼漢揮舞著紫銅色的胳膊，鋤頭在陽光下閃爍。

一年了啊！才落地的孩子都該會走會叫了。一年了呵！不教人等待的焦灼嗎？然而想一想一年來多少人為了反抗暴力，爭取自由，流了血，拚了命，不禁又慚愧惶然。

來台時，山城的友人說：「如今，你是去『避風港』了。」可是事隔一年，這「避風港」也有些風吹草動。一部分敏感的人士又為著自己的「安全」忙碌起來。自然，我不會動，也沒想動。回大陸嗎？雖是天天唱著〈夜夜夢江南〉，如果江南沒有青天白日滿地紅，我寧願面臨著將臨的風浪，捲入民族存亡的大搏鬥。雖然，我不是戰士，我不會戰鬥，但我能苦熬，我能忍受，我還有堅定不移的信心。這一年，已經打發過去了，難道不能再熬二年，三年？……

一九五〇年二月二十四日

編註：本文原刊於《中央日報・副刊》，一九五〇年二月二十四日，第六版。

都市之訪

像層疊著的波浪由遠而近，司晨雞一聲聲相遞著的啼聲，串起了一串由低沉而高吭的音階，顫蕩在黑夜的盡頭。接著嘹亮的號角吹響了，雄壯的歌聲從千百個喉嚨裡唱出來匯成一支激流，突破了天亮時的靜穆。神鷹的馬達低吼著像繫上鈴鐺的鴿子，掠過綠蔭沉沉的市空，小城醒來了，千萬叢綠樹伸展一下肢葉，抖去了昨晚裝飾著夢的露珠。殷勤的菜販已挑著滿筐紅嫣綠翠，遍叩寂寂的街巷。睜開惺忪的睡眼，只見黎明第一道金黃的陽光正照在牀頭一幅儀甸園圖上。我彈去隔日的窒悶與困頓，起來打開窗扇，滿院綠色首先映入眼底。一片細碎婉轉的鳥語似捋下一串珍珠撒在石板，晨風清涼沁人心脾，我舉起雙臂深深地吸著新鮮芬芳的空氣，周圍的一切形成一種莊諧、恬靜。是的，無比的恬靜、莊諧。可是，我彷彿今朝才理會這美的氛圍。在昨天從都市返回這小城的今朝。就似浸沉在幸福中的人要等失去了幸福才知道那是幸福，我從那囂鬧、煩擾的都市回來，才領會小城的純樸可愛。我竟會相信庸俗者對都市盲目的誇讚，相信白紙上黑字對物質文明的渲染。而把造訪都市當作體味人生，追求文明的一個願望。

就在那天，我穿著薄薄的行裝，披一身小城透明淨潔的陽光，攀上喘息著的列車，進入那多少人矚目豔羨，多少人為它做著黃金夢的城廂。

呵呵，都市究竟不愧為物質文明菁華所在，多巍偉的建築，多寬闊的馬路！可是，為什麼那麼匆忙、那麼擁擠、那麼緊張！那麼些形形式式的車輛銜接著、交叉著、還有打斜刺裡竄出來的，都那麼飛快的奔馳著，揚起的灰沙，使太陽都為之黯然失色。我好容易動員了全身神經，衝過這一批缺乏理性的怪物，像一滴水珠滴入淼淼的江流般，我投入道旁湧汎著的人流裡。我感到一種經過單獨戰鬥重新會晤到同類的喜悅，我想舉起手來向每一個人招呼，告訴他們——我是從另一個城市來探訪他們的。可是，我舉起的手僵硬了，我誠摯的笑意在臉上凝成化石。怎麼一回事呀？這些人全是那般冷淡漠然，彷佛忘卻了怎樣鬆弛臉部的肌肉。多高貴的氣派，多莊穆的神情！只是沒有一點友善的表示，沒有一眼和藹的諦視。我感到有點失望，但我還是隨著人流向前流去，像水滴隨著江波一樣。

流著流著，我在紛擾的人流裡迷失了路向。收音機裡尖厲的聲音反覆搓揉著神經，脂粉香混著汗酸臭薰得要作嘔。我想上前幾步，差一點衝著前面一對緊緊偎依著的紳士淑女。我略一躊躇，一位洋派小姐猛然擦肩而過，還回頭瞪了一眼。跟著流吧、流吧！我收拾起徬徨的意念，就同撩起一綹擠散的鬈髮。讓積滿灰沙的鞋尖跟住雪亮的鞋跟，把腳印蓋上水門汀。突然，前面的源流鬆動了，就似水流遇著了缺口般洩漏下去。我覺得眼前驟然一亮，原來是拐進了一家富麗堂皇的百貨公司，迎人的是紅一張綠一條的大廉價、大摸彩。在這裡，人們多麼該致謝我國的邦交成功喲，不是嗎？要永遠保持著關閉政策，人家又怎能把精心構製的東西供我們享受！這裡有來自巴黎的名貴化妝品，有來自英國的精緻衣料，有美國出產的各色奢侈品日用品，有日本製的靈巧的玩具、飾物，在這些五光十色的東西上面，都用一張白卡片標著數目字，一個零，二個零，三個零……瞅著瞅著，那些數目字忽然慢慢地擴大、膨脹了。我彷彿看見那只是血淚的凝結，我也看見多少罪惡與貪欲的細菌，寄住在那一串串的圈圈中。我感到一陣噁心，連忙穿過貪婪，饞羨的視線交織成的網，走到街心換吸一口空氣，重新落入蠕蠕進行的人流中，旋轉、巡行。

人流又遭遇了挫頓，這下卻似水流碰著了礁石。我抬起頭來，眼睛正接觸到上面兩隻偉大的大腿。一個半裸的女畫像，像煉石補天的女媧氏般，高高地俯視著麕集在她腳下瞪著眼噏著口沫的子民。圍繞在她旁邊那些香豔色情的字句，直逗得人眼熱心跳。眼熱心跳的隊伍直排過馬路又折回頭排成幾排，猴急地等著那神祕的鐵門開開來吞食他們。人流中有的滲入了這等待著的隊伍，有的向廣告投下色情的一眼，像濺開的水花般繞過去了。這城市，還有的是供高貴的紳士淑汝排遣的事物場所哩，不是嗎？看這邊，這華麗的高樓上笑聲洋溢，安排了多少盛宴！一道道名貴的菜餚端上，一只只空瓶撤下。輕脆碰杯，豪然猜拳，酡紅的酒汁泛上紳士淑女嬌嫩的臉頰，歡笑更顛狂。（他們是醉了嗎？）嘿！醉眼裡的世界才最綺麗。看那裡，那輝煌的大廈裡揚著撩人情思的音樂，多少淑女紳士婆娑起舞，儷影雙飛，軟錫的眼皮，沉綿的言語，心隨著惑人的旋律顫蕩，靈魂浸融在詭譎神祕的光影裡。急旋、輕轉、慢移，有點兒暈眩，卻又似陶醉。（他們是在做夢嗎！）嘿！夢一般的生涯才叫有味。傻瓜，那有什麼稀罕，都市裡最高貴的居民原愛這般醉生夢死。

呵呵！這便是都市，這便是都市的一切嗎？我疑惑著徬徨街頭，不知所適。

驟然一聲慘叫，像撕裂一隻野獸的非人間的嘶喚突出了市囂，一輛卡車如同從地獄地闖出來的惡魔，閃電一般掠我身畔，我還未看清那黏在車輪上一隻紅紅白白的是什麼，車後遺下的一堆人形的東西首先映入我眼裡，我的雙足立刻軟癱了似的不能移動些微。這是一個人，一個真真的血肉之軀，也許是為著去完成一樁任務，也許是懷著顆待親的心，不見他流出來的血還是熱的，漸僵的胸殼中心還在作最後的跳盪。可是，只是一瞬眼的工夫，便成了物質文明進步下的犧牲品。殘缺的肢體搬走了，柏油路上留下一灘血印，就是這一塊隱約的黑跡，曾經是一個活躍的生命僅留在人世的標記。看熱鬧的人散了，馬上一隻輪胎輾過這遺蹟，掀起了一陣塵灰，接上又是一隻……血印褪蝕了，模糊了……一切文明進步為著造福人類，而人類的生命在文明進步中又是那麼脆弱，那麼易於幻滅。怎麼樣地一種矛盾的循環啊！在這都市裡，我為自己渺小的生命顫慄著。踅進一條僻巷，高貴的氣派，莊穆的神情在這裡退避了，但替代的是愁苦，憔悴的形容。孩子們裸著瘦骨峻峻的身子在攪泥翻垃圾，大人全沉著臉撐住勁幹勞苦卑賤的工作，簡陋敝舊的小屋與馬路上堂皇的高廳大廈正好成一個反比例，惡濁的氣息從淤塞的溝裡，墳丘似的垃圾堆上散發出來，真令人掩鼻。我幾乎懷疑是《劍俠傳》中的縮地術使我片刻間進入二個相差懸殊的國度。然而就在我摸索出這都市的化外區，重新投入它的心臟時，我又聽得一聲叫喊，這又像獵犬捕獲了牠的目標的勝利的咆哮，人流裡立刻湧起了波浪般激盪四晃，我不懂得這都市又發生了什麼災難，只嚇得躲在一垛避彈牆後，才震破的膽又抖得粉碎，眼看人流湧向一個方向，像漩渦般迴旋著繞成一個大圓圈，我壯著膽踮起腳向裡望去，只見被圍在核心裡的卻是一個渺小憔悴該是屬於化外區的人，一個大腹賈把他抓在手裡恰似貓爪下的老鼠，而那許多人包圍著他，又似漩渦裡給捲著一根鵝毛，「哼，你想偷東西！」大腹賈像要抖碎他的骨骼般用力搖撼著，又猛著加上一腿，「偷了東西教我吃賠帳。」對面一個店夥就著踉蹌倒過來的身軀又是二拳一巴掌，那人立刻像折斷的草桿般捧著臉跌倒地下，我看見鮮紅的血從他嘴裡淌出來，「揍死他！」看熱鬧的人還在助勢，我忍不住掉頭離開了這漩渦，憤怒就多於困惑。

天不知在何時已黑了下來，都市的千萬隻眼睛明亮得令人昏眩，酒家的歡笑更喧囂，舞廳的音樂更撩人，來自各國的貨品更瑰麗，紳士淑女們更雍容華貴，然而這些都使我憎嫌，我只聽見一個來自心坎的聲音，「回去，馬上回去。」是的，我是不屬於這個城市的人，我必須離開這裡。

載著一身灰塵、困頓，和一顆沉重的心，我又攀上最後一班回程的列車。

呵呵，小城多恬靜，多莊諧！可是直到今朝，從囂鬧紛擾的都市回來的今朝，才領略你美的氛圍。是的，沒有掩飾著的醜惡，又怎現出純樸的可愛！

屏東・民國四十年三月

海角燈影

生長在南國溫柔的水鄉，對水自幼便有一份戀情，一份默契。那清澈的小溪，恬瀠的湖沼，潺湲的河流……而現在，現在卻是泱泱茫茫的大海。在我與水的一段交往中，它們都是溫柔的。只有一次，一生的一次，我看見了它的憤怒；那是由於山洪跋扈地暴發，沖激得它惱怒得失去了理智的控制，一躍而把那山城洗刷了一下。可是激性過後，它馬上又恬靜地、馴良地載負著歷史的憂鬱，靜靜地流著流著……可是海，海卻不然，儘管它平靜時顯得那麼神祕，那麼深邃，深邃得使人想縱身下去一探它的神祕，但它總似一隻不安定的怪獸，一個喜怒無常的巨人，一會低吟，一會長嘯，驟然間又會掀起萬丈怒潮，千頃狂瀾，無端地撞沖、撲擊，就像要震碎天地，併吞宇宙。

雖然，我對海的戀情裡滲著敬畏，我對海的喜愛中有著怯生，但每天每天，我的腳，不，我的心總把我帶往沙灘、海濱。我喜歡讓柔軟帶棘的砂礫刺著那擺脫了鞋子束縛的光腳，也喜歡讓潔白的浪花頻拭輕濯。有時我的思念深沉地、深沉地到海底；有時我的心靈又追逐著海鷗翱翔凌空。而我尤愛佇立眺望，默念海天際會處，何處是故園？故園的流水，是否依舊恬靜清澈？朵雲片帆，可能載負我無限鄉愁新恨！

我欣賞過海在晨曦中甦醒的姿容，淺波微瀾，款漾輕迴，似女神輕曳著白羅寢衣，微步凌波。我也領略過海在朝陽下歡縱的儀態，浪濤翻湧出萬朵白蓮，璀璨偉麗。今晚，我逗留在海濱，看星月又是怎樣為海冶容。

綺霞滑下海鷗翅尖，剎時間海面便煙霧朦朧，撲朔迷離。遠遠地幾隻停泊著的船隻點上了燈，像一簇簇叢星。可是今晚沒有星，也沒有月。天暗得晦冥，海水更闇得幽邃。我縱情放寬視野，也只見叢星似的燈光和隱約的灰白色的塔影。

黑暗吞噬了世界，海在黑暗裡又不安咆哮、吼嘯，我的意念飛落在黑暗裡，我覺得悸忡、徬徨……驀地眼前一亮一晃，彷彿誰正與我擦肩而過，接著是一個俏柔的聲音落在我的耳畔：

「別怕，有我哩！」

「你！」我驟然回顧，依然是渺無人跡，只是意識到周近有一團無質的光影。

「是我，凡是我所到之處，鬼蜮魑魅都不能存在，什麼小魄也不能不遁跡。」

「你是誰？你在哪裡？」

「我是純潔、和善、光明的化身。我不知塵囂浮世，只住在天涯海角。枕著藍天，擁著白雲，海在我腳下歡騰。暇時便聽取星星絮語，海為我講述故事。」

「那麼你是個超絕的隱士？」

「哦！不，我有我崇高的使命，重大的職責。在海上的狂飆濃霧中，我導引迷途的眾生。在深沉的黑夜裡，我給徬徨的舵手以啟示，對疲憊的倦航者，我予以慰安與鼓舞，對輕侮風浪的弄潮兒，我予以警惕。而如今為了不讓腥紅的濁流侵入我保護的領域，我更將徹夜地照射、探索。沒有一根鵝毛可以逃避我銳利的目光，進入海面。」

「啊！你是……」我忭然歡呼。

「嗤！嗤！嗤！」牠笑了，笑聲像大鑄爐裡的火焰在滋鬧，乍地一團火耀亮了我的眼睛，猛抬頭，卻見遠處巍然的白塔，正揚射著一大片光芒，傾瀉在海面，魚兒迎著燈光，潑剌躍上水面，鱗片閃著銀燦。

一艘歸帆沉緩地向著光亮駛來。

海在燈光的掩映下，不及清晨的明媚，沒有白天的神采飛揚，卻是沉靜莊矜，顯得十分威嚴。海波浩闊的起伏，海風壯厲的掠奏。我肅然凝立，只覺得心中慄然凜然充滿悲壯肅穆之情。

一九五〇年八月二十八日

祝福

——寫在恬兒兩週歲

孩子：妳看那太陽是多麼地、多麼地明亮；妳看那藍天是多麼地、多麼地姣好。皎潔的雲朵不就像扯著白帆小舟，交織著在藍海裡優遊，在金光裡徜徉。那沖天的、挨地的樹，全都伸展著綠色的肢臂，正要向藍天擁抱哩。蝴蝶卻忙著給黃菊一個吻，又趕著同紫苑親個嘴，花兒都給吻陶醉了，他推推我，我碰碰你，全在微風中歡舞起來。這冬天裡的春天，一切都顯得多麼興奮、多麼美麗！而孩子妳呢？穿著媽媽手製的綠色新衣，比樹比草還綠得鮮明，就像是棵青翠的嫩芽，是枝初萌的幼苗，在陽光下蓬勃生長。衣裙飄展，又像是隻自在的蝴蝶，在春風裡蹁躚。像隻活潑的翠鳥，在藍天下金光裡低飛高翔。妳的歡笑是自然的音樂，妳的歡笑在爸媽心裡開了花。孩子：這絢麗的天地是你的，妳是這天地中的小天使。盡情的歡躍，自由的翱翔吧！倦了，爸媽溫暖的懷抱隨時都供你休息。餓了呢？外婆正為你煮著美味的麵條！妳知道不？今天，今天是你兩週歲的誕辰，二年前的今天，妳擺脫了十個月的寄居生活，第一次用妳明亮的眼睛來觀察這廣大世界。

那時妳爸爸為追求更合理的生活，遠在另一個城市，只有我同妳外婆和妳阿姨，寄居在那個小山城裡。在贛南，現在已是很冷的了。妳在出生的前一晚便發出了訊號，第二天，我熬著腹痛去請娩假，辦交代。一切準備妥當，大家都緊張地恭候妳的來臨。但妳又對那溫暖的舊居戀戀不捨，直到第三天深夜，妳才姍姍地踏入這大千世界。妳的第一聲響亮的哭聲，把我從痛苦得昏迷的狀況中驚甦。那是多冷的天氣啊！西北風兇暴地撞擊著樓房的門窗，牀前生了二只火盆，那欠熟練的助產士還把妳凍得吐了一天白沫。孩子：妳的花樣可真不少，一生下地，便三天不拉尿屎，還沒嚐到一口奶半粒米，先就嚐試了針藥的痛苦。妳又愛哭，老是緊閉著眼，一百個不情願地咧開了嘴。衰弱的我原不容易安眠，妳一吵，更讓人煩躁。急得你外婆盡搬挪著小腳搖妳拍妳，往往通宵不睡，坐著抱妳到天亮。有一天，妳外婆出去了，我躺著，不能起牀，妳嘶喚了怕有一個鐘頭，就在那天起，妳的肚臍眼像個桂圓般鼓了起來。直到後來才曉得妳哭是為了我稀少的奶汁餵不飽妳的小肚子。我的孩子，說起這回事媽媽真該向你道歉。

孩子：妳貧乏的爸媽不曾為妳的誕生預備下錦褓繡襦，也不曾為你的誕生隆重慶祝。我們唯一的財富是愛，我們便將這生命的靈泉灌溉著妳，妳的一哭一笑，總有關切的愛心在照拂。你的一舉一動，總有親切的眼光在留愛。每一個思念總是以妳為中心，每一個計畫總是以妳為前提，每一個祝福是為了妳，每一個希望也是為了妳。發下薪水，不問家裡存糧多少，首先就得給妳買奶粉。下班回來，不管身心怎樣疲倦，還是煞費斟酌為妳縫衣衫。外婆在百忙中，不時擱下鏟刀抹布，看看是不是已到妳吃奶的鐘點，看看妳是不是蓋好了被子。阿姨也時常擱下功課，哄著妳轉哭為笑。多少的糖果餅乾為妳選擇，多少的娃娃皮球為妳購置，小貓小狗為妳而豢養，小瓶小盒為妳而珍藏。妳有一點病痛，全家便惶惶不寧；妳長一分智慧，全家都眉笑顏開。而頑皮的妳，站還站不穩，更掙扎著要自己走路，一晃一撲，駭得人心跳汗流。才學會走路，就愛登高涉險，一轉身不是正在攀險峻峻的窗戶，便是爬上了危顛顛的椅桌。一天哪，不知要讓人擔多少憂急受多少驚？

孩子：淘氣的小人兒。生長在這愛的氛圍裡，游泳在這愛的溪流裡，妳已平安的跨過了二座紀程碑。妳的小腳已會像雛駒般東跳西跑，妳的小嘴已會像百靈鳥般會唱會叫，妳聰慧的小心眼裡，有了意志和主張，妳明亮的眸子已識得美麗和醜惡。孩子：大步大步地跨過去吧！路正長著哩。一路上有看不盡的奇花異草，有遊不盡的美景勝境，雖然也有坎坷難走的陡徑，也有扎腳刺手的荊棘，但妳不用害怕，只要拿出勇氣來，哪裡也可以過去。何況我們的愛心永不離妳左右，妳疲倦了，會給妳鼓舞，妳困惑了，會給妳指示；妳懊傷了，會給妳安慰；妳一喜一愁，都會予以同情。不管冰天雪地，那裡總蘊藏著溫暖。我們將不避艱辛地為妳開道鋪路，我們將拔除路畔的荊棘為妳栽上鮮花，一切險波駭浪，狂風暴雨，我們都會伸開兩臂，像鵜鷹展開牠的雙翼般，為妳阻擋。

哦！孩子：在妳生命開花的兩週年，該怎樣為妳慶賀呢？孩子！金銀珠寶在妳無邪的眼裡也不會比砂礫石子稀罕，胭脂香粉在妳純潔的小心裡也不會比糖果、橘子可愛，書籍嗎？又太早了些。我想不出什麼適合予妳的禮物。我們只能誠心誠意地為妳祝福，祝福妳愉快地生長，像春風裡一朵幸福的鮮花；祝福妳自由的生長，像陽光下一棵青蔥的樹苗。祝福妳純潔的心靈永遠像明月般皎潔無塵，祝福妳健康美麗，永遠像初升的旭日。祝福妳一路上自由自在，像魚兒在水中隨意浮沉，像鳥兒在天空盡情飛翔。祝福妳一路上照耀著智慧的光輝，布滿了生命的芬芳，祝福妳，祝福妳！

屏東・十二月二十九日

編註：本文原刊於《中央日報・副刊》，一九五〇年一月一日，第十八版。爾雅出版社版本，於文末加記「民國三十八年十二月二十九日・屏東」。

散文時代

有人說：二十歲以前是詩的時代，二十歲以後轉入了散文時代了。可不是嗎？二十歲以前都愛著詩，而那種澎湃的情熱，那種綺麗的想像，那種洋溢的生命力，那種璀璨的青春，都使它本身充沛了詩的情調，構成了生命史上最美麗的詩篇。每一個人都有詩的時代，每一個人都懂得怎樣去享受詩情詩意。可是那豐富充實的散文時代，卻並不是每個人都能領略的。當你跨進這一階段時，正面臨著一個嚴酷的考驗——生活。在這考驗裡，它也許一晃眼，就從身邊溜走了，也許驚鴻一瞥，曇花一現，等到你恍然領悟卻已逝者難追。但最悲哀的還是淪為生活的囚徒。每天、每月、每年……生命之頁上記下的只是千篇一律的流水帳。

奔放了的熱情滲入了理智，荒謬的夢幻化作深邃的思維，征服一切的妄想變成對現實的對抗，魯莽沖淡了，任性變作謹慎。那種瘋狂的愛與恨，那種縱情的歡與憂，都蒙上了一層輕煙似的縠紗，對過去，是淡淡的眷戀，對現實，有清切的認識，對將來，是莊重的期許。

如果說詩的時代是奔騰的激流，那麼現在是潺湲的溪水。如果說詩的時代是熱烈的太陽，那麼現在是幽邃的月亮，詩是春花的燦爛，散文卻是豐滿與成熟；詩的靈魂總在渺茫的將來，散文的靈魂總卻含著過去和現在，過去的灼熱光輝還在隱約閃爍，未來那種落寞沉肅還不曾驟然降臨。散文是健康生命的氣息，散文的情緒恬適雋永，散文時代蘊育著溫情和智慧，我以戀慕的心情眷顧回憶中的詩的時代，以誠摯的熱忱喜愛著目前的散文時代。

詩的時代已是逝者不可追，還不該盡量領略享受散文時代嗎？越過這時代，那便是人生的下坡路了喲！可是生活，那庸凡瑣碎的生活，那卑微困苦的生活，「死之只是埋葬軀殼，生活卻能埋葬靈魂。」人們就似《神曲》裡那些永遠推著巨石山的鬼魂，無休止地揹著生的重負，在坎坷的生之路程上跋涉，不斷地掙扎，不斷地戰鬥，恬淡自適的情緒給扼窒了，思想和智慧給虐煞了。在片刻的寧靜中，在瞬息的安謐裡，乍一回顧，驀見自己瀕臨了這時代的邊緣。

滑下了這時代的邊緣是些什麼呢？詩的情調果然是消失殆盡，散文的情緒也不再留存，剩下的，只是木乃伊似的軀殼，吃喝的機能。虛偽和矯揉是裝飾，自私貪婪是良能，妥協、苟且、懶惰、冷漠、痲痺……整個身心已被生活征服了。縱有漫天的火焰，也燃不著冷卻的情熱。

我惶惑，我驚懼，那夢幻時代已漫不經心地過去了，我不能再讓散文時那麼早早地在疏忽中消失，不管那庸凡瑣碎的侵蝕，不管那卑微困苦的折磨，我還是要緊緊地、緊緊地，抓住這時代的邊緣……

屏東・一九四九年十一月

編註：本文原刊於《台灣新生報・副刊》，一九四九年十一月二十六日，第八版。

藍色的夢

藍灰色的蒼穹，藍灰色的夜，藍色的冷飲室像一方幽冷的藍寶石，鑲嵌在閃爍的鑽石叢中。

藍色的霓虹燈下，翠綠色的棕櫚灑下淡淡的陰影。藍白二色的粉牆透著恬謐和幽邃。藍色是詩篇，是神祕，是幻想。綠色卻呈現著青春和美麗，那鮮妍的裙角，潔白的腰帶，就似春風中的花瓣、蝴蝶，飄揚在這藍綠色裡。盈盈的眼波，微微的倩笑，白圍裙上托一張紅豔嬌小的「愛神之弓」。

曼妙的音樂旋律在顫蕩：

妳是美麗的天使，
也是依人的小鳥，
你可曾知道了，

我的心在跳，
我的心在笑……

這夢幻的氣氛，詩一般的情調。
「姑娘，有什麼熱的沒有？」一個慘綠少年輕敲著銀匙，眼睛卻盯視著那豐滿的、輕顫著的胸膛。
「有牛奶、咖啡。」脆亮的回音。
「不是那些，我要那在妳美麗的胸中燃燒的那個。」
皓眸一轉，簇擁的睫毛羽扇般展開。
「用什麼交換？」
「不變的愛情和未來幸福。」
「哦！不。不變徒使人感到煩膩，未來卻不可捉摸。」
紅唇一啟，滑一步探戈，逕自去鏡畔掠一掠那海的闇藍的波浪——頭髮，留下了馥郁的芳香，伴著失神的人兒。
「姑娘，這紅豆冰欠著點甜味。」一個倜儻郎君手指頻彈著桌沿，目光卻凝集在嬌豔的紅唇上。

「我給你去拿糖。」殷勤的答覆。

「不用，我只要你臉上那顆熟透蜜甜的櫻桃。」

櫻桃半裂，雪白牙齒似海灘的貝殼在太陽光裡閃爍。

「拿什麼交換？」

「金錢的輝煌，忠實的供奉。」

「哦！不，金錢那有自由可愛，忠實不過是男人用來鎖住女子的枷鎖。」

頭顱一昂，旋一轉芭蕾，又去那「姑娘，姑娘，」頻頻的呼喚中周旋，僅讓背影婀娜，夠失意人兒悵惘。

……

燈光轉暗轉明，棕櫚變黃變綠，藍色依舊悠悠，玉人仍是嬌媚，只是細敷脂粉，乍添皺紋淺淺。

「姑娘，來，一份鳳梨冰。」

「姑娘，來，二客冰淇淋。」

她正待上前去獻殷勤，一回眸，卻見那些色情輕薄的眼光，毫不逗留地越過她，就同越過一株樹、一片粉牆，在她身後，是新來的年輕的冰凍女郎。

褪色了，藍色的青春；幻滅了，藍色的夢。

藍色依然神祕，是幻想，是詩篇……

屏東・民國三十八年十一月

編註：本文原刊於《中央日報・副刊》，一九四九年十二月二十三日，第六版。

花開時節

中午，春日的倦滯給人們安排了恬適的小睡，我照例執著本書悄坐在客廳，不住頻望紗窗外，靜候綠衣使者為我帶來那份慰悅，車鈴一響，他果真毫不爽約地送給我三件信札——一本雜誌，一張稿費單，還有一封潔白的信封上飛舞著似熟悉卻又生疏筆跡，而那發信處更激起了我的疑端，幾時，幾時我又有過友人在荒脊偏僻的東部？

拆開信，首先掉了是一朵壓乾的石榴花，貼在一方紙上，旁邊寫著：「記著這花開的時節，妳也許不曾忘卻一個友人。」……這，這難道是霖嗎，我趕緊展開了信紙。

……雖然我已親手摧毀了那些沉抑困瘁，一腳踢開了那些煩惱和苦悶，但妳們過去給我題的「幻想家」、「頹廢派」的綽號，還深刻在我心裡，有時我拿來來嘲笑自己過去的荒唐，有時是作為一種警惕，記得嗎？三年前，也正是石榴開花紅時，你我話別的一幕。——

——果真是他，三年前的一幕清晰地映上腦海，那正是石榴花開如火如荼的時候，我有一次遠行，臨別前，我們坐在芊綿的草地上，一道小溪潺潺地流過身畔，榴花映得水面盪漾著緋光，他依然帶著那付懶散惘迷的神情，注視著水流幽幽地說：

「生命是什麼？飄忽不可捉摸，短促不能把握。人生一世，便似這般生老病死、悲歡離合，生命究竟有什麼意義？人生的真諦又是什麼？」

「陽光照遍了宇宙，卻照不見太陽本身。假如生是造物賦予的一枝蠟燭，我們的使命只是把它燃亮，再交給下一代。又何必去根究它的因果。」我說。

「花開為的結實，水流為的匯合，那麼『燃亮』又是為什麼？」

「是的，花開為的結實，但結實的目的卻並不是結，而是更生延續。人生又何嘗不是如此？」

「更生延續的最終的目的又是什麼？」

「那便是『無限的生』。」

「什麼是『無限的生』？」，他執拗地揶揄道：「只是渾渾噩噩，懵懵懂懂罷了。什麼希望、理想、豐功、偉績，時光逝去，到頭來也不過白白煩惱一場，——我不了解生命的真諦，我便永遠不能對人生感受什麼、貢納什麼。」

我無以慰解，只得悄然握別。臨行送一朵石榴花送他道：

「生命是必須開花的，願你的生命之花。總有一天能撥開灰暗的濃霧，開得這般灼熱，這般輝朗。」

一別數載，從此便無音訊——

——妳那諄諄的慰解，雖使我感到友情的真摯，但那時我正在最執迷之際，就如一個頑劣的頑童聽不進任何告誡一樣。我曾經不斷地從書本探求，向賢哲討教，但我終像一葉沒有帆的小舟，墜落在蒼茫無際的大海裡。石榴花謝了又開，我卻一年比一年更徬徨無主、更頹喪煩惱。我越來越感到塵囂的可厭，人生的空虛，末了，我終於找了一個僻野的鄉村隱居下來，可是儘管大自然曠遠清新，也難解心中的癥結。

「先生，你是有什麼心事嗎？年輕輕的卻老是落落寡歡。」一天，我的房東——一個勤儉的農夫誠懇地問我，他的妻子——一個耐勞的農婦也用關切的眼光在旁邊注視著我。

「心事到沒有，只是，」我不曉得對這對愚夫庸婦怎樣解說，「我不明白活著是幹什麼？」

「先生你這是說笑話！」農夫驚詫地望著我叫起來：「人活著嘍，自然是做事囉！譬如你先生是識字的，就教孩子讀書認字（他以為識字的全教書的。）我們鄉下人就下田耕地。」

「可，只是工作工作，你不覺得空虛無聊嗎？」

「那怎麼呢？播種時揉著希望，收穫時只是感到滿足。」

「而想到自己辛勤換來的收穫，將使多少人得到實惠，又是多麼地快樂。」農婦接上補充道，兩人臉上都滲著樸實滿足的微笑。

「收穫的滿足，給予的快樂。」我細細尋釋著這兩句話，但覺心下煥朗澄清，頓時悟澈。人生的真諦，生命的意義，原來便在腳踏實地，勤勤懇懇地幹些為人生造福的事情中，從那時起，我便換了一個人。

如今我來這陋窳之地開荒已有一年多的歷史，我使貧瘦的土地成為肥沃的土地，我研究怎樣才能使收成豐盈，我將我全副心力縈寄在大地和它的生產上，再沒有餘暇想到煩惱，雖然，我所從事的工作在高貴的看來是卑微的，但當我一想起「收穫的滿足，給予的快樂」，我的心便充沛了歡欣和寧靜的滿足。

是的，生命是必須開花的，如果它是製蜜的原料。妳是第一個給我啟示的人，因此，當我獲悉妳的行蹤後，首先便是告訴妳這個轉變……

我掩上信，喜悅地拈起那嫣紅的花朵，默默地為一個甦醒的靈魂祈福！

編註：本文原刊於《半月文藝》第一卷第四期，一九五〇年五月十九日，頁十。爾雅出版社版本，於文末加記「民國三十九年五月．屏東」。

過年

隆冬的陽光射在身上是那麼燠熱，在家鄉正該是圍爐取暖的時節，我卻坐在窗前縫一襲待穿的單衫，恬恬拖著小木履匆匆地從外面進來，偎在我胸前，仰起了小臉來天真地問：

「媽，『過年』是什麼？」

「哦，過年嗎……」我停了針線，瞅著窗外那一片青翠，「過年」是什麼呢？我能對她說這是「物換星移，歲序更替」嗎？在這四歲的智慧又怎能理解，記得自己小時候大人也沒有告訴我過年是什麼，只是事實和經歷，使小小的心靈體會到那是些歡樂串起的日子，亢奮堆砌的時辰，在我們那個時代，大人要問：「孩子，你最喜歡什麼？」被問的孩子把頭一側，立刻不加思索地回答：「我喜歡過年。」不是嗎？過年有一身嶄新的衣服；過年，有無數小肚子容納不下的糖果、糕餅。過年，有新的玩具，新鮮的玩意。那是整個地屬於孩子自己的時間，縱情地玩，盡興地耍，一切約束在這時放鬆了，只要不觸犯大人叮囑的忌諱，上天去摘下顆星星來也沒有人瞪你一眼。

過年，大人們的生活像弓上繃緊的弦，打臘月初就開始了忙碌，二十四日一早送走用糖元寶黏住了嘴的灶神，更是緊張萬分，那時連最貪玩的孩子都變得勤快起來，懷著好奇和熱切的期望，穿插大人的忙碌中爭著拈糖印糕。

過年，屋子裡洗刷一新，四壁都用字畫裝飾了，桌椅亦披上了繡花圍罩，滿桌滿几的小碟小盞點綴的煞是熱鬧，收藏了一年的銅器錫器全從笨重的大木箱裡搬出來，擦拭的光可鑑人。最使我愛不忍釋的是那對鹿形的小蠟燭台，那原是父親小時候的，他與母親共用了一對鶴形的，便將它留給我了。那是用上好的錫鑄製的，鹿身雕刻著斑斕的花紋，二支犄角威地矗立在額頭，背上便駝著貼金的守歲燭，中間還用紅紙裹上一枝松柏。除夕夜，鹿與鶴一同供在牀前的梳妝台上，融融的燭光投射在鏡子上迸散了一室，一大盆大紅福橘在燭光下紅得耀眼，蠟梅與水仙花在燭光閃爍中輕布著幽香……吃過大團圓的年夜飯後，我總愛在燭台旁照拂著有沒有燭淚滴下來，灼痛了我心愛的小鹿。母親偶爾在「迎新送舊」的忙碌中回頭吩咐：「好睡了，年初一早點起來走喜神。」「我去守歲哩！」我倔強地說，依然硬撐著倦澀的眼瞼，凝視那跳盪的火焰，盼望它結朵吉祥的燭花……猛然凝神，已是一片價緊密的「開門炮」迎來了「元旦」，自己卻裹在被窩裡。牀前是一疊新衣，摸摸枕邊，三四封紅紙包著的壓歲錢，還有些別別剝剝扎手的，是樣樣都有個吉利綽號的乾果。

元旦第一件大事便是放「開門炮」，茶杯粗細的沖天炮女孩子從來就不敢放，我頂多二個手指拿掛小鞭炮，抖簌簌地將香火燃著引線，趕緊一撒手按上耳朵，看沖天炮從父親手裡「通」一聲直衝雲霄，「拍」一響紅的黃的紙片便蝴蝶般飛揚四墜，有時逢著下雪天，白閃閃的雪花同著紅豔的紙蝶紛紛飛舞，更是好看煞人，放過開門炮，客廳裡的大紅蠟燭已高高的燃上了。銅盆裡燃燒熊熊地「歡喜團」，撒下一把芸香，香煙便繚繞滿室，父親用新筆蘸著濃濃的黑汁，在隔夜裁好的紅紙條上端正的書下「元旦試紅，萬事亨通」。嚐過四五道甜的鹹的點心，闔家拜過年，歡樂的日子便開始了，大人們摒棄了一切煩慮俗務，孩子們更丟開了加減乘除，以盡情的吃喝玩耍來補償一年的辛勤，到處是張張笑臉，一片片恭喜聲，空氣裡洋溢著愉快、輕鬆、融洽、和諧的情氛，烘襯出一片國靖民樂歌舞升平的太平氣象——這便是過年。可是，這一番情景，如今已只能從記憶中追溯，戰禍頻仍，顛沛流離，說起來過年，徒惹老年人無限感傷，年輕的一代百般惆悵。「過年」，已只剩下個抽象的名詞，可教我怎麼跟孩子解說？

望著恬恬熱切期待的神情，我只得強顏作笑說：

「過年，妳便長了一歲。」

編註：本文原刊於《中華日報・副刊》，一九五一年二月十六日，第六版。爾雅出版社版本，於文末加記「民國三十九年二月十六日・屏東」。

寂寞的心靈

大家都出去了，一幢屋子裡只留下我跟恬恬，自己想偷暇做點事，首先得安頓好她，這孩子，那麼些玩具她全不愛，讓她切切弄弄倒能消磨半天，真是女孩子的天性！我從廚下找來半截蘿蔔打發了她，自己便展紙吮墨，繼續寫那篇未了的稿子。她全神貫注地用一把罐頭蓋剪成的小刀，在對付那一段蘿蔔，我亦聚精會神地在構造思句，我們各自占據著屋子的一角，靜悄悄地，互不侵犯。可是這樣的時間似乎並不長，當我正捉住一陣靈感努力把它調整到紙上去時，她在後面喚我了。

「姆媽，妳看我！」

「唔。」我漫應著不曾回頭。

「妳看我嘛！」她固執地叫著，聲音裡摻著些命令式和撒嬌的意味，沒有比她再愛炫耀自己的了，做了一件自認為得意的事，總要別人給她誇獎一番。我勉強回過頭去。她已把蘿蔔切光了，裝在些小盆小杯裡整齊地擺成了一排，她正揉著切紅的手指，一面熱切地坐看我欣賞她的傑作，我只短促地說了聲「好！」馬上又回過頭來振筆疾書，也許是奇怪桌上有什麼東西黏住了我，只聽得後面息索了一會，她已迅速地爬上了桌子橫頭的竹椅，把半個身子撲在桌上。

「妳幹什麼？」她那對烏溜溜的大眼睛望著紙上密密細細的小字，小辮子觸著了我的臉頰。

「寫字。」我說。

「我也要。」她說著，不等我同意，便敏捷地從筆架裡抽下一枝鉛筆，一反手就在稿紙上塗了幾圈，「我寫個皮球。」

「怎樣畫在我稿紙上呢？」我皺著眉瞪了她一眼，她一轉手馬上又在一本字典上重重地打了幾道交叉。「這是魚。」沒奈何，我只得耐著性子，用商量的語氣跟她說：

「妳自己去玩兒好不？媽回頭給妳縫個布娃娃。」

「要同隔壁小曼一樣的。」

「唔。」

「有二根紅的辮子，綠的眼睛。」

「噢。」

她滿意地丟下鉛筆，緩緩地退到椅子上，但一轉念卻又提出了新的要求：

「姆媽，妳教我看書吧！」

「媽有事哩，恬恬能幹，恬恬自己看。」我趕緊推托說。這在我真是一樁苦差使，她要拿到那《兒童週刊》合訂本或是幾本幼稚園讀本，總得纏著我講好半天，「打破沙鍋問到底」的指著那些插問「這個呢！」「這是什麼？」，意義稍微深長的她又無法理解，顛來倒去總是講那些個，把人都講膩講煩了，而她還是百聽不厭，你說她真的講過又忘了嗎？她一轉背還把聽來的零零星星講給小朋友聽哩。

她站在屋子中間猶疑了一下，打消了去拿書的動作，小木履一路敲響著地板，敲出房門，敲下石階……

「不要到門口去！」我在屋警誡她，木履聲便停止了逗留在院裡，半天闃然。我靈機一動，站到窗前一看，可不真在弄泥土，一只小鉛桶裝得滿滿的放在旁邊，人還蹲在地下堆著土堆，我「嘿」了一聲，她連忙像一隻受驚的小兔子般驚惶地站起來，兩手撒下二把泥土在腳背上。

「叫妳不要弄泥偏要弄泥，早晨才給換上的衣服。」我出去重重地給她拍去了身上的灰土，把她牽到廚房裡，「手洗乾淨！不准攪水。」我吆喝著，倒給她一小臉盆清水。

再回到房裡拿筆來，卻總覺得有點不定心，這孩子洗雙手怎麼不聲不響地洗了這麼久，我疑惑著終於又擱下筆走到廚房裡，臉盆裡還剩半臉盆米湯似的渾水，一塊肥皂浸在水裡，肥皂盒氽在水面，人呢？嚇，正拿了自己的洗臉手巾揩桌子。

「真是淘氣，什麼東西不好玩，一天到晚不玩水就玩泥！」

我怒不可遏地一把奪下手巾，換過水重新把她著實洗刷了一番。

她委委屈屈地爬到榻榻米上，抱起了孤零零躺在那裡的洋娃娃。

「姆媽！」她見我返身要走，又在後面曳長了聲音喚。

「幹什麼？」

「同我開店。」

「妳自己不會嗎！」我帶著給打斷了興趣的懊惱，悻悻地說著逕自踅回前房。思想這東西就似團亂絲線，要抽著了個頭便能一一抽出，你要一擱下，從頭理起又得煞費神思，也不知過了多久，我總算把一篇稿子結束了。心裡有完成一件大事的輕鬆愉快，我舒展一下胸脯，覺得要讓人分享一下這份愉快的情緒。但屋子裡是這般清靜，鐘聲滴答清晰可聞，恬這孩子？半天我浸沉在自己的想像裡，竟把她忘懷了，院裡沒有，不會一個人走去街上吧！我找到後間，房裡也是靜悄悄地充溢著寂寥的氛圍，只見她一手曲著枕在臉下，一手抱著洋娃娃，歪歪斜斜地躺在榻榻米上。頭邊還散置著四、五本幼稚園讀本。長長的睫毛在臉上投一排寂寞的陰影，她睡熟了，不是由於疲倦的侵襲，而是為寂寞所征服。我忍不住跪下去吻著她紅潤的稚態十足的臉頰，她轉動了一下，嘴裡含糊地說，「姆媽……陪我……」

「媽在這裡哩！」我湊在她耳畔輕輕地說，心裡一陣激動，不由得迸出了愧疚的熱淚，可憐的孩子，妳究竟還只剛度過三歲的生辰，幼小的心靈需要愛撫與同情，天賦妳健全活躍的身手，更不知成人那許多矯揉的規矩，我無情地限制了妳天真的舉止，而專注在自己興趣上，卻又忽略了一顆待親的心，小小的心又那能載負如許寂寞喲！孩子，妳會恨我嗎；告訴妳親愛的媽媽；哦！我竟忘了，在妳純潔的心裡，除了愛，還不懂得這種情感。

世上多少做父母的，為了專注自己的事情上，忽略了這樣幼小的寂寞的心！

編註：爾雅出版社版本，於文末加記「民國三十九年一月三十日．屏東」。

伴

我為我心靈的窗戶配上了玻璃——眼鏡。

是該悼惜還是該慶幸呢？那圓圓的兩片有似歲月的烙印，給人增添了多少老態，不像一個教會中的女傳教士嗎？多少年來，為了不願跟造物者賜予的容貌有所增損，日復一日地聽由眼珠受著一串串鉛字的折磨，人類可惜的虛榮心呵，利益卻還抵不過愛美的觀念，而在不知不覺中，周圍的事事物物是逐漸離我疏遠了。我不能欣賞距離較遠的景物，我無法看清牆上的廣告招貼；坐在戲院裡只看見台上人影的晃動，走在路上，遇著的全是些模糊的陌生面孔。於是朋友們在背後批評：

「多驕傲，看見人睬都不睬。」

「好神氣！跟她打招呼連理也不理。」

雖然，別人的判斷不會改變一個人的形態，但是為人所誤解總不是好事；而且生存在這動亂的世上，就如黑夜裡趕路，要缺少一副明銳的眼睛，誰知你在昏暗中將遭遇什麼？我開始慚愧我所能領略的是這麼膚淺，我需要對事件有正確的眼光，對現實有深入的看法，我摒棄那些多餘的顧慮，毅然戴上了那副怪物。

喲！新境界是怎樣地在我面前展開了，那冷峻峻的山巒上原來還長著參差的樹木，嵌著迂曲的小徑哩。那潔白的牆上原來還有這麼些污點和小罅，那綠油油的葉子上，誰又知竟黏附著那麼多擁擠的小蟲，地面又那來這麼多的砂礫石子？哦！多少縱橫的皺痕呵，散布在姆媽蒼老的臉上！恬兒身上都長著這一身茸茸的，鴨絨似的汗毛……一切我所熟悉的事物，彷彿全添上了一層彩色，抹上了一種新的光輝，全親切地靠攏了我一步。

你，晶瑩的小東西，你重新替我開拓了廣袤的天地，你指示我明瞭事物的真相，你糾正我近視的心靈，你撥開思想的蒙蔽。藉你，黑暗中的蟲豸醜惡將洞察無疑。藉你，我將更清楚地望見祈求的目標。在未來的那一段漫漫的旅途上，你永將成為我沉默的、須臾不離的伴侶。

一九四九年八月十九日

編註：本文原刊於《中央日報・副刊》，一九四九年八月十九日，第五版。

細雨黃昏

黃昏撒下了一把雰雰似的輕愁，才收止的雨珠還在綠油油的葉子上發亮哩！西邊的天壁卻已熾熠著一片綺麗的霞彩。雨後的空氣裡有著百合綻放時的芬芳，呼吸著這新鮮的芳馨，混沌的腦海裡就似一缸濁水中投下了幾塊明礬，頓時明朗澄清。踏著鬆鬆的潮濕的地面，順著腳步走上漫漫的沙土路，那柔軟的、青翠欲滴的禾稻，夾道款擺，婀娜挺秀，望著望著，教人眼睛都綠花了，天也綠了，地也綠了，不由的令人想投入這綠海中，打幾個滾，躺著做一個綠色的夢……

綠色象徵著青春，綠色表現著豐富的生命力；是多少青春和生命力的培植？是多少心血和汗粒的灌溉？你算得清嗎？我的朋友。

這是那來的泥土呢？這深褐色的，綠色的母親。一堆堆、一塊塊、一點點，斷斷續續，像是神話中那位大膽的女郎冒險去巨人宮裡撒下的記號，沿著黃沙路蔓延到無垠無涯。不，終點在這裡呢！就在腐朽的殘橋畔，在這陡險的斜坡下，有個赤著足的漢子，一頭滿腿沾著泥的牛，和一輛木板車。牛耐心地站在車軛前，不住踏踏腳，揮揮尾巴，漢子用鐵鏟鏟起深褐色的泥土，傾入板車裡，慢慢地褐色填滿了灰色的空隙，漢子把鐵鏟往土堆裡一插，一聲吆喝，就手揮動柔韌的鞭子，向牛背上抽去，牛微顫了一下，下巴往裡一勾，便灑開了四個蹄子，車子晃了晃，發出笨重的「吱吱」聲，車輪在地面留下深深的轍印。

上坡了，牛用勁挽緊了繮繩，剛把前蹄跨上，雨後的鬆土便「敕落落」一陣直往下墜。牠驚恐地頓了一頓，「霍、霍」，鞭子又敲上了背脊，牠把一對彎彎的大角衝向前端，下顎都用勁地往裡勾著，腿一曲一放，才緩緩地移了數步。「撒拉拉」，一陣更大的沙塊石頭墜下了來，前蹄一滑，牛頹然跪倒了。車子的重量復把牠龐大的身軀拖下坡。這時鞭子如同雨點般密密地、重重地擊落在牠身上，牠那久經日曬雨淋的皮膚痛苦地痙攣著，鼻子沉重地喘著氣，那對憨然忠厚的大眼睛裡充滿了哀憐懇求之情，眼角彷彿還閃爍著一顆瑩瑩欲墜的淚珠……我忍不住背過臉，踅回了歸途。

牛，牠有一對犀利的大角，有四隻堅硬的鐵蹄，有一身勇猛的力量，假如世界果真是「強凌弱」的話，那牠本該凌駕人類之上的；然而牠卻忠實地為人民服役，柔順地由人虐待，這不是懦弱而是秉性忠厚。可是由於別個的忠厚溫馴，人類難道就忘卻了仁恕之道？

細雨又飄墜了，那一片綠色在雨網裡透著朦朧，朦朧中我彷彿看見斑駁的血跡，零亂的淚痕……暮色更濃厚了，黃昏撒下了沉重的抑鬱……

一九四九年十一月二十六日

柔情頃刻入冥煙

生命，
生命，
譎幻真如優孟！
柔情熱意當前，
頃刻化入冥煙。
冥煙，
冥煙，
縹緲空虛難見。

這一小段東西，題在金漆剝蝕的紀念冊上，數數題字的年月，已是八度春花秋月。八年，這在青春綺年是怎樣一個大轉捩！從幻夢落於現實，由無知少年而為人父母，這期間，又有多少世事滄桑！縱使往事煙雲，雲中花絮依稀堪重數。

當我甫離校門踏入社會時，我還是個無憂無慮的大孩子。我愛花、愛陽光、愛像小鳥自由飛翔雲天綠濤間，我也愛幻想、愛做夢、愛讓自己浸沉在夢幻裡。在那時我認識了清，他也愛花愛自然，只是用詩人深沉的感情來領略。他也愛幻想愛做夢，而他的夢幻更空靈超絕。他告訴我許多我不曉得的事物，他懂得那麼多而說來又頭頭是道、娓娓動聽。他的意見總是那麼得體而善體人意，同他廝熟了，不由得會把傻念頭，心的祕密一股腦兒向他傾訴。有時我們談文學、人生、夢幻，海闊天空地扯下去，忘卻了一切。有時我們仰視白雲，俯瞰流水，讓時間在靜默中消逝，一個微笑，一會相視，便融貫了心中的感念。同他在一起，有一種恬靜淡定的心情，一種舒坦安謐的氛圍。只是他雖談吐風雅涵博卻似不慣交際，當其他的同事來我家玩時，不是由於他的木納使空氣滯澀，便是他的存在讓人遺忘；與其說他是拙訥靦腆，不如說他有點狷癖。但他沒有他們那種浮滑、誇大、魯莽，也不像他們那樣慣於矯揉作態地獻殷勤，賣弄自己。比起同他們囂鬧作樂，我更喜歡同他在一起。我們的友誼發展得十分自然，我總把他當作一個山水文字之交，竟忘了他也是異性。

他在文學中似乎對舊詩詞更有偏愛。他常說：「詩的情感最深邃，含意最雋永，一首使人回誦再三的好詩，必定就是句句發於至情至性，字字流自心的深處。」他又說：「最能陶性養情的莫過於與詩為伴了。」我在他的鼓舞誘說下，慢慢地覺得詩詞似也還有意思，有一天讓他敦促著不知怎麼心血來潮，便謅了二首七絕，自己認為感情很豐富，詞藻也美。

「這裡的平仄錯了哩，這裡又走韻。」誰知他看了沒一句稱道便這麼批評著，我看到指出的錯誤，正是我認為用得最恰當最美的字，一氣就一把搶過來，他趕忙攔奪時，我已撕成片片向窗外丟去。

「誰高興搞這種虐殺感情的古董！」

「你真是……你太任性了。」他望著窗外作蝴蝶飛的紙片，跺著腳，半晌才說：「你讀過《浮生六記》嗎？你的性格有十分像書裡的女主角芸娘，幽嫻、蘊靜，聰慧可愛。可是……」他的聲調轉入感傷，彷彿他述說的事令他十分抱憾似的。「你有時又有安娜卡列尼娜那種縱情、狷驕，郝思嘉那種剛愎、任性，像玫瑰花刺般扎人。」

「我便是我，我的性格是我獨特的性格，誰要你編排像誰像誰的！」我怒喚著離開了他。

這是我們愉快的維持了將近一年的友誼第一次劃上一道淺痕。

當布告欄貼出「為成立三週年紀念放假三天」的公告的那天，我告訴他我同另外幾個同事預備出去旅行，問他去不去，他頓了頓，微笑著搖搖頭。

「你不是頂喜歡遊山玩水嗎？」我說。

「徜徉山水間原是領略那份出塵拔俗的清靜，」他夷然地說：「把市廛俗氣帶了去還能有什麼意思？」

多氣人，他那種超然的口氣。我不再跟他多說，第二天我出去盡情玩了一天，回來後身心十分疲頓，這時我又想到了清，熱鬧和歡笑像激流，像瀑布，與他閒談卻像支清流，要他在這裡跟我談談多好呢？他果然來了。

「玩得痛快吧！」雖然帶著微笑，聲音裡卻嵌著些譏諷。

我不甘示弱也故意加重了語氣說：

「當然痛快！」

他馬上便不言，心神不屬地翻了一會書，又悄然走了，我望著他黯然的背影，又不由得對他歉疚和憐憫。

那晚我們又坐在河畔那片草地上，水在腳上淙淙地流，下弦月不十分明亮，連不常見的小星也在天空出現了，我指給他看東南角那顆燦爛小星。

「你看這顆小星多亮！它左邊還有顆小星幾乎同它靠在一起了。喲，它右面又有一簇星星，一個集團似的，這連在一起不像個葫蘆嗎？」

他順著我的手指找去，一個微笑燃亮了他深邃的眼睛，用那動人的聲音輕柔地說：

「那一簇星星叫魔星，明亮的小星便是這星團裡面的女皇，那顆小星叫癡心，十分崇拜女皇星，女皇星也對他很好，她便周旋於他與魔星團之間。」這時我覺得一隻手臂輕輕地按上了我腰肢。「……妳看那顆小星不是黯淡而顯得搖搖欲墜的樣子嗎？他怕——他怕他會失去了她。魔星有一種邪惡的吸力，他不願她再接近魔星。可是……」

「多麼自私的念頭！」我不禁脫口而出。「他為了要滿足他的占有慾，便要她隔絕世界，放棄自由嗎——他要墜下也是活該？」我話才出口，覺得腰間那隻手像受了打擊般猝然沉落。我俯下臉來，卻見他低著頭，臉色蒼白，嘴唇微微顫慄著。

「你怎麼啦，你？」我焦急地握住他一隻手像握住了一塊露水打濕了的石頭。

「沒有什麼，」他強自鎮定著說：「我覺得冷……有點冷，回去吧！」

第二天沒見他，我擔心他是否病了，偏又逢到出差，回來卻聽人說他已辭職了，我驟然一驚，有這麼突兀的事！但中午宿舍裡的工友卻送來了他的一件信，裡面是一本我擱在他那兒的紀念冊，和一張薄薄的信紙。

……我悄悄地來又悄悄地走了，像一陣風一朵雲一樣。

只是去時比來時更添了一份沉重的心情。

二十七年的生命，一直在黑暗裡蹀躞，遇見妳，我像發現了一盞明燈，一顆火花，給了我光亮，也給了我溫暖。我竟妄想摘下星星懸在我胸前。我們的心這麼相似，以致我幾乎忘了妳是屬於那充沛著生命力、青春力，洋溢著歡笑熱愛的世界的。那晚妳說：「多麼自私的念頭，為了滿足自己的占有慾，便要她隔絕世界，放棄自由嗎？」一語驚醒了我的幻夢，我下了最大的決心，把自己從光亮和溫暖間拉開，重新繼續那黑暗的行程。從此天涯海角，我永遠漂泊無定……為了不擾亂妳那純潔的心，請恕我等不到再見妳一面。

別了，江上風濤闊，扁舟好自持！

清留字

他就這麼走了，悄悄地像一陣風、一朵雲，從此沒有音訊。是怎樣孤絕，狷傲的心喲！但縱是怎般超俗穎脫，總脫不了男女俗套，為什麼一定要將二人納入一個生活範疇呢！男女之間果真不能容存純潔的友誼嗎？

生命、生命……我黯然掩攏紀念冊，悵望白雲悠悠……

編註：本文原刊於《自由談》第二卷第一期，一九五一年一月一日，頁三十九～四十。爾雅出版社版本，於文末加記「民國三十八年十二月．屏東」。

夜闌人語

——給一顆寂寞的心

深夜，迷濛間我突然為一陣嘈雜聲驚醒；是玻璃門的開關和沉重的腳音，另外是一串急促的咳嗽。我熟悉那聲音，那是來自鄰家那一對夫婦，沉重的腳音是那男的夜遊歸來，連串的咳嗽發自那荏弱的少婦。

那男的是個樂觀派，有著軍人的躁急、豪放，也有著紳士式的修飾和養尊處優。廣交際，善談笑，無事專愛在外面跑。至於那女的，沉默寡言，多病善感，看樣子是個心高氣傲的人，但環境和病囚禁著她，因此老帶著點憂鬱性，平時總是躲在那間不見陽光的斗室裡寫著什麼，或是躺在牀上看書。

咳嗽平定了，我聽見女的在說話：

「是你回來了嗎？」聲音是平和的，但在那微顫的語調中，可以辨識抑止著多少怨、恨、悲、憤，「我倒老掛念著，怎麼這麼晚還不回來。」

男的不知在脫衣服還是在別個角隅，只聽見沉濁的聲音，卻聽不清講什麼。

「哦！又是人家拉你打牌……就在對面嗎？那麼那沸騰的笑語裡也有你的份了，笑得多美，多富於刺激！那笑聲裡果真有你在嗎？那麼謝謝天，因為你的青春活力依然旺盛而豐盈。結婚三年多，至少有二年不曾在家裡聽過你歡暢爽朗的笑聲了……是的，笑是美的，是健身活血的，可是我，幾乎連笑是怎樣啟口都忘記了。」

●

「你是說我自己不會交際，不曉得出去尋歡作樂嗎？是的，我是太笨拙了，照你們所說，也許是太落伍了，不曉得像別人一樣，把生活當作享受，把人生看作遊戲；卻把生活看得那麼嚴肅，把人生看得那麼莊穆，現實的享受不是比理想的追求來的更實際嗎？看那些整日整晚消磨在牌桌上舞場裡的太太們，不都是愉快豐潤，透著六分福相和四分健康美！而我，一把骨頭撐著皮，尤自將身心囚禁在故紙堆中，妄想探求真理，妄想發掘人性，這不是傻子嗎？」

●

「不，並不是我發牢騷，我不否認自己是聰明人眼中的傻子，我只是感歎傻子的天地太狹窄了，世間是很少有人了解傻子的。因為沒有人了解，心扉也就關得更緊了。關緊了心扉，天地自然更狹。天地更狹，人們就越加認為傻——這個循環的結果，縱使是在大庭廣眾中，傻子也是個孤獨者……」

「得啦，得啦，睡覺吧！盡說回頭又得發病了。」男的聲音終於聽清楚了，像已鑽進了被窩。

「好，我不說了，本來我早該睡的，明知憂慮又將引起我的失眠，可是你不回來，我總闔不上眼。周圍的黑暗和無邊的寂寞，彷彿要把人吞噬了似的……你回來了至少，至少身邊總算多了個人兒，雖然……」一串劇烈的咳嗽中斷了語聲，平息後，立刻響起了一片男性特有的沉重勻均的鼾聲起落間，摻雜著另一聲似啜泣似呻吟的歎息。

夜更深了，一切復歸於靜寥，我重去拾掇起零落的殘夢，朦朧中，耳膜裡似乎仍響著低抑的咳嗽和輕微的怨嗟……明天，明天那蒼白的少婦將更蒼白了。

屏東・民國三十九年四月

編註：本文原刊於《中央日報・副刊》，一九五〇年四月三十日，第七版。

靜靜，她正睡著

你別把椅子挪得那麼重，你也別讓木履敲得那麼響，她剛剛睡熟哩！哭鬧的暴風雨已過去了，疲倦將她帶到寧靜的天地，可憐的孩子，她還不懂得用言語訴說身上的痛苦，她是怎樣地磨折她自己啊！讓她安靜地睡吧，夢將賜她安適！

人家說寶島的氣候是溫和的，寶島的泉水還可以治病，寶島是個神仙世界。孩子，原望妳來吹吹堅韌肌膚的海風，曬曬維他命豐富的陽光，和有機會洗上幾次健身活血的泉水浴，會像小牛般強壯，誰想妳卻反而三日兩天病。莫非妳也懷著深重故鄉愁？惦念著同年出世的玩伴？莫非妳也在「神仙世界」中體會到神仙比人還難做而感到困惱？是的，妳原本是生下來就缺少母乳，而母親孱弱的體質多少使妳有點先天不足，妳亟需要牛乳、雞蛋、維他命……來補充妳的營養。可是，戰爭驅使我們來到這「世外桃源」，來到這生活的頂高峰。妳媽媽沒有了工作，頂多只能趁妳睡覺的片刻，寫點東西換幾文稿費，妳爸爸呢？當公務員幾文菲薄的薪餉，還難餬一家五口子的口腹；可憐的孩子，妳的需要在窮人家裡只能成為奢哆，妳媽媽只能由著心疼瞧著肥肥的靨渦從妳臉上消失，瞧著妳蘋果似的兩頰給時間削去，而可惡的病魔偏還不時折磨著妳。

孩子，妳曉得妳的脾氣變得有多醜呵！幾乎家裡每個人都使盡了耐性，只有現在，只有睡熟了，才依然那麼恬美可愛。

好好的睡吧！孩子，為什麼那樣突然地驚跳起來？是街頭的市塵聲驚動了妳，抑是隔壁拍的竹牌聲擾了妳的甜夢？是的，這些都不是悅耳的聲音，但生在這世上就不得不忍受一切妳所憎嫌的。妳還不懂，孩子，妳不愛聽這些擾人傾夢聲響，等媽媽給妳唱一支催眠曲。

噓！蒼蠅，你這到處鑽的小丑，別擾攪她的酣睡！她是純潔的，可不許你有毒的細菌挨著她柔嫩的皮膚。啐！蚊子，你這無孔不入的吸血蟲，別驚擾她的香夢，她透明鮮潔的血液，可不讓填你們的貪欲，去你們的吧！我要把窗子打開，讓陽光進來，讓紫外線掃殺一切病菌細菌，我要把簾子掛起，給微風進來，讓它吹散一切霉氣濁氣。孩子，好好的睡吧！夢的世界是美麗的、是安靜的，媽媽替妳充當哨兵，守在夢的邊緣……

請你們靜靜，她正睡著哩！

屏東・一九四九年六月十四日

編註：本文原刊於《中央日報·副刊》，一九四九年六月十四日，第六版。

刷新

在這動盪的世界中，在這混淆的社會上，只有「家」這個角隅是最溫暖了。人人都希望自己有一個美麗安詳的小天地，自然，我也不能例外。

未來寶島之前，夙聞日式建築雖是紙糊木搭，卻也小巧玲瓏，整潔明淨，可是一旦身臨其地，才曉得滿不是那麼回事，房子是公家配給的，坐落在大雜院裡，且不說左鄰一聲「滿貫」嚇醒了寶寶，右舍關一下大門幾疑是地震。由於我國人沿傳下來的那一股子德性，破壞得更教人傷心。那些活扇紙門已是杳無蹤影，窗戶成日洞開著無遮無攔，地板是有彈簧的。而最難以入目的還首推那曠地圍成屋子的牆，牆原來的顏色究竟是白的、灰的，還是黃的，已是難以查考。牆身遍體創傷，百醜饜集，東一塊西一塊斑斑剝剝的像是瓜分蠶食後的中華地圖。這一穴那一孔的想係老鼠的洞天。長一條圓一堆的泥巴據說是壁虎、蜘蛛之類的芳巢，那銀色的曲線，使人想起了在潮濕陰暗的角隅裡蠕動的蝸牛和蜒蚰，那凌亂密布的褐色斑跡，猙獰地宣布自己是吸血蟲造下的污血，那縱橫錯綜的黃綠色痕印，猥賤地告訴說自己是來自鼻中的排泄。更有亂七八糟，五顏六色的圈兒弧兒和歪歪斜斜的打倒×××，不用說，準是中了口號毒的孩子們留下的成績——看著不順眼呢？可是這是避難哪！能夠有一角遮風避雨的便是幸運的了。還講究得那些！

日子一天天地打發過去，望著牆入睡，夢中也只看見些妖魔小醜興妖作蠱；對著牆構思，思想彷彿墮入泥窪裡，怎樣也擦不開那片晦暗滯澀。圍在牆裡生活，生活更是黯淡消沉。屢次顧盼相言，粉刷一番吧！但時間和經濟……

新年偶而得來一個簡單科學的刷牆方法，一提議，居然闔家通過，並且全體動員。

粉刷的初步是掃蕩戰，把陳腐的塵灰穢物肅清，把妖魔小醜盤踞的窩巢搗平，雖然這個說壁虎尿頂毒，沾著它皮膚便會潰爛，那個說怕，怕那種蠕蠕蠢動的沒骨蟲，但疑懼了半天，終究還是搗毀了，眼看那些腐污的垃圾，醜惡的屍骸裝在畚箕裡運走，心頭首先就去了一個疙瘩。第二步是充實，把剩下的洞穴空罅填塞，把剝落殘缺的補上。可是，問題又來了，怎麼攪得滿細的泥巴塗上去，不是坍成一堆，便是整片的傾圮，媽說去人家觀摩觀摩吧！原來裡還摻著草桿呢，回來如法炮製，果然泥裡有草桿起了縱橫聯繫作用，便勻稱平穩地黏住了。基層工作做好，這該全面刷新了。一上來，牆上可像開了花臉，白一塊，灰一塊，黃一塊，不是下手太重了，便是動作嫌潦草或是嫌遲鈍，你說我不對，我批評你要糾正，工作在嬉笑中進行，進行中，熟練也就糾正了錯誤。一堵堵的牆終於白了亮了——大功告成，煥然一新。望著潔白亮淨的四壁，只覺得房間也大了，心襟也寬了，領略著眼前這不沾一塵的潔和淨，我細味歌德「自栽白菜，其味更覺甘美」這句話。

編註：本文原刊於《中央日報・婦女與家庭週刊》，一九五〇年四月二日，第七版。

為了情熱

自小就抱著藥罐子長大，大了也還是多病多痛，好心的友人看見我埋頭在書桌上，總是那麼一半兒諷刺一半兒關切地說：

「又在寫文章嗎？絞上一半天腦汁，可還不夠打支針哩。」

真的，如果你付出去五ＣＣ的血，收回來是絕不夠四ＣＣ人造血的代價。但是世上偏有那麼些人愛做這蝕本的買賣。蝕掉了心血腦汁，蝕掉了青春健康，甚至蝕掉了璀璨的生命。這是為什麼？是為了情熱。

是的，一切為了情熱，所有為了正義而吶喊，為了真理而宣揚，為了美的憧憬而描繪，為了醜的惡劣而揭發，都是受了情熱的驅使，寫作的情熱似一股洶湧的浪潮，你要順著筆尖讓它奔瀉，它會給你帶來無窮的快慰，它又像魚骨鯁喉，哽格難嚥。托爾斯泰說：「你心裡起了什麼不平，可別讓它落下去，那種不平就是我們良心的聲音，我們應該聽我們良心的命令。」良心的聲音，也便是情熱的呼喚，我們要窒煞了它、抑止了它，那麼它的逐漸冷卻，將使人變得痲木，變得遲鈍。作家們又說：「我寫作是為了安慰我的寂寞的心。」「人到寂寞時，會創作，到乾淨時，即無創作，他已經一無所愛。」也只有真正懂得寂寞，了解寂寞的人，才懂得情熱的宣洩。

並不是我標榜文人清高得只喝西北風，並不是吹噓文人清高得只為寫作而寫作，事實擺在面前，有那麼些文人指望著幾文稿費餬口，有那麼些文人靠著心血的代價養家，可是，當寫作欲衝動時、當情熱澎湃時，作者們確是摒棄了作品以外的身外物，整個的心靈完全脫離了現實，融化在故事中。正如畫家陶溶在他描繪的景物裡，音樂家沉浸在他歌唱的曲調內一般，一切物質要求，都置之腦後，種種人世紛擾，都不為所動，那時間，人是聖化潔淨了。就是這情熱，使齷齪卑鄙的人間還有美麗；就是這情熱，使殘酷兇暴的世上還有和諧。

我不敢奢言，我要闡揚真理、鼓舞人性；我不敢誇口，我要掃除一切醜惡和黑暗，我要消滅罪惡的戰爭，我只是由衷地愛那一份美與和諧，因此，我不惜支撐著孱弱的身心，盡自己那一點兒熱發光！

屏東・民國三十八年十二月

編註：本文原刊於《台灣新生報・副刊》，一九四九年十二月二十九日，第八版。

惦念

稠雨是更容易撩起輕愁和憶念的，望著沉重的雲塊，聽著單調的雨聲，思想就似一根有黏性的纖絲，黏住了千萬斛鄉愁。怎樣寄予你們密如雨層的惦念呢？你，號稱中國的威尼斯，號稱天堂的美麗的水城，和那些溫文爾雅的，二個時代中間的夾層人物。

浩瀚的激流象徵著蓬勃和生氣，潺湲的恬流卻蘊蓄著和平和靜穆。姑蘇是屬於後者的，像神經、像血脈般；一支支流縱橫錯綜地貫穿了全城，它們大半是連河都稱不上的濱，看著是平靜的，沒有聲音，也沒有浪花，然而它們卻在流，穿過街道，穿過樓房，悄悄地流向田野。當船兒欸乃，櫓聲咿呀地穿過兩岸的房榭時，大有「臨水人家紅袖招」的風味。

這些蜿蜒曲折的水流是全城的命脈，也是這些迂緩的水流影響了居民生活的情調，有一個流傳說——是由於這些水的鍾秀，所以，水城的人都帶幾分秀氣。可不是嗎？男的全是文質彬彬，一半兒書生氣，一半兒文士派；女的都是娉娉婷婷，一半兒林黛玉味，一半兒名媛淑女相，事事得講究點風雅，生活喜歡保留一份悠閒，畫兩筆寫意山水，玩玩古董字畫，種種花，養幾隻畫眉黃鶯，再不然獨斟幾鍾自釀的陳年花雕或玫瑰燒。任何人都有那麼一點高雅的癖好，而其餘的時間，多半的時間還是消磨在茶館裡。

蘇州的茶館店全是迎合那批有閒階級的設備，不是雅致幽靜，至少也得窗明几淨，差不多每條街上都開那麼幾爿，一到早晨八、九點鐘，老主顧們便瀟瀟灑灑地踱了進來，堂倌不待吩咐便熟悉地給泡上香茗龍井或雨前，報販趕著送上四五份風花雪月的小報，於是二郎腿一蹺，慢慢地品著茶，或再加上幾個「生煎饅頭」、「蟹殼黃」，優哉遊哉地讀起報來，待看得有點兒眼倦，話盒子一開，隨便跟「吃茶朋友」談些祕聞逸事，扯上一頓麻將經，或是下二局圍棋（象棋是不屑下的）。這樣一個上午也就消磨盡了。喜歡搓麻將的順便邀好了搭子。不呢？把茶壺蓋一翻，表示下午再來。在下午茶館裡大都請有說書的，有說有笑，時間自然更易打發了。

他們不是顯宦的後代，便是沿傳的鄉紳地主，他們啃著祖上遺下來的田地房產，過著優裕清閒的生活，但他們也有著憂煩和苦悶，那是片刻的閒愁與對過去的顯赫豪華的追懷：他們永遠緬戀著不可再得的過去，詛咒著這使他們走著下坡路的現在。而對未來呢？談起來只是搖頭和歎息。可是在當時，高踞在社會上層的是他們，充塞在城市中心的也還是他們，他們是最高度的消耗者，當他們的荷包逐漸癟下去時，某些市場是繁榮了。

俗諺：「坐吃三年山都要空。」他們中自然亦有家道衰落了的，然而，他們最愛的「面子」和「排場」還是不肯忽視的，縱使是僅靠變賣古董衣物來生活，但茶館還是要上的，出門一襲綢袴子也是不可少的，那怕是僱來的「野雞包車」，也得揀雪亮嶄新，車過時，喇叭鈴一片價響。

「叭波叮噹，吃盡當光。」

這是車過後，人們暗下對他們的譏嘲。

自然，社會的畚箕是不容情的，經過了一次又一次嚴重的戰爭的考驗，這些自命不凡而與世無爭的，專靠著遺產生活的遺老遺少，是否能夠立得住腳呢？而在無情解放政策下，他們準是被清算的對象，無疑的，他們保留下來的一些名貴的古董字畫，連同那份醇雋的閒情逸致恐怕早就被「清算」無遺了。怎樣才能寄予你們深沉的惦念哪！我的鄉親們。

屏東·民國三十八年十二月

編註：本文原刊於《台灣新生報·副刊》，一九四九年十二月三十一日，第八版。

生活在罪惡中

生活缺乏了工作，是一種罪惡。

——魯斯金

不是嗎？當人們給繁瑣的事務累得透不過氣時，給冗雜的工作磨得抬不起頭時，總禁不住那樣遐想：「要是過一陣隨自己的自由，沒有工作牽制的閒散生活，該怎樣地舒服啊！看看心愛的書，寫寫想說的話，興來時澆花種菜，撫貓馴狗，白雲綠樹，微雨淡月，在在都是賞心悅目陶性養情的事物，所謂無『管』一身輕。」是的，八九年來，這念頭確是追隨著別的希望和理想，潛伏在我的意識中。然而，飄流的足跡，不想竟印上了遠隔海洋的寶島，放得太遠的鳶子，是會扯斷線的，我終究失去了工作。你會問：「豈不是玄想兌了現？」是的，兌了現，可是當理想成為事實時，多半是變了質的。我的身子一點都不曾感到輕，我的心反而特別的沉重了，那是由於太多的抑鬱與煩悶。

自然，我說的工作，不是羅素所講的為偉大的事需要堅苦工作；也不是魯迅說的革命需要各種卑賤的麻煩工作；那只不過是職業的最平凡的工作。歌德曾說：「一個人不是為自己的熱情，不是為自己的需要，而只為金錢，或名譽，或別的，在替他人工作什麼的，永遠是個愚者。」可是除了二年的無冕皇帝是為了自己的情熱，我一直充當著愚者，在這渾渾噩噩的社會裡，又有幾多人，能不做愚者的？就是這愚者吧，也使空閒了半年的我追戀不已，人是有那樣的賤性嗎？據說當林肯剛剛開始從地主手裡解放出來的黑奴，脫去了身心桎梏的他們，除了徬徨、沉淪，就不曉得何去何從？如今我從那樣機械式的工作中解放出來，也似航船失去了羅盤針，只是飄晃著，都找不到方向，目的。如果說「懶」是消沉意志的主流，那麼閒散就是主流的源頭。當你雙腳陷入尚不知自拔時，那就只有長久的沉溺。你或許會說優悠自在還不好嗎？民間流傳什麼赤足自在仙，所謂神仙千修萬修才修到個閒散，你卻在閒散中嚷煩。可是，天，我的閒可站不上「悠悠」，也算不上「自在」，孩子的糾纏比什麼事務都煩，油鹽柴米卻比頂繁瑣的工作還夠使人累。

善於享受的人勸我說：

「一個女人嫁丈夫還不是為了吃現成，穿現成，要結了婚再鑽進埋人的工作裡去，才是個大傻瓜哩。」

自命高超的人批評道：

「結婚如果妨礙事業，就乾脆不要作繭自縛。」

慚愧，我竟參不透這套太太哲學，我是平凡的人，也斬絕不了人的情感。我需要工作，就以耕牛習慣於牠的耙犁一樣，在正值幻想和做夢的年齡，我就讓每天八小時的工作拴住了。八年來我厭倦、我憎嫌，可是那已逐漸地成為我生活的一部分，我已沒有自制力忍受它的離棄。

「生活缺乏了工作，是一種罪惡。」我是生活在罪惡中嗎？我要洗刷這污瑕，然而，社會卻在我面前緊閉著森嚴的大門。

一九四九年八月六日

編註：本文原刊於《中央日報・副刊》，一九四九年八月六日，第六版。

遲暮

四月，花開的季節，陽光氾濫了大地，原野裡有新生的喜悅。

女郎，一個花開時的女郎，右手高擎智慧之果，左臂滿挽春花之籃，昂首走出金光璀璨的殿堂。揮手道一聲：「別了！」便輕燕掠水般地投入自由的天地，天地是多麼廣闊，春野又何等綺麗！花朵歡欣地開放，蜂鳥自由地翱翔，醉人的春風撫吻遍黛山、柔水、綠樹、青草……又一朵薔薇綻開在女郎唇畔，她要盡情的歡笑。又一雙白羽展揚在女郎心裡，她想縱情地飛翔。她向每一朵花兒送吻，她向每一隻鳥兒招呼。權做一隻蝴蝶，常醉溫柔馥郁之鄉，是多麼閒逸！暫充一隻翠鳥，翩翩白雲綠野之間，又多麼消遙！可是她還有更馥郁、更廣袤的遠景。一顆年輕稚憨的心，充沛著敢於入世的勇氣，足以睨世的驕矜，何況更有美麗的理想在前面召喚，無窮的希望在身後鼓勵！她走了，她不識得途徑，但她毫不忌懼的舉步向前進。

眼看春野綿綿無垠，一瞬眼，卻已瀕邊緣，面目頓換。這裡那裡，是沙漠、是泥窪；那裡這裡，是荊棘叢生，是山石嶙峋。只有中間隱約起伏著二條路徑，似V字般遙遙展延。路口，一面是莊嚴巍峨的大理石拱門，一面是薔薇和玫瑰團簇成的柵欄。堂皇的門闥和綠色的小扉，一律半啟還掩。女郎略一沉思，便走前幾步，仰敲那扇金碧輝煌的大門：

「請問，這裡通往何處？」

「不朽的事業。」一個蒼老的聲音震撼在空中。

「一路有？……」

「成功的榮耀，無比的尊敬。」

「代價呢？」

「青春、智慧、毅力，而且必須放棄愛情這累贅。」

女郎躊躇不語，時光從她身畔悄悄溜走。

片刻，她踅向一旁，又輕叩精緻幽雅的綠扉：

「請問，這裡去到何方？」

「永恆的愛情。」一個溫柔的聲音，繚繞於花架。

「一路有？……」

「心靈的慰安，幸福的甜蜜。」

「代價呢？」

「青春、柔心、貞操，同時必須犧牲事業這阻礙。」

女郎默思深慮，正在疑惑不決，卻聽得蒼老的聲音在召喚：

「這裡來吧！孩子，趁著妳青春年少，正好建一番豐功偉業。」

女郎忭奮應召，剛轉身逕赴拱門，又聽得溫柔的聲音在呼喚：

「來這裡吧！姑娘，趁著妳年少青春，正好享受一番甜情蜜意。」

女郎欣然答允。又返身直奔綠扉……可是蒼老的聲音又在召喚了。待回頭，溫柔的聲音又頻頻低呼！她趑趄不前，徘徊無措，不知何去何從！而暮色四沉，春光漸逝，金碧輝煌的大門「砰」然闔上了。精緻幽雅的綠扉亦「咿呀」掩閉，再回首，春野也為暮雲遮攔，唯見一片蒼茫。泥窪裡，怪石間，荊棘內，燐光閃閃；卻似無數揶揄、嘲笑的眼睛，正望著她獰笑。

女郎一驚回頭，看滿籃絢爛的春花，也是凋零憔悴了。

暮靄深沉，夜色迷濛，鳥聲淒厲，晚風料峭，可憐的、伶仃的女郎，猶獨自在曠野中徘徊，躑躅……

一九五〇年五月二十三日

橋

——愛即創造（羅素）

有那麼些人予你愛憐，有那麼些人對你眷戀；然而，你卻逃不掉永世的浩劫，徒給人遺下無盡的懷念。

懷著熱忱的期待，我看你從千百隻健壯的手臂下，在千萬滴汗血的灌沐中，慢慢地由凌亂散漫的木塊、鐵釘，構成了現在這雄壯的姿態，城市與鄉村不再隔閡了，兩岸的人也有了融洽的情感。你是一支健朗的大動脈，鄉莊和城市的血交流在你的全身。

當我第一次踏上你皚白身幹時，是帶著一種那樣微妙的心情（是的，你沒有現代化鋼鐵水泥的骨骼，你也不學雕塑上富麗的外殼；就跟山城的居民一樣，你是賦有著他們的淳樸。）我輕輕地踩過一塊木板又一塊木板，（怕踩痛了你啊！）我輕輕地靠上欄杆，（我彷彿感到你在我的撫摸下輕微地顫慄著。）這第一次見面，我們間就有了深深地默契啊！

在朝曦沐浴著大地的時候，你是勞動者忠實的朋友；你豪放地挺在金色的光輝中，讓沉重的腳步負著滿擔待售的菜蔬和希望，綴上一個個來自田野的黃泥印，也踩去了濡濕的露霜；從市場回來，腳步輕快了，心裡默默地盤算著微薄的盈利或低低地哼二聲山歌，伸出粗糙的大手像摸孩子的毛毛頭般撫摩著欄杆，偶或審視一下榫子跟釘頭，也許，他也出過力哩；那塊有結疤的木板還是他從峻峻的山嶺上砍來的。這是老百姓的橋，是由他們的血流澆鑄出來的：他本能地踢去一塊殘留在橋上的果皮紙屑，踏踏一塊蹺起來的木板，滿意地像一個地主，一個欣賞著自己的作品建築師般笑了。而你在這時看起來更矯健，更可愛，誰知你不在高興地笑哩！不過，你的笑給頑皮的流水掩蓋罷了。

如果說雄踞在日光下的橋是一篇寫實的散文，那麼靜伏在月光下的橋該是一首浪漫的詩；一首給如同畫在地圖上的黑點般單調的山城飾上旖旎風光的詩。黃昏薄暮，人們從俗務中解脫出來，遺棄煩囂的城市在黑暗裡，款步踏上幽靜的木橋，明月映水成銀輝，人們在銀輝裡沐浴、徜徉，一天的煩困，輕煙般散失在橋頭、中流；絮絮地細語，嫋嫋的歌聲，洋溢著青春的活力從橋上氾濫到河心，嗚咽的流水激起了共鳴；擁著美愛力，擁著紅笑與高歌，大橋——你依然安詳而恬靜地臥在激流上，像一匹慈藹的母羊，任牠那一群淘氣的稚羔在牠溫暖的胸脯上倚偎、磕撞……

生長在水的人對橋是天生有一種融洽的感情，一種深切地依戀，就同駱駝喜歡沙漠，魚兒愛流水一樣。不是嗎？如果曾與橋有過往來，（不僅是匆匆地經過，也不是車水馬龍的巍峩大橋。）閉上眼，準能領略到它那靜穆端莊的儀態和默默含蓄地情意。在霞輝反照裡，在朝陽籠罩下，在煙雨朦朧中，在月色掩映時；大自然是那樣多情蜜意地為它綴飾，而它，縱然在變幻中更顯得嫵媚無比，卻依然是那樣靜穆端莊。——靜止的橋和奔流的水，它們相互烘襯卻又如此的和諧；我愛端莊沉靜的橋，也愛活潑沖激的水，而在這荒瘠得無所寓寄的山城裡，我更把無限衷情委付給你，沉默的巨人，你是不會笑我狂妄狷傲的，當我把那小小地衷願吐露；而活躍的流水，更會帶走我抑鬱和憂愁的傾訴。於是我每天與你偎依，將疲於奔走的身軀靠上扶欄，仰望白雲飄遊於藍空，俯視清流奔馳於腳下；雲的飄遊自有它的高情雅致，水的奔流更有它廣袤的前程，而人的庸庸碌碌，卻只為了餬塞數個口腹或為了飽塹一己的私欲。我惶悚了，在灑脫的自然面前，人是怎樣地可憐和卑微啊！哦——橋，由你我得到了啟示，你教給我怎樣堅定地駕處在人海的駭浪狂瀾裡。

「我喜歡橋。」我跟一般愛你的人說著一樣的話，表達著相似的感情；然而災難來了，喜愛只能在災難中顫慄。

洶狂的洪流沖走了大橋，捲走了縈在橋上的衷情和眷戀；只剩留下一截殘肢，帶著劫後的創傷斷痕，讓曾經愛惜它的人們憑弔。

薄暮傍晚，人們只得駐足岸畔，訴說著對你的惋惜，回溯著與你的交情；追昔撫今，於是黯黯然徘徊留連，拾起些微的感傷，悄然走了。逐漸地朔風封鎖了人們的逸情，我從橋西遷往橋東，那僅能憑悼的殘橋也疏遠了。一艘老邁的渡船取代了你的位置，愛你的人也慢慢地給時間沖淡了惦念；但偶爾提及，仍會換得喟然地歎息。

今天，隨著北風送來一陣「吭唷」之聲，我尋聲走去，在大橋的廢址，幾排嶄新的木樁赫然聳立在淺水裡，我又看見了那群熟悉的勞動者；（我並不認識他們，我只熟悉他們那力的表現。）他們在寒風陰霾下挑著、捶著、掘著，揮舞著千百隻給風霜矯陽磨練得黝黑的手臂，熱中在緊張的工作裡。在他們面前，我這自命愛橋者不禁恧然俯首了。我愛橋，可又貢獻了什麼啊！而那些頌讚橋，愛憐橋的人現在又在哪裡？愛不是抽象地禮讚，而是具體地表現。看他們——默默地工作、默默地愛，當橋沖圮時，該有多少熱淚默默地流向心裡！現在又默默地建築起新生的一代。力量是策發於愛的，只有他們——橋的沉默的情人，才是真正地愛橋者。

一九四七年三月二十二日

購筆記

「工欲善其事，必先利其器」。雖然筆在我手裡，武不能橫掃千軍，文不能筆底生花，但平時既愛舞舞文、弄弄墨，筆自然是不可少的工具，離不開的良伴。我那支用熟了的舊筆，那支追隨著我打發走一大串日子的紅筆，我曾藉它寄語平安，我曾藉它洩宣感想，遠渡重洋，我亦仍是朝夕相親，寸步不離，可是只一個月的因病疏冷，那機伶鬼的賊骨頭，就趁機把我的舊伴連同它的夥計——近視眼鏡，一起偷跑了。竊去了眼鏡我還不致成為瞎子，失去了水筆我卻變成了啞吧，寂寞無以慰藉，情熱無法發洩，而滿腔的感觸，一腦的煙士披里純，都只好像瘠地裡的種籽，不曾萌芽便窒煞了。

雖說家裡還有二支鋼筆，但那都是秉有專職的，一支潤妹帶去上學，一支呢？他帶去上班，有時心裡癢得實在難熬，我便用乞求的口吻與他們商量：

「你下午不用筆吧，借給我寫寫好不好？」

「誰說不用？下午公事多著呢。」

「等下要抄筆記，馬上要繳的。」

自然，抄筆記是件大事，辦公事更是件大事，至於我——一個賦閒在家的女人，只有拿針線，拿鏟刀才是正事，縱有餘暇東塗西寫，那也不過同悠閒的太太們悶時搓上八圈麻將一樣，微不足道的消遣玩意兒罷了。恁又能將這種小事去耽誤別個的正經大事？

於是，我只得悄然擱筆——噓！別吹了，哪來的筆擱喲！我是說只得悄然擱手了。

從此，我又多個野心，多了個企圖：「想法再買支自來水筆！」。

日子一天一天在沉默中溜走，那天數數積下的稿費單，居然像個數目了。我立刻披星戴月去到市場，首先跑圖書文具社，可是那裡只有什麼科學金筆，外表雖還不錯，但一試筆尖，我便曉得那就是在學校時左丟一支，右壞一桿的蹩腳筆。於是改探委託行，在輝煌的玻璃櫃裡，零星的飾物中間，確有幾支好筆陳列其中，一九五〇年的派克禮筆雍容華貴地躺在它的絲絨牀裡，精緻玲瓏的犀飛金筆偎著新型的派克金筆……然而一望它們的身價，又豈是窮文人所敢仰攀？「高不成，低不就」跑遍這農村都市，竟不曾覓得一支合適的對象。這樣一擱，又擱了一二個星期，前天，湊巧有友人去台北，我下決心拿出了整整一個月心血的代價，鄭重地請他為我抉擇。

今天，筆帶來了。它沒有我思慕中的那種伶俐的流線型，也沒有我渴念的那種雅致精巧的儀表，它是那種為我初使鋼筆就熟悉的，古老的環形花紋，暗綠色光彩的派克。但它卻有那種我最愛使用的，細而耐寫的筆尖——不管怎樣，我總算又重新替我的思想獲得了舌頭，替我的情熱獲得了翅翼。首先寫下這些：為我的新筆誕生紀念。

屏東・民國三十九年一月

編註：本文原刊於《台灣新生報・副刊》，一九五〇年一月十二日，第九版。

月亮・太陽

據說台灣有四凶：新竹的「風」，基隆的「雨」，高雄的「灰沙」，以及屏東的「太陽」。這風雨和灰沙，我還沒有領略的機會，屏東的太陽卻是深知其味了。果然名不虛傳，要比別處的來得毒辣，原該是秋意蕭蕭，秋陽淡淡的季節了，卻還是氾濫得無垠無涯，如火如荼的，望一眼空間，耀眼；踩一下地皮，燙腳；要到街上兜一轉，那高熱一下子就把你體內的水分蒸發乾淨。走一條街，要喝水，跑幾米路，又想吃冰。腦子裡有點暈淘淘，喉嚨有點火辣辣。二條腿拖著也就沒有勁了。有時想上街買點東西，一望太陽，就只能退避三舍。逢到星期想出去玩玩，一看太陽，又意興索然。心想：這一片光璨璨的要換上皎潔清涼的月光，該多麼受人歡迎，多麼令人怡愉呢！

月亮果真要比太陽可愛嗎？

人們往往用「太陽」來形容光明，用「太陽出來了」，象徵著黑暗的泯滅，然而除了嚴寒隆冬，是少有人真會由衷地親切的去讚美太陽，愛戀太陽的。自然，太陽所給予人類的是無可比擬的，它使植物生長，它給人們健康，它督促人們工作……但它太嚴酷無私了，它洞察一切黑暗，它暴露一切污穢，它不容許人們在它面前有卑鄙齷齪的念頭，於是人們畏懼它、忌憚它，縱是沐受著它種種恩惠，也只是抱著「敬而畏之」，「敬而遠之」的態度。

至於月亮，它雖只沾了一點太陽的餘暉，但它那幽邃的隱約的清暉，正方便情人們卿卿我我，風雅之士徘徊欣賞，文人們找不出堂皇鏗鏘的字句來形容太陽，便只好對月亮寫下些柔麗旖旎的詩文，畫家們描不出那驚心動魄的萬丈光芒，便只有勾下幾幅幽靜朦朧的月下風景，多少鬼蜮伎倆在月陰下企謀，多少鼠竊狗偷在月影下進行……文人用心血嘔出了讚美月亮的文章，詩人用腦汁絞出了歌頌月亮的詩句，愛人情侶們用心靈來感謝，凡夫俗子用口頭來稱道……人們全擁戴月亮，親暱月亮。

太陽被人們冷漠了，被人們暗地裡憎嫌著：但它依舊漲紅著臉，永無休止地督促、督促……

人們慣向暱友阿諛，向狎友親近，卻難得會融洽於一個正直無阿的畏友。

朋友：你是愛太陽或是愛月亮的呢？

屏東・民國三十八年十一月

編註：本文原刊於《台灣新生報・副刊》，一九四九年十一月六日，第八版。

處處花香

鄰園的栽花人送來了一朵香噴噴地白玉蘭，晶瑩白潔，恰如白玉雕琢，我把玩須臾，欲戴還休，卻惹起無限惆悵。這香、這色，不正是我最熟稔喜愛的？地隔南北，花香總是一般，一般的令人眷愛，一般的令人怡然，可是，賞花人卻有兩種不同的心緒，不同的情懷。似這般乍暖還冷，恰似江南暮春季節，花香氾濫了姑蘇。伴著白蘭花上市，還有茉莉、珠蘭、梔子、黛黛同香水玫瑰。白蘭馥郁而窈窕，最宜佩戴襟邊；茉莉淡雅而嬌小，髮邊斜插三五朵，倍增嫵媚；梔子濃烈而肥碩，只供紮花籃花球；珠蘭最是幽馨纖巧，卻是一經攀折撫弄，便珠淚紛墜；黛黛清香無比，是泡茶的妙品；玫瑰雖是嬌麗，又卻嫌它太豔，除卻做為花籃花球的點綴，成筐成籃盛開的花朵，全是用來釀醇厚的「玫瑰燒」酒和香甜的「玫瑰醬」。

賣花的都是活潑的小姑娘和年輕的花孃，一身白淨或淡青的短衫，黑褲子，臉上不著一點顏色，卻是紅紅白白透著樸實和俏麗，手挽淺淺的篾籃，碧綠的大芭蕉葉上，就縱橫錯綜地臥著雪片似的白，鴨絨似的黃，翡翠似的綠，寶石似的紅……一籃「色」的總匯，一籃「香」的凝聚，在清晨，朝陽第一道虹彩在露珠上閃爍的時候，她們便挽著花，提著筐，從大街穿過小巷。

「阿要白蘭花，茉莉花！」

「梔子花，白蘭花要哦！」

婉轉脆麗的聲音響澈清冷的大街小巷，也喚醒了愛花的夢裡人，那些沿街淺戶，頓時「伊伊呀呀」，門扉輕啟，這裡粉面半露，那裡玉手頻抬，有的在紮著辮髮，有的扺著鬢角，添得紅嫣白妍，正好助梳妝。深閨裡的人兒卻還在倦眼惺忪，對鏡慵妝，伶俐的賣花孃卻已穿堂入戶，將心愛的花朵送上妝台。

逢到有喜事的日子，賣花孃們更是忙煞，一堆鮮花，一紮鋼絲，幾十幾百只茉莉花球花環，在纖巧靈活的手裡翻弄出來，還有昂然獨立的仙鶴，栩栩欲舞的飛鳳，紅白相映，芬芳撲鼻，在明亮的電燈光下，在璀璨的銀碟盞中，不知給整個筵席生色多少！而宴罷各佩一朵，猶是芳馨繞繚，薰薰欲醉。

每年春夏之間，當京滬路載來滿車滿車的遊春客時，也是賣花孃最活躍的時候。清早，當宿在旅館的遊客們正待束裝就途，賣花孃便挽著花籃一間一間的挨門兜徠，先是那一聲柔婉的聲音，那一身素淨整齊的打扮，便夠人耳悅心怡，何況鬢邊胸前綴上三二朵茉莉、白蘭，既解汗味，又增遊興；不消多時，滿籃的芬芳，終於換回了滿籃的欣悅。花圃都在虎丘附近，因此賣花孃也多半是虎丘附近的人，遊虎丘山時，沿途絡繹不絕，到處可見賣花孃，有的兜上一方白巾遮太陽，遠望綠叢中三兩白點，輕晃慢移，煞是好看！本來一處名勝佳境，如有商販的叫囂攪擾，是最煞風景的。可是，賣花孃輕俏喚來，餘音嬝嫋，反給湖光山色別添一番風味！

拈著花朵，想起了賣花人，早春的台灣，已是到處一片花香，卻不見散花使者。花香處處，處處花香，縱是花香一般，怎又能忘情那伶俐俏麗的賣花孃？不聞那婉柔的喚賣聲已是幾個春日夏節，嗅著馨郁的花香，依稀從記憶裡喚來樸實可愛的身影，如今，家鄉是飢餓遍地，不知賣花孃是否依然清白無恙？花氣裡，氤氳中，我默然肅然，為那些憔悴的花魂，受難的靈魂深深祈福。

編註：本文原刊於《台灣新生報・副刊》，一九五〇年四月十九日，第九版。爾雅出版社版本，於文末加記「民國三十九年四月十九日・屏東」。

神，信仰

薄暮，潤妹帶給我一枝不知名的花束，潔白的花瓣兩瓣展開向上，兩瓣微闔低垂下，顫慄慄地兩莖花蕊，就似兩根觸鬚，而馥郁透心腑。

「這準是水薑花。」揣摩了半晌，驀地，我記起在什麼書上介紹過的這寶島的名產，欣然地說：「妳從哪裡折來的？」

「在一座廟裡，那看廟的還說了我一頓哩！」

廟裡？那不是神的供奉嗎？這些大孩子，她們不怕瀆神，也不顧信徒們衷心的惶悚，不管是迷信、是真理，褻瀆別人的信仰，總是太不應該。

自然，我是不信神的。但卻願冥冥之中真有類似「神」這樣的存在，他不是萬能萬靈，但領導著人的靈魂精神，他不是替人降福添壽，卻是顯示世人以真理。不是從苦難中去拯救人類，而是教人怎樣與苦難搏鬥；不是保佑人們安靖太平，而是教人們怎樣去爭取安寧；不是偶像的膜拜，而是心靈的默契與沒有要求報酬的貢獻，只有虔敬的信念。他是無形的，但他彷彿在冥冥之中督促你，使你在墮落面前止步，在罪惡面前警惕。

有這樣的神，人們也不會空虛徬徨了。

有這樣的神，人類也不再製造罪惡了。

有這樣的神，人世也少有流血戰爭了。

但「神」到底是沒有的，都是人自己的意向所至。

有人信仰「宗教」，有人信仰「真理」，有人信仰「自己」——每一個人應該有他自己的意向；不為邪惡所蠱惑，不為苦難所動搖，不管是愚昧、是智慧，有信仰的人是有福了。

在花氣氤氳中，我看見耶穌背負著世人的罪惡，被釘上十字架上。我看見釋迦牟尼為悟正覺，化導眾生，在菩提樹下結跏趺坐四十八天。我聽見哥白尼在責難詈詬中堅決地說：「地球是繞太陽旋轉的。」我聽見蘇格拉底死刑之日猶朗朗直言真理的聲音。我看見孫中山先生出生入死，在惡勢力中不避危難地號召革命；我又看見勇士們為捍衛一個主義不惜犧牲、赴難，為嚮往正義所在，從魔掌中拚死歸來——第一次，我不是用欣賞，而是以聖潔的心靈之眼，虔敬地默對潔白、芬芳的信仰之花。

屏東・民國三十九年一月

黃昏的祝福

「閒愁似與黃昏約」，為了擺脫暮靄襲來的鬱悶，我信步踏上了那條尚是處女地的公路；草木的青春褪落了，藜蔓衰憊地在寒風裡抖慄著，檞樹挺著光桿子蕭條地佇立在路旁，冬日原是寂寞的，田野中的小生物噤然默然地蟄伏起來；滿地狼藉的枯枝黃葉織成了一片荒涼。

嬌陽慵懶地偎在天邊，那淡淡地含情脈脈的光輝，宛如少女惺忪的秋波；輕煙般溫柔地愛撫著大地荒涼的胸膛，也擁吻著我的身心；我不禁低詠著「夕陽無限好，可惜近黃昏」……驀地，身後響起了細碎的聲音。

「是黃昏的腳步；抑是冬神在摸索呢？」一回眸，卻見一個襤褸在孩子彎著腿，正聚精會神地在草堆尋覓著；一件滿是補釘疙瘩的大褂裹住了瘦小的身軀，腳上纏著些破布什麼的，一條薄薄地單褲在大腿上裂了個大洞，風探進冰冷的舌頭在那塊凍得發紫的皮膚上舔刮著，垂在洞口的破布塊不安地飄上飄下，彷彿歉疚自己未能盡掩護的責任。然而孩子沒有顧慮到這些，只是沉著地，儼然一個全神貫注於自己工作的大人般，拾起一根根粗粗細細的枯枝，熟練地投進背上那只比他身軀還大一箍的簍簍裡。

「生活的鞭子是怎樣的殘酷呀！連稚弱的孩子都避不掉它的摧殘。」我歎息著，詛咒著生活；為這個窮苦的孩子。

他沒有想到怨恨詛咒嗎？這生活。還是用他微小的力量在克服它呢？

「不冷嗎？你。」我柔聲地問，付出那一份真摯的憐憫，妄想溫暖他幼小的身心。

他抬起頭來了，那瘦小、蓬亂得有如一顆大毛芋的頭。只那麼迅速的一瞥，又復俯下去繼續他的工作。

那是怎樣的眼光喲！堅定而又淡漠，沒有一般窮孩子那種乞憐畏縮的表情，也沒有那些少爺公子驕矜的神色，深陷的眸子宛似兩顆堅冷冰凝的黑水晶，冷冷地直透視到人心底裡，是冷得不能作聲，抑是怕羞呢？不，都不是！該是人們給他太多的卑視、輕蔑、侮辱、虐待，傷了他幼嫩的心靈。

很像一片苔蘚，悄悄地落下種籽又悄悄地蔓延開來；是的，他怨恨同類而無同情的人們，他仇視塞飽了肚子笑他空腹的人們。不是嗎？看他寧可熬著入骨的寒冷，尋覓荒郊葉枝，卻不願躑躅街頭，用乞求換來些微的溫飽。我，雖是一個清寒者流，在大腹賈、公子哥兒、顯官赫爵看來，也像我看他一樣的窮文化人，但一件半新舊的棉旗袍在他的眼裡也許是某種特殊的界線，人情教給他的冷酷，使他想提防，仇視每一個人；那些以他的顫慄來娛樂，以他的狼狽來取笑的人們。可憐的孩子；你受慣了人們冷酷，竟不知道人間還有純良的憐憫，溫暖的同情喲！雖然憐憫只是一種感情的施捨，同情亦僅是愛心的微顫，你竟不敢相信！

是用仇恨一般人的心理仇視著我嗎？

「拾了樹枝可是燒灶嗎？」我又搭訕著問，不相信善良的人性會喚不起童心的共鳴。

「燒灶也取暖。」他果真不再緘默了，用喉管迸出的聲音乾脆地答覆著，轉身朝向來路，但仍不鬆懈的用眼睛搜索尋覓，我看見他青紫的嘴唇正微微地震動著。

「燒灶也取暖。」在我眼前立刻現出了一座簡陋得僅能遮避風雨的小屋，風不客氣地在屋裡穿游著，寒傖的牀鋪，破舊的家具，清冷地訴說著屋主的貧困，在屋子的一角，一個婦人正在一大鍋水裡傾下一點點糙米和一簸籮雜糧，臉上一道道給困苦、艱辛摺疊的皺紋，在熱氣騰騰的水霧中，稍稍展平了些；灶門前，熊熊的火光中，站了兩三個跟拾柴孩子一樣半裸的小孩，一面彎腰伸手取著暖，一面卻緊瞅著母親的動作，黃瘦的小臉蛋被火光烘照得紅紅的，大家在溫暖、期待中，都變得溫馴而愉快，忘卻了寒冷，也忘卻了貧苦……

一截枯枝是一分光，一分熱，讓自己凍冷換來了全家的溫暖和喜悅，多偉大呀！勇敢的孩子，我滿心震動著讚歎，敬佩的韻律，目送著那負著大篾簍，在夕陽最後一抹的餘暉裡蹣蹣而歸的孩子，默默地致送祝福！

一九四七年

編註：爾雅出版社版本，於文末加記「民國三十六年十二月・上猶」。

長橋夕暉

河水挾著輕顫的笑語，俏盈地滑過沙石，穿過橋樁；雖然紅日已嬌慵地落下了水平線，它們還是孜孜地向太陽上升的方向流去。

我們緩緩地在橋上蹀躞著，她的腳步顯得有點沉綿，今年夏天，她將做第二個孩子的媽媽了。

「理想總是美麗的，它們就像夜行人前面的一點燐火、一盞燈。炫耀、神祕，頻頻誘惑著人們去追求、去獲取，可是，當你攀過了巉巖的陡坡，歷盡了險峻的崎途，眼看即將接近了，待你喘一口氣，或俯身折一枝路畔的鮮花，它又離開你遠了，在你與它之間，永遠有著一截距離，而它對你又永遠有一股不可抗拒的魔力，直到你精疲力竭。希望和理想是一雙孿生兒，它們都是騙子。」

「那是鬼話！」我憤激地叫起來：「美麗的理想可以使人向上，可以給人接受一切困苦艱難的勇氣；人生在理想中也活在理想中，你是因為吃不到葡萄而說葡萄酸的。」

「可是我曾花費了那麼些精力去追取……哦！我問你，你做過夢沒有？」

「人活著哪會沒有夢的。」

「是了，人活著是不會沒有夢的，夢像花蕊晶瑩的香露，是樹巔柔盈的朝曦，是心靈的弦音，是情愛的昇華。啊！夢，生命的綠洲；人們在這兒陶醉，在這兒滿足，孩童做著熱鬧的夢，青年做著緋色的夢，壯漢做著收穫的夢，老年做著溫暖的夢，然而沒有一個夢會有少女的綺麗、溫柔。當嬌羞的玫瑰綻開在她豐腴的雙頰，當輕微地顫慄震撼她柔嫩的心瓣時，她便做著春天的夢了，她夢著開花的季節，夢著美與真的芳洌，以詩人般易於感受的情感，在夢裡開出了微笑的薔薇，也迸出了激動的淚珠。我曾經醉心過奧爾珂德女士的話：『一支筆就如我的丈夫，一串故事就是我的孩子。』我也曾經以居里夫人自許，獻身於人類的幸福；然而，在充滿了神祕的愛和纖柔之情的軟心中，它們拓展的機會被限制了。春天的夢是那麼脆弱，似乎還徜徉在夢的邊緣，讓想像編織起一個美麗輝煌的遠景，一大堆和著眼淚的笑，滲著痛苦的歡樂，落在少女純潔地戀愛的聖壇上，於是夢實現了、終結了、幻滅了，從前夢想著的美景變了軟禁你的幽境，什麼理想、希望都讓現實抑止霉爛在心裡……」

「這就是你那不幸的夢嗎？」

「曾經是我的也是少女們眾有的。」

「能排除阻礙，永遠向一種理想追求總是幸福的，你原可擺脫那狹隘的夢去。」

「然而我是人，我有情感。」

……

「……沒有夢的人是有福了。」她那輕弱地喟歎，像一絲微風掠過河面，然而，湍急的水流沒有為它多起一個淺渦，也不曾稍稍逗留，依舊興孜孜地向日出的方向流去……

於上猶・民國三十六年

幽禁

——山村小簡之一

嗅著粗獷的田野的氣息，踏著褐黃色的泥土，荊棘築成的籬笆掩映著稀疏的農舍，這裡那裡，到處都鋪展著點綴著蔥翠的綠色，當你一舉目時，那一座座連綿不絕的山巒，便楞楞然躍入眼簾。啊！朋友，我是真的投入大自然的寵兒——鄉村——的懷抱了。

提起鄉村，你準會在腦際現出一幅山清水秀，綠暗紅嫣的圖畫；尤其是在這暮春的季節，相互鬥豔爭妍的桃李花才飄然辭枝，而似少女頰上的羞雲般緋色，似鴿子般潔白的菡萏卻已一枝枝娉婷的玉立在寬大的荷葉中了。嬌小的菱花亦在葉叢裡綻出了蓓蕾。小河輕快地唱著歌穿過山林，繞過村莊，灌溉著一畝畝青青綠綠的田壠，一對對軒昂的白鵝悠閒地優游在潺湲的水面，或憩息在婆娑的綠蔭下；浣衣女郎們三三兩兩地蹲在河畔，嫣紅的臉頰與兩岸盛開的野薔薇相映著，當她們揮動結實的手臂時，水波瀲灩，連圈的水渦向四面擴漾開來，碾珠似的嬉笑聲跌撞在水面，迸碎了；驚起了窺候在蘆葦中的鷺鷥或一隻在水面逡巡的翠鳥；綠芊綿綿的山丘上，牧童奏弄著短笛，嘹亮的音波，迴盪在廣袤的田野。農人在田裡吆喝著，凝結著血汗和霜露的土地，在耕犁下翻吐出一朵朵鬆軟的泥花，空氣中混合著肥料的薰味與野花的芬芳，佻達的春風輕盈的擺著腰肢，將溫馨的甜吻捨給枝頭綠葉，田裡禾苗，鵝絨似的油菜花，以及遍布在田埂阡陌上的野花閒草，它們都為她陶醉了！嬌慵地招展著，太陽懸嵌在碧藍的蒼穹，讓璀璨的金光像溶解了的金液一樣傾瀉在大地坦露的胸膛，山丘、叢林、田舍、稻田、河流……一切都沐浴在柔和的光輝裡，呈顯著靜穆和諧的美——能夠享受這份美與恬靜又何嘗不愜意呢？然而，朋友，這並不是風光綺麗、景物如畫的江南，而是被戰爭圍困在千峰萬壑的贛南哩！城市是在山中間，鄉村更在山中間。種的田樓梯般傾斜地開闢在山坡上，走的路環繞著山腰，橫貫了山頂，一幢幢跟山土一色的泥屋，零落地依枕著山麓……左、右、前、後，四面統統是臃腫的綿亙的山巒，森嚴、冷漠、凝重；朋友，那與牢獄周圍森然屹立的圍牆又有什麼差異呢？

生活彷彿是一枚螺絲釘，而環境卻像一把鑽子般壓住了它；當鑽子旋動時，不管那是打好的洞眼抑是堅實的平面，釘子不得不乖乖地去就範或開鑿個洞穴以容納自己。從甲縣到乙縣，從乙縣到K鎮，從K鎮又到這窮鄉僻壤的山村，每下愈況，我這枚螺絲釘已給旋進窄窳的牛角尖了。前進是沒有路，後退是不可能，可恨的戰爭把人驅入絕境。多少愛自由的心靈給關閉在狹小的樊籠，多少輝煌的理想，偉大的計畫窒死在偏隘的角隅！每一顆良善的心都是向上的，誰不愛廣闊的天地，光明的世界？可是那鑽子卻緊緊地壓著，不給你翻一個身透一口氣，我知道要創造生活更不能適應環境，我更懂得合理的生活是從奮鬥中誕生的；假使僅僅是我一個人，我早就扯著希望的拐杖，揹起輕便的行囊，像個自由的吉布賽般，浪跡遍天下。為的是尋求真理的寶座，拓取合理的生活；但事實上母老妹幼，又教我怎生擺布呢？感情原是一種累贅；責任卻是一重束縛。如果我有碩大無比的兩翼也好啊！讓我負起她們飛過陡峻的山嶺，越過廣袤的平原；如果我有能夠在水中浮沉的鰾呢，也好讓我馱著她們游過淼淼的大江，泅過湍激的河流，去到那自由的光明的地方，然而我卻是一個只能在這烽火匝繞、豺狼四伏的陸地的一角蹀躞的人，一個被禁錮在荒漠的山坳裡的生活的俘虜，眼看別個沒有羈絆或借著金錢力量的人們，一個個走出了這蹇促死寂的小圈子，投向廣闊的自由世界或是投入戰鬥行列。而我卻得蟄守在這閉塞得令人窒息的叢山荒莽裡，一天又一天地數著日子在平凡苦悶中逝去，在期待勝利中流失。我是怎樣地厭倦和憎恨這晦澀的生活喲！朋友，長夜漫漫究竟何日得旦呢？

於平富・民國三十四年四月二十七日

沉默

——山村小簡之二

來這岑寂的山裡，轉瞬已圓月三度了。這九十多個日子，就像一陣微風掠過渺茫的時間的大野；那麼輕微而虛幻的消失了。儘管到處進行著慘烈的戰爭，而被隔絕在這僻遠的小山村裡，生活是平靜的，平靜得有如古井裡的死水，只有沉默的苦酒，一滴又一滴地注進生命的杯子，近年來，我已呷慣了這一份並不可口的飲品，每當我獨坐山莽或佇立澗畔，就彷彿覺得我與繁囂的人世隔絕了，又恍惚是人群棄遺了我，於是我哀默地飲下了大量的苦汁，讓那份重量鎮壓著活躍的年輕的心靈……

在日月的輪轉中，貧瘠的山村裡唯一的點綴——山麓酡紅的杜鵑凋零了，路畔芳冽的野薔薇亦杳然謝世，連藉以憑弔的殘瓣零蕊，都已無從尋覓，昨日尚是紅嫣白潔，今天就香消玉逝。朋友，時間是怎樣地摧殘著繁榮，盜竊著青春！在這一串時日裡，誰又知它給我們增減了些什麼呢？記得荷累斯曾這麼說過：「當我們談話的時候，可妒羨的時光悄然過去了，今天是你自己的，明天也許就不是你的了。」你也許會說這句話太過火了一點，它也曾帶來了新生，茁壯了幼嫩……但它畢竟是可懼的，當你稍一鬆懈，它便會偷偷地從你這裡竊去了一切。

幸福的人往往藉友朋間摯誠的談心來排遣寂寞，藉歡悅的娛樂來舒散為工作困繁的身心；然而，住山村裡的人是沒有這福分的。煩悶時，我只有拖著甇孑的身影，踽踽地在山林間漫步著。「超人」尼采曾把孤獨的散步，列為人生三樂之一，那麼能夠領略這份「樂」的，究竟是幸還是不幸呢？

如果說人生僅需空氣及一個寂靜的、可以躲避醜惡現實的環境為滿足，那麼山村將是最合適的生活地點，記得在城市時，除了極偶然的幾次遠足外，人是完全與大自然隔絕了，整日價在煤煙中呼吸，在灰塵裡生活；你說出去走走吧，擠擠攘攘的人群與混雜著汗臭油味的空氣，也不見得就能寬舒你的心胸。可是在這兒就不同了，有平曠的丘陵，有迂迴的山徑，有錯綜的阡陌……清晨，你可以踏著草端似蚌殼裡才孕出來的珍珠般晶瑩的露水，緩步上寧靜的山岡；樹木都在清新的空氣裡輕輕地呼吸著，散布著沁甜芳冽的氣息，大地平靜而安詳，有如一個在酣眠中的少女，一會兒，朝陽酡紅著臉，從森鬱的山嶺後羞怯的顯露出來，一切都給抹上了一層稚鴨的茸毛般黃嫩的光輝。大地甦醒了；千百種鳥在樹梢唱出牠們的讚美，那聲音就像春天映著陽光的溪水。田塍上，三兩個農夫披著柔和的陽光，正把耕牛趕向田裡……一天就這樣開始了，傍晚，你可以看取如火般璀璨絢麗的晚霞，燃紅了半邊天壁，從山腰湧起一片朦朧的暮霞，逐漸吞沒了峰巒、林木、村舍……蔚藍的碧空顯得更深邃而神祕了。農人負著鋤犁，把汗濕的身子，拖回家裡，水牛在塘裡洗刷去一天的疲勞，笨拙地踅進牛柵。山村復歸於平靜，只有縷縷的炊煙，點綴著黃昏的蒼茫……一天又這樣過去了——在山村，對於時日的反應是遲鈍的，因而思想也滯澀了，彷彿吃了忘憂草似的；我不再從回憶中去揀取感情的渣滓；也不再讓幻想高築起凌空的樓閣。像一棵樹或一莖草一樣，活著只是為了堅強地活著，沒有歡樂也沒有憂煩，默默地，讓寂寞的歲月在寂寞中逝世！

於平富・民國三十四年六月

為什麼不寫
——山村小簡之三

朋友：你說許久沒有讀到我寫的東西了，是的，我的確有一段日子不曾好好爬格子了，除了偶爾修刪幾篇舊稿外，最近幾個月間真沒有塗過一篇像樣的東西。不寫的原因很多，但我說不出那一個理由更充足，在這四面受敵圍困的山城裡，拿生活不安定來作藉口，該有最充分的理由了。然而，獸蹄雖然數度掠過邊境，謠風像瘧疾病患者的寒熱，頻替地震撼著每一個人的心靈，在戰時，人們的感官彷彿磨練得更銳敏了，沒有聽音機，老遠就說聽到槍炮聲，沒有望遠鏡，卻說幾十里外的敵寇已迫近身畔，於是，來不及似地把箱籠鋪蓋運下鄉去。待心神稍定，謠浪才平，又馬上鋪蓋箱籠的捲進城來，就像是一群暴風雨螞蟻，忙碌地遷出低窪的舊巢，為自己尋覓一塊躲避風浪的乾土。我們不敢說是一勞永逸，可是，自從半年前披著風雨奔來這山村後，好像是一葉驚濤駭浪中的小舟，給巨浪推上了沙灘，暫時擱淺了。原則上雖是不安定的，但如果沒有第二次更洶湧的波浪襲來，卻又算得安定的了！至少曾經有過那麼一串日子是在平靜中消失的。這既不能引為理由，那麼是否應該歸咎於我的疏懶呢？不，我並不疏懶，在放下紅筆和稿樣的閒暇，我也曾鋪一張紙在面前，握著筆，讓思想像匹無羈的野馬，奔過大自然的領域、遼闊的海空，衝進理想的王國、人生的戰場、闖入輝煌的天堂，罪惡的地獄，才想到太陽怎樣的燃燒，又記起了水的奔流，彷彿是千萬朵奇葩烘托出一座絢麗的伊甸園，轉瞬卻變了戰士鮮血凝集的紅海。正縈情江南旖旎的風光，片刻又局促於窮僻的蠻荒……思想就像幼時玩弄的萬花筒，變化無窮，又似碧空縹緲的白雲，詭譎虛幻。待我想把握住它的重心傳至筆端時，它卻化作大氣中的水滴，清晨的露珠，無法連綴也無法拾取了——本來也是，在這什麼都受壓迫拘束的年代，就只有思想是自由的。我又怎忍來約束它的奔放呢？原想趁夏天涼沁的清晨，以少年學繡時清理亂絲線的耐心，清理出思想的頭緒，再似幼年時穿綴糯米珠般穿綴起它，放進我為它塑定型式中，可是，朋友，一件意外又推翻了我的計畫，攪亂了我的意興。母親病了，我得分身在病榻前照顧，又得去廚房裡忙碌，告訴你可別笑，活了二十二個年頭，燒飯洗衣還是第一遭，就像從前有個皇帝奇怪他的臣民因沒有飯吃餓死而不曉得弄肉糜吃一樣，無論做什麼，你不親歷其境是永不懂得其中困難的；過去老看母親一天忙到晚，總不大相信一天弄三餐飯，料理一些瑣事，就有這麼麻煩，現在可嘗到味道了。天啊！寧可罰我伏案榨一天腦汁和心血，卻不願花一天工夫去搞這些撈什子。雖然當我第一次咀嚼自己煮成的飯菜時，有一種學會或完成一樁事的輕鬆與喜悅，但那究竟敵不住油膩和煙煤所引起的厭惡，我想天下最瑣碎、最麻煩、最沒有意義的事，恐怕莫過於家事了，記得有個什麼家曾這麼說過：「人生是什麼？人生不過是瑣碎小事的總和。」這句話拿來形容在家事上勞碌了一輩子的家庭婦女，確是最恰當沒有了。

本來是告訴你不寫的原因，拉雜寫來卻扯滿了三張紙，就此帶住吧！免得你說我又在寫文章。

於平富・民國三十四年七月十一日

不眠之夜

「日出而作，日入而息。」這已成為一般人的生活教條。不管午夜有多麼幽麗，多麼靜穆，卻沒有人肯放棄幾小時的睡眠來領略，來思考。如果因過分的憂傷和喜樂，心弦緊張得闔不上眼；第二天一定會鄭重其事的告訴別個：

「昨夜，我通宵失眠。」

倘若接連幾晚不曾闔上眼，那準是患了嚴重的失眠症、神經衰弱，非立刻找醫生或逕服安眠藥不可了。

其實，一月或一年中，有上幾次「通宵不眠」，實在是「有百利而僅一害」的風雅事；尤其是那些白天無暇思索，晚上納頭便睡的忙人，只有在晚上，在萬籟俱寂的深夜，一切日常生活的渣滓都沉澱了，腦子空空的，隨你高興的去作虛渺的幻想、玄妙的遐想、荒謬的妄想、甜蜜的回想……盡可以想個痛快。思想就似格林童話中那個巫婦的線團，只要抽著了頭，便會永不停止。想到得意處，不禁有會心的微笑，想到悲哀處，滴幾顆由衷的眼淚，意興勃發時，甚至手之舞之，足之蹈之，也沒有哪個來說你瘋，笑你傻。

你甚至可以起牀憑窗靜眺，也可以去小院中遛達，如果說白天是莊麗、剛毅、喧譁的巨人，那麼黑夜便是幽靜、安謐、溫柔的神祕女郎。也許你已在巨人的支配下忙碌了半生，卻還不曾領略過女郎的神韻，親近過女郎的芳澤。當你驀眼望進黑夜，只見四圍是一片深邃幽闇；暴露在陽光下的一切醜惡缺陷，現在都隱約在神祕的籠罩中；平凡的變成神奇，殘破的現得完整，縱或偶然一顆墜星劃破了長空，只是一剎那的炫耀，頃刻間又恢復了深奧神祕的靜穆。靜得彷彿只要你疾呼一聲，便能震撼整個宇宙；靜得彷彿萬物都屏息無聲，整個世界你是統治者！

有人說：「不是哭穿長夜的人，不足以語人生。」我說能夠從長夜裡去思考，去領略的人，才能算曾經真正生活過來的人。

屏東・民國三十八年十月

編註：本文原刊於《中央日報・副刊》，一九四九年十月五日，第六版。

船夫

人們只知道帆船給了人方便，卻忘懷了那些船夫，在深水烈日中，在狂風暴雨裡，他們不惜以自己的生命來維持全船的生命財產，誰說他們不是無名英雄的一種呢？

在這機械統治一切的二十世紀，卻來讚美一艘笨拙的帆船，人家不免會說我思想落伍。可是，朋友，如果有機會能在這十八世紀的交通工具裡，登上一月半旬，你一定會從那班粗獷、結壯的船夫那裡，得到一種淳厚可親的印象。除了有關航行的豐富的經驗與常識外，他們當然談不上什麼學識與教養。可是他們有著原始人的淳樸，樂觀派和樂天知命，你是個憂鬱者嗎？那麼請到他們的小團體中去聊聊天吧！那融洽的氣氛，單純的喜樂，馬上會讓你們心情渲染上輕鬆愉快。他們生存在戰鬥中，生活在困苦裡，沒有歎息，也沒有怨言。一個個被風雨磨礪得粗糙的身軀內，彷彿永遠都蘊藏著一股取之不盡，用之不竭的倔強的生命力！

舞蹈家崇拜著輕盈婀娜的舞姿，音樂家讚美著婉轉、纏綿的歌曲，不成什麼家的我，卻歌頌著船夫們優美的動作與宏沉的呼聲，在蔥綠的稻田間，在懸崖的邊緣上，在閃爍的沙灘中，在潺湲的河流裡，揹著長長的繩索，一群拉縴者同一的姿態前進著，步伐沉著整齊，褐色的光腿交叉成一幅簡美的圖案，彎弓似的向前俯衝的身體，有如微風裡成熟的麥桿，搖擺得緩慢而有韻律，汗珠在陽光下開出了燦爛的花朵，從十多個沉濁的聲帶上，滾出了一串低宏、長曳的歌聲，飄揚過山嶺，迴盪在廣闊的河面上。有時一座險阻的危巖或一條湍急的深流，阻擋了拉縴者的路途，於是敏捷地收起繩索，像人猿般，一個個躍落在船沿上，不歇一口氣，又舉起了光滑的竹篙，胸前，兩塊紫褐色的圓斑，訴說著堅硬的竹篙對它的磨折，可是，他們毫不在意的又將篙頭深深地嵌進了那斑痕。腳，牢挺著船篷，身子懸空地支持在竹篙上，憑著這力量，船身平順地滑過奔疼騰的激流，緩緩地前進著。這是力的表現；力的權威，「用人力戰勝自然」，船夫們可以無愧地戴上這頂桂冠！

編註：爾雅出版社版本，於文末加記「民國三十三年八月・上猶」。

月未圓

——紀念自己的生日

不經意地，楓葉又染透了原野。

八月了，是團圓的月分，人們忙碌著：為自己安排下一個豐盛的佳節。

桂花在金風裡布散著馥郁的芳香，一彎新月掛上了樹梢，「再隔幾天月亮就圓了」。望著皎潔的銀光，人們帶著喜悅而焦急的企盼，在月餅、蓮藕、禮物堆裡愉快地舒了口氣。也許是趕著欣賞這一年一度的明月，在這時，我脫離了寄生的生活，悄悄地來到人間。於是，大人們抬頭瞅一眼藍穹下的月兒，高興地說：「今年的團圓，又多了一個人口。」

俏麗的燕尾剪下了燦爛的春天，青蛙鼓著翠綠的肚皮，叫來悠長的夏季，菊花才結束風雅的生涯，傲然地，梅花又在風雪中展蕊。年復一年，月圓月缺已更換了無數度次，二十一年了！七千多個日子在歲月裡老去。風霜磨礪了意志，辛辣的世情，冰凍了一顆熱忱的心；年輕的人啊！誰沒有一個美麗的理想，誰不想追求真善美？可是生活卻像一支鏈索，梏起了走向光明的雙足，鎖住了飛向自由的翼翅，把輝煌的理想生生地扼死在地窖，於是我只得面對著冷酷的現實，背負著生活鞭撻下的創痕，一天又一天的把日子打發。

啟開歲月的線腳綴成的皮篋，檢點一下歷年來收藏起的生活地瑣屑：那兒有童年時單純的喜樂，少年時夢幻般的生涯，有失去故鄉和親人的傷痛，流離顛沛的迷茫，有斑駁的淚痕，也有緋色的殘跡。可是更多的卻是一串從艱辛中成長幽暗的紀錄，像回味一枚橄欖般，我讓自己浸沉在回溯的漩渦中，回憶總是甜密的，雖說：「生活只剩下回憶，這人是沒有希望了。」然而，蹀躞在沙漠般荒涼，山蹔般崎嶇的人生途上，要不從往事中去尋找一塊綠洲來憩息疲勞的行腳，滋潤乾枯的心靈，還有更長的一截道路，又將怎樣征服？因此縱是褪了色的平凡的瑣事，我也像乞丐愛惜他的飯粒般，珍貴地把它藏起，但願未來的旅途上有更多不平凡的奇葩，讓我採摘來充實記憶之囊。

月又快圓了，無邊的藍海中，嵌上了晶瑩的白玉，縷縷幽靜的光芒，撩起了飄泊者無端的惆悵，悲憤的潮汐，起伏在胸膛。偶一低頭，清淚已滲透了衣襟。然而圓月總是美滿的，且把一個希望建立在今朝，像幸福的人盼禱月圓般，我盼禱著一個有光和熱的世界，一個自由和平的世界，雖然那一段凸凹不平的道路，已使我感到疲勞，而未來，未來更渺茫。但我仍舊支撐著希望的拐杖不斷地鼓舞自己、鞭策自己。繼續一步一步奔赴那漫長的路程。

不管一路上有些什麼，生命本身便是一個旅程。當我們邁出了第一步，必須盡全力達到終點。

於上猶・民國三十三年九月二十七日

編註：據艾雯手記，本文原刊於《正氣日報》，一九四四年九月二十七日。

路

從鄉村到都市，從簡窳到繁華，路，像無數縱橫錯綜的血管，聯繫各個不同的體系；促成了社會風物習俗的新陳代謝。

一滴血，一滴汗，血汗滲透了泥砂，浸蝕了岩石。在「人」的力量下，公路平坦地展開了。而在荒森林裡，草莽田野間，更有無數的小路蜿蜒著；那些無名英雄們，默默地流著血汗闢築了千萬條道路，而千萬條道路把人們引向無窮的前程，不該寄予由衷的感謝嗎？——向築路的人！

路是無聲的語言，無形的文字，它溝通了思想、文化，連絡起感情、友誼。藉著它，人們得以擴大生活的範圍。藉著它，人們緊緊地握起手來。舊的路衰老了，毀壞了，新的又從後一代手裡築建起來。鑿石、填河，更寬敞的路無垠無涯的拓展、綿延，伸展到遙遙遠遠的土地；串起了愛和友情，也串起了罪惡和戰爭。

朋友，在你人生的過程中，已跋涉過幾多道路？你愛平穩安定嗎？那麼請循前人的道路行進。你愛冒險進取嗎？那麼請用自己的血汗，來開闢一條新的道路吧！平穩的道路通向平穩的終程，崎嶇的道路卻往往通向璀璨的前途；可是，不管你選什麼樣的路，必須要不停留地一步步地走去。朋友，只管走過去吧！不必逗留著採拾路畔的花朵來保存，一路上，花朵自會繼續開放哩！

編註：本文原刊於《地方自治》第三卷第五期，一九五〇年五月十五日，頁十。爾雅出版社版本，於文末加記「民國三十三年十一月・上猶／民國三十九年五月・屏東」。

水的戀念（外一章）

山居

銜接著的山巒，像許多巨形的鐵環，綴成了一串堅固的索鏈。把山城箍成一個木桶，桶外，漫天的烽火掀起了慘烈的戰爭，血仇恨海的波濤，也有燦爛的黃金築下荒淫與無恥；有神聖的工作，有荒謬的故事，有槍炮的合奏，有靡靡的音波，可是在這兒，生活在木桶裡的人們，卻什麼也沒有；戰火隔絕在層層峰巒外，荒靡與逸奢更不會污染。永遠是一泓死水般，湧不起浪花，縱是微小的漪漣，也像沙漠裡的綠色般吝嗇，人們頭上一輩子頂著那片藍天，就像一群鴨子划游於狹隘的池塘，囂鬧著、熙攘著，滿意於自己的小天地。他們也許曾對廣闊的河海起過遐想，但那彷彿是縹緲的春夢，薄霧般掠過蘆葦的尖頂，又消逝在平凡的日子裡，不是世外桃源只是苟安、閉塞，狹隘的世界，也就養成了狹隘的胸襟。

不論是倚樓眺望抑是郊野躑躅，當你想把眼光放遠些，便有一脈連綿的山峰，阻斷了你的視線，沒有空隙也沒有縫罅，簡直不給你向外面吸一口新鮮的空氣，於是你只得目送著一塊白雲飄過山嶺，無奈地歎口氣。

水的戀念

有些人是愛山的，讚美著山的種種的可愛。但，我生長在河澤著名的城市——蘇州，自幼就深深地戀上了水，不管是涓涓的細流，淙淙的小溪，滔滔的江河，浩蕩的海洋，像一個貴婦人愛她項圈上每一顆名貴的珠子般，我一體同仁的摯愛著。我愛聽它們的絮語，我愛聽它們的怒吼——那幽咽的低吟，那澎湃的呼嘯，又豈是凡間的音樂家所能創造？

雖說山和水都是大自然不可缺少的點綴，然而，水總是進取而活潑的；它日夜不息的奔流著，生存在不斷的奮鬥中。而山木然地蹲踞在地面，嶙峋崢嶸的怪石，險峻神祕的奇峰，以及大自然賜予它季節的時裝，固然也悅目動人，可是它本身依舊笨拙、凝重、沒有生命的活躍。有山無水，遊覽片刻，便令人感到枯燥、單調，索然無味，而水，哪怕是一道清澈的溪流吧，也就夠人耐味了。你可以靜臥在溪邊茸茸纖草上，細聆那如悲如怨如歌如泣的江流聲，使你忘卻塵世的繁囂；你可以佇立在溪畔，欣賞泡沫的追逐，激流的邁進，使你領悟生命力的偉大。水是孤獨者良好的伴侶，失意人唯一的安慰。

我，熱愛著水的人，卻讓戰爭趕進了狹隘閉塞的山城——從這個山城到那個山城。呵！我是多麼渴念著那奔放的，湍激的，善於戰鬥的水喲！但願我是那片白雲，越過高矗的山嶺，去親近那可愛的水、水、水……

上猶・民國三十三年十月十六日

編註：本文原刊於《大地月刊》第二六三期，一九四四年十月十六日。水芙蓉、爾雅出版社版本，皆將「山居」一段獨立成篇。

尋求

背著寂寞而憂鬱的行囊，蹀躞在崎嶇的生之路程上，打發了十九個除夕，荊棘刺破了肌膚，嶙石戳穿了腳趾，烈日烤炙著背脊：雨雪又淋濕了身軀，只有一顆燃燒著熱情的心，讓希望的光芒，保護住它的寧靜。

一個驛站，一個碼頭，抱著滿腔興奮擱下肩頭的行囊，憧憬著美麗的遠景，希望驅走了疲勞。希望喲！希望一分愛的力量引導她去真理的寶座，援助她涉過浩瀚的人海——愛是一盞明燈，黑暗在它面前潛遁。愛是真善美的結晶，虛偽、懦弱、醜惡……都在它面前畏縮。為了愛，她將獻出整個純潔的心靈。

一串平淡艱苦的歲月，悠悠地逝去在尋求者的成長中。雖然失望給帶來了空虛，但風雨的磨練，更鞏固了希望的基礎。

行行復行行，辛勞侵蝕了豐腴的雙頰，風雨凋零了鮮豔的青春。拖著風塵僕僕的身子，躑躅在荒涼的曠野，徘徊在繁華的街頭，尋求著，尋求著人間偉大誠摯的愛。

含笑的桃花，引來了一個類似的臉龐，羞怯地挨近了憩在樹下的行囊。一絲希望的安慰，溫暖了她辛酸的心。

「請讓我為妳負起這行囊吧！親愛的；我將為它築起金屋玉樓，像虔誠的信徒供奉他的聖瑪麗亞一樣，朝夕供奉它。」

「哦！不。」她搖頭拒絕道：「我要的不是溫室中的灌溉，而是太陽的照耀，甘雨的淋沐。」

那人黯然地低下頭去。她揹起行囊，又踽踽地踏上了征途。

一副堆疊著殷勤的笑臉，親摯地迎接著他，火般的熱情，燃燒起她年輕的生命，輝煌鏗鏘的言語，更奪得了她的傾心。她給迷惑了，讓那人打開行囊從裡面掏出了一顆赤誠的心。他勝利地笑了，用密密的柔情，編織起一付堅韌的絲網，把愛憐溫存做為鏈索。就用這些，預備把來扣定他的獵獲。

「啊！不能。」她從陶醉中醒悟過來，用顫抖的聲音攔阻住他：「它嚮往著自由的海空，企求的是有光和熱的境界，在那裡，有廣闊的天空，平坦的原野；有春天的花朵，真理的太陽。在那裡，洋溢著愛的歡樂與幸福，但沒有自私也沒有諂媚，……去罷！讓我們一起去尋求這美麗的境界。」

「不能就算了，我可沒有這股傻勁陪你天涯海角地飄泊。」說著，便讓純良的心沮喪地遺棄在那兒，頭也不回地走了——遠遠地走向他方……

她悲憤得哭了，但眼淚是洗不掉羞恥的；懊傷只會增添苦惱。於是，收拾起痛苦的心情，重新繼續她茫茫的前程。

默默地含情的眼光，電流般注入她的眼中，看不見的力量震撼了她的心弦。卸下行囊，那緘默的人兒便默默地接過去撫拭著灰塵。她輕鬆地舒了一口氣，正想覓一塊乾淨土安頓自己疲憊的身子，忽的又接觸到二道也是那樣默默地、含情的眼光，她困惑了，再看第一個時，雙手抓緊了行囊，眼睛裡的深情已變了凶焰；狠狠地瞪著第二個，而第二個也同樣地回敬著，猛然兩個人就扭成一團，撕著拉著，行囊在他們的爭奪下裂成了兩半個，那顆純潔而善良的心，又再度滾跌在塵埃。她給這野蠻的場面怔住了，等她明白是會什麼事時，搖著頭，用一串苦辣的情感，綴補起受傷的行囊。希望之火，依舊強烈地燃起在她胸膛；頭也不回，她又踏上了一望無際的征途，尋求著，尋求著人間偉大誠摯的愛，和真理的寶座。

於大庾・民國三十一年六月

魚

一個追逐著一個，一串泡沫從水底冒上來，第二個撞著第一個，第一個幻滅了，第三個又抵上第二個的缺，開始撞著第二個。接著第四個第五個……頑皮的魚兒，正在水底玩牠的魔術。

岸上兩個女小孩，靜靜地蹲著；出神地凝視著那泡泡，兩根硬綳綳的小辮子與一個大紅蝴蝶結，一雙影子清晰的倒映在水面。

一條紅鯽魚輕攏著尾巴，悠悠地享受一次短途旅行，突然水面上一塊紅通通的、似花非花的東西引起了牠的注意，為了比較一下誰的更美麗，牠使勁躍出了水面，在空中翻了個觔斗，燦爛的鱗片映著金黃的斜陽，閃爍成一片奇異奪目的光彩。

「啊！一條金魚！一條大金魚！」蝴蝶結拍著手叫起來，像發現奇蹟般歡躍著。

「不，那是鯽魚。」小辮子淡淡地糾正她。

「紅的鯽魚？不，我們把它叫作金魚，在城裡，我家養著一大缸金魚，可是沒有這樣大。」

「魚養在缸裡？可是留著吃？」小辮子詫異地望著她。

「吃！媽媽說那是養著看的，碰還不准我碰哩！」

小辮子想城裡人真古怪，還有養著看的魚。

蝴蝶結揀了顆石子投入水裡，平靜的水面立刻盪漾著一個水暈，馬上又化為無數圓圈，向四面逐漸擴大而消滅。

「妳家裡養金魚嗎？」

「有，有鯽魚、鯉魚、青魚、草魚，都養在一個頂大的塘裡，可是就沒有金魚。」小辮子像數家珍般說出一大串魚名。

「哦！那多好，你們有這麼多魚！」蝴蝶結不勝羨慕地說：「幾時妳帶我去看看。」

「好的，明天我父親要下塘去捉魚，妳可以看到好多。」

「捉魚？」蝴蝶結睜大了眼睛。

「是的，清塘的時候，我也下去摸小魚，捉到了給父親拿到城裡去賣。」小辮子說到得意處，不禁手舞足蹈起來。

「你們真笨，為什麼不自己養著看呢？」蝴蝶結惋惜地叫道，還帶著一點兒責備。

小辮子怔住了，真的，爸爸為什麼不把牠們養起來看呢？

「爸爸說是給人吃的。」她支吾著。

「那你們天天都有魚吃了，是不？魚很鮮！我家裡亦常常吃。」蝴蝶結採朵小草花坐下。

「可是，媽媽只燒過幾次，那還是過年的時候。」小辮子鼓起了嘴，像受了委屈似的，不住地拔著地上的小草。

蝴蝶結感到有點失望，茫然地瞧著同伴兩根翹得高高地小辮子，她想鄉下人真教人不懂，養了魚不看，捉了魚不吃，為什麼呢？直到王媽牽著她的手回去，這些問題在路上還是煩惱著她的小頭腦。

大庚・民國三十二年一月二十七日

戀愛與事業

——綠窗絮語之一

曼：

聽說妳在愛的攻勢下，或將擇一而妥協了，乍聞這消息，我驚喜摻半，繼之是一點兒惆悵，曼，我喜的是妳取得了自主與獨立，已是成年的少女了，惆悵的是我們將因而失去了一個天真爛漫的小妹妹，彷彿不久以前妳還是那麼慣於嬉戲淘氣的小姑娘，只是那麼一眨眼功夫罷，妳竟已開始要探求人生的奧祕了。

愛情，這使青年瘋魔了的怪物，沒有嘗試過的人，就像小孩子看萬花筒一樣：只覺得神祕、奇怪，渴望一探真相。但在領略過來的人，亦不過是那麼一回事而已。曼，或許，妳會嫌我說得太平凡冷漠了罷！愛情不是最美麗最神聖的嗎？是的，有人說愛情就是生命。愛情是人間唯一合理的活動，愛情是人生漫漫長途中的燈塔，愛情是心與靈的默契。也有人把愛情看的嚴肅而神聖；然而也有人說愛情是事業的礁石，是人類的弱點，是人生途上的點綴，是欲的占有。還有人把愛情看作過眼煙雲……如果把歷代的哲學家、詩人等對愛情的看法列舉出來，那是寫幾部鉅作也沒有完結的。不管愛情究竟是什麼，總而言之，那只不過是人生路程上必然經過的一個階段，人生生活中必然穿插的一斷片，由戀愛而訂婚、而結婚，千萬年來，開一樣的花，結一樣的果，已成為一種公式。但是開花結果的本身，卒竟還是芬芳甜蜜的，也就為這誘人的芬芳和甜蜜，人們不惜為它耗去了多少精力和光陰，不憚為自己編織起柔軟的網，囚絷自由的身心。

曼，記得是誰在妳紀念冊上抄了錄這麼一句話：「世界上有真事業的人，沒有一個有時間去做戀愛這長期而浪費的工作。」誠然，這是嚴肅主義者的口吻，一個正常的人，事業的光輝果然緊要，然而愛情的溫暖亦是不可少的。可是要把事業和愛情這兩樁事同時處理得妥善，這是誰也做不到的。尤其是我們女人天賦著特別強烈豐富的感情，一旦陷入愛河內，便把愛情當作生命，當作責任。及至一結了婚，家務啦！孩子啦！拉拉雜雜、瑣瑣碎碎的事，就不能棄之不顧。於是這樣一天一天下去，妳的雄心降退了，妳的壯志消蝕了，無形中妳就做了愛情的奴隸，縱使妳一旦警覺，已是脫身乏術了。曼，坦白地說，我們女子所以在社會上地位的降低，這可說是最大的原因，因此，親愛的小妹妹，如果妳不預備將年輕有為的身心，馬上囚絷進「家」，那麼跨出校門，首先應該獻身的是社會，其次才是愛情。別聽那些追求者的花言巧語，什麼結了婚一樣可以做一番事業，妳要曉得平時的口號喚得不管多響亮，這社會對女性始終還是歧視的，而一個結了婚的女子，在大人先生們眼裡，更是低能無用，現在不是就有好多機構，就堂而皇之拒用結了婚的女職員？事實上，一個女子結了婚確有許多牽累，有許多意想不到的麻煩。曼，如果妳還在愛的邊緣上徘徊，那麼最好能夠懸崖勒馬，如果妳已捲進了漩渦，也千萬別讓整個身心沉溺其間，把妳戀愛的精神時間，留一部分用在妳想做的事情上，熱忱最充沛的時候是青春期，趁著這時期，妳必須為妳的志願獲得報償，為妳企望的事業奠下基礎。那麼日後縱使妳為愛情而被迫捐棄了全部精力智慧和自由，縱使妳後半生只是庸庸碌碌地消磨在家裡，妳在妳的生命史上，終究也曾有過輝煌的一頁。如果僥倖地，環境依然有給妳進入社會的機會，妳亦早就有了墊腳的磐石，用不著在這吝嗇苛刻的社會上，到處去墾掘、鑽營一角立足之地了。

有人說，只有青春和美貌才是女人戀愛的資本。這種淺薄的話，我相信在一個智慧超越過虛榮心的人，是不足為慮的。外表的美麗只是使人眷戀愛惜，一顆向上的充實的心，卻使人由衷地仰慕而生敬愛，智者是寧捨前者而取後者的。也只有基於後者的愛情，才是最合適可靠的終身伴侶。曼妹，我深知妳是有遠大抱負，有輝煌理想的人，過去，妳曾在嬉戲淘氣中，談起前途和未來，妳卻總是那樣地嚴肅，那樣全副心靈的嚮往。妳說：「沒有什麼能挫折我對理想的追求。」是的，世界上沒有什麼能阻撓一副勇於向上的精神，沒有什麼能壓抑堅定不移的毅力。可是愛情，愛情卻能化百鍊鋼為繞指柔。莎士比亞說：「當愛情從大門裡進來時，理智便從後門跑出去。」因此，不怕妳怨我喋喋地在這裡提醒妳一句，望妳切記著

「先有事業，後有愛情。」

屏東・民國三十九年元月四日

編註：本文原刊於《中央日報・婦女與家庭週刊》，一九五〇年一月八日，第七版。

心靈的縈寄

——綠窗絮語之二

瑾：

你說你在忙完了八小時的工作後，常會感到百無聊賴，煩惱和閒愁也趁機侵襲，這正如一位哥倫比亞大學教授所說：「煩惱容易支配你，不在你行動的時候，卻是當你做完了一天工作的時候。」不是嗎？在那時候，心神一獲得解放，倒反無靠無依的不知怎樣去排遣餘閒，自然，因靡了一天，身心兩方面確都需要調劑調劑，但看電影、上舞場，這種奢侈的娛樂，並不是每個人所能負擔，搓麻將、打沙蟹，更是勞神傷財。而且消極性的娛樂，縱使換取片刻的欣愉，卻不能整個地支配所有的餘閒，消弭心靈深處的閒愁岑寂。這裡，讓我引一句物理學上的話：「兩個物體不能同時占據同一空間。」物理學上的道理與心理學上的道理是一樣的，兩種思想，兩種感情，同樣不能同時占有你的心靈，因此，排遣無聊最有效的方法，便是使你的心靈有所縈寄；養成一種高尚的嗜好，全神貫注地做去。

人們都有那麼一個錯誤的謬見：認為在八小時工作後，不該再動一動腦筋，不該再花一分勞力。寧願讓休閒的時間在懶散中消逝，而徒喚無聊。但如果你能破除這種觀念，花費一點精力在任何有建設性的事情上，那麼，換取的絕對不會是加重疲困，而是無窮的興趣。比方你對無線電感到有點興趣，那麼你更可以作進一步研究，弄一點器材來自己試驗怎樣製配、怎樣裝置。當你有一天親手把世界大事、交響樂曲散布在自己家中時，那準比花錢購一只最新式的飛歌收音機要興奮十倍。要是你喜歡蒐集，那麼專事蒐集一種東西，也有莫大的興趣，最普通而不花錢的是集郵，從那麼一張小小的圖案裡，你可以看出各國的興亡，各地的風俗。羅斯福過去就是個集郵家，胡適卻是火柴盒子蒐集者，還有集扣子、集錢幣、集戲院說明書的……只要你有耐心蒐集，卻很有味。要是你屋後有一角園地，你可以利用來種一點花草或是蔬菜，細細地勻泥，殷勤地灌溉，就同埋下了希望；當你下班回來，乍見那初萌的嫩芽，自有說不出的快慰，當你看見在陽光雨霖下的新綠又怎樣蓬勃生長，怎樣含苞待放，更有無限的期待！而當綠叢中終於紅嫣紫奼，或是飯桌上添了一碗自栽的番茄湯，那時心中更會洋溢著收穫的驕矜與歡欣。要是你喜愛小動物，為何不豢養些小雞、小兔？欣賞牠們的活潑憨跳，留心牠們的生長繁殖，確會給你那在社會世故中浸淫得近乎麻痺的心帶來不少天真和欣慰。你要是歡喜哼幾句，你又何嘗不可以學習怎樣作曲，或是選擇一件樂器傾注你的心力！你可以一個人獨自練習，更可以集合些志同道合的朋友共同唱樂。要是你對文學感到興趣，不但可以暢情瀏覽世界名著，也可以自己學習寫作，而有一天當你的感想心得居然印成鉛字而公諸無數讀者，這份快慰又有什麼能夠比擬？要是你能夠雕刻塑琢，眼看一團泥變成美麗的維納斯，捏成你朋友的肖像，一塊頑石琢刻出秀挺的字跡，又是多麼可喜！要是你可以畫，把旭日晚霞渲染於紙上，把人間百態三五筆勾盡，又何等有味！要是你能趁著薄暮餘暉，星稀月朗，每天緩緩地散步一次，不僅輕鬆身心，更能促進健康。超人尼采還把孤獨的散步列為人生「三樂」之一哩！當然，如果你同著良伴攜著愛兒，興趣自更盎然……世上可以寄託精神、排遣餘閒的方法事物，在在充溢，這裡不過是略舉最適於獨自排遣的幾件。一切良好之嗜好，不僅可以驅愁除悶，且都寓著希望和進步。如果你已有愛好，你可以使之發揚光大；如果你無所適從，你可以擇與你性情相近的開始培養。嗜好是可以培植的，只不過不良的嗜好像傳染疥癬，來時容易去時難，高尚的嗜好卻須自己慢慢地有恆地培養。

懂得享受人生的人，對一切事物，日常生活都能細細玩味、領略，不懂得享受人生的人，看什麼都是平淡乏味。有人說：「世上最快樂的人，就是生活在各面都能嘗試的人；世間最苦惱的人，就是平生只有一種嗜好，不幸失去了這一件慰藉，他就感到痛苦了。」但說這話的人，還不曉得連一種嗜好、一件慰藉都沒有的人，該有怎樣的煩悶，怎樣的苦惱。

是的，排遣無聊閒愁，只有使心靈沒有空閒。為什麼要老嚷著無聊呢？朋友，世上有那麼多可以排遣休閒的事物，你就不會選擇一二樣嗎？

編註：本文原刊於《中央日報・婦女與家庭週刊》，一九五〇年五月二十八日，第七版。

愛情的渴念

——綠窗絮語之三

嫻：

讀來信，就像長空掠過了一朵烏雲，在我心中留下了濃密的陰影。要不是那活潑的筆跡和熟悉的簽名證明是你，我真不信滿紙的抑鬱苦悶會出自你的手筆，不想結婚一年，竟把妳的人生觀都改變了。嫻，妳的苦悶我非常同情，也十二分了解，但妳未免把事情看得太嚴重了些。

妳說妳的「他」不了解妳，淡漠而沒有熱情，就似一不冷不熱的溫吞水。雖然「他」的為人依然沒有什麼過失。但他的感情同未結婚前完全改變了！彷彿把愛情看作履行一種責任或是義務似的，沒有詩意，也沒有溫情，使妳精神上受著壓抑，使妳年輕活躍的心靈感受到深沉的苦悶。是的，嫻，很多男人都是生成這種形態。他們並不是感情轉變了，相反地正是恢復了本來面目。沒有一個男人在追求時不使些手腕的。一俟結了婚，他們認為目的既達，態度自然也就疏淡了。可是女人卻不然，女人都愛把溫存柔情看作生命的動力。因此婚後由於丈夫的淡漠，往往引起對日常生活的索然寡味的反感，對不易滿足的愛情的渴念，妳讀過莫泊桑的*Moonlight*嗎？那裡不正是描寫一個少婦因丈夫的淡漠而渴望著愛情，她——雷多爾夫人對她妹妹說：

「妳曉得我的丈夫，也曉得我對他怎樣愛戀，他是一個很完全很有見識的人，但他對於女人心裡面敏感和迷惑一點都不理解……我有時多希望他能把我粗魯地緊抱在懷裡！帶著那些長久的，甜蜜的親吻，那些使二個心靈合而為一的親吻！那些無言的親密！……我甚至希望他是一個弱者，一個放浪者，這樣，他就會要我的親熱，以致要我的眼淚……

「他一直阻止著我，不使湧沸在我心裡的，興奮的詩情迸流出來……我幾乎像一個裝滿蒸氣的開水壺，但卻又緊緊地密封著……」

嫻，雷多爾夫人描述不正是妳所感受的！這些看來似乎有點傻、有點癡，可是女人偏是生來就這樣。這一半是女人生來就感情豐富、熱情充沛，一半也是妳自己生活的範疇圈得太狹小了。譬如妳在求學時、工作時，精神另有所寄，情熱也別有發揮，可是，一旦賦閒居家，所有精神的寄託，情熱的洩宣，一股腦兒傾注在「他」身上，而他也許是專注在事務上，也許是本性使然，降退了戀愛時的柔情蜜意。自然的，妳要由此感到心的寂寞了。妳說妳從前對安娜・卡列尼娜不顧社會的指責，親友的摒棄，而拋下了心愛的兒子和淡漠的丈夫，去愛戀渥倫斯奇的行為，很不以為然，現在卻覺得她這樣做是對的。縱使她是對的，但妳若把自己處理為安娜・卡列尼娜，那是大錯特錯了。而離婚的念頭，更是不應該有。至少，妳與他是經過了一番認識的，他待妳既沒有過失，你們之間的感情又不曾決裂，要是貿然採取這萬不得已的下策，那是太不智了。當然我絕沒有豎立貞節牌坊的觀念，但好萊塢那種把愛情當遊戲的作風，我卻認為簡直是污衊了愛情。嫻，我知道妳追求的是詩樣美的人生，憧憬的是充滿了詩情的生活。因此，當平凡庸俗的生活鋪排在妳面前時，妳失望、妳懊惱，妳甚至進而想摧毀了再重建，可是，嫻，妳要曉得在現實生活中，有一份平和靜適已是不容易的了，多少人想獲得而不可能，至於詩樣美的人生，那只該在伊甸園裡才有的。

嫻，正因為妳的生活太空虛，所以，更感覺迫切地需要灼熱的愛情來填補，如果妳的精神有點寄託，妳的情熱有所發揮，那麼，縱使「他」欠缺點溫存柔情，也不致給妳多大的痛苦。嫻，人生是那麼短促，那麼可貴，其實又何必拳拳於個人的愛的得失呢？而且愛雖是獲取，但也是給予，愛雖是權利，但亦是義務，專仰仗別人布施愛撫生活的人，未見得就是幸福。只享受著愛情，不曾領略過給予的歡愉的，也算不得完全的愛，嫻，不要把寂寞與苦悶一起歸罪於他的淡漠，不要一味從別人給予的愛情中去求滿足尋安慰。要緊的還是使妳自己的精神有一寄縈，最好還是設法找個適宜的工作，那不僅使妳精神有所貫注，生活的範圍一寬，胸襟自然亦隨之豁朗了，要是工作難覓的話，妳亦可以專心一致做點自己愛好的事。慈善工作是一種愛的工作，藝術工作亦是一種熱情的愛的工作。耶穌基督的出發點是愛，貝多芬、高爾基、雪萊、米勒的出發點亦是愛。妳盡可以運用妳的愛與熱，做出一番事情來。一個人生存在世上，都有他生存的價值與義務，是不能用愛情來完全代替的。因此，嫻，除了狹隘的愛情，我們必須有更高的生活意義。

編註：本文原刊於《中央日報．婦女與家庭週刊》，一九五〇年一月二十二日，第七版。

主婦與寫作

——綠窗絮語之四

影：

現在妳已是二個寶寶的母親了，我猜想得到妳的忙碌。因為我唯一的女孩子還只二歲，可是她的淘氣與頑皮，再加上瑣碎的家務，已攪得我昏頭暈腦了。不過，妳說妳因此而不得不擱起了筆，這個我卻不大贊成。

還記得嗎？往年那些如夢的日子，工作把我倆安排在一起，妳不大愛交際，我也不慣往熱鬧場所跑。兩人見面談不上幾句，話頭總像條蠹魚般鑽進書堆裡。我們曾為《安娜·卡列尼娜》歎息，我們曾為《葛萊齊拉》流淚，我們曾為《飄》裡的「郝思嘉」鼓掌，我們曾為《處女地》中的「瑪利安娜」祝頌。談起了《小婦人》，我們都愛「喬」的瀟脫不羈。我們亦曾把《奧爾珂德》的豪語：「一支筆就如我的丈夫，一串故事就是我的孩子。」做為自己的志願。我們亦曾立志要著一部輝煌的鉅作，像「賽珍珠」的《大地》似的，一舉而名聞天下。可是曾幾何時，妳有了真實的丈夫，我也是一個孩子的媽媽了。

是的，當我們立志時，我們並沒有抱獨身主義，當我們第一次為愛情陶醉時，誰又曉得結婚後生活會那麼瑣碎麻煩！

有人問英國女作家雪爾雅亞・湯浦森：「一個主婦做一個作家和一個作家做一個主婦孰難？」她的答覆是：「一個主婦做一個作家的困難是——當她構思一篇作品時，不免有許多情緒來擾，並且還有許多家務的妨礙。一個作家做一個主婦的困難則是——因為選擇服飾和使指僕役，都要耗去她許多時間。」真的，只要有了一個家，個把孩子，主婦的事彷佛永無了結，一早整理房間，替孩子收拾收拾。縱使不為「悅己者容」，總也不能讓人家看作懶婆娘，於是梳梳三千根七曲八彎的煩惱絲，臉上那麼塗塗抹抹，就去了半個早晨。接著一天的菜又得計畫、採辦、分配，油鹽柴米缺不缺，洋火草紙有沒有用完，哪一樣不要留心？而孩子一下子不是鼻涕塗了一臉，就是渾身盡是泥沙，妳要手腳懶一懶，做爸爸的回來還說現成話：「一身這麼髒，就像沒有人管似的。」好容易趁一點餘暇預備寫點東西，鋪好紙，拿好筆，小東西又像麻雀般嘰嘰喳喳跑來了，不是橡皮糖般纏著妳要茶要糖要陪她玩，便是不管三七二十一的爬上膝蓋來，搶過筆去東畫西戳地搗一頓亂。有時她湊巧外面去玩了，家裡一片清靜，可是一拿起筆來，心又不定了，孩子不曉得是不是去了路口？如果湊巧有一輛汽車駛過……身不由主又放下筆去把吵家精找了回來，晚上又疲倦得直打瞌睡，一天差不多老這麼庸庸碌碌地打發過去了。影，有時我竟這麼傻想：寫作要同打絨線衣一般多方便呢？抽著個頭可以源源不絕地繼續下去，放上放下也不礙事，而且邊作邊談又可以跟孩子到處跑……

這世界上的男子都是高貴的、可尊敬的，他們擁有事業和名譽，他們懂得怎樣不讓昂然六尺之軀為最瑣屑也最繁重的家務牽累，於是定下了「男治外，女治內」的規例，硬把女人硬壓軟禁地擠進「家」裡去。等把人磨得一架機器似的，卻在一旁奚落：「女人哪，一結婚什麼都放棄了。」一想想幾千年來多少輝煌的理想被這些瑣事湮蝕，多少有用的才能和智慧被這瑣事埋沒。不禁同聲為之一哭！影，人生的天地本來就不寬敞，而女人的圈子更狹隘，人生的路程本來就不舒坦，而主婦的道路尤其窳陋。如果思想的範疇再逐漸縮小，那麼不是淪為「家」的囚犯，便是趨向奢侈、逸樂和墮落。夾在這深淵和懸崖的中間，我們要不時常警惕，要不抓住一點東西滋潤心靈，寄託精神，難免不會失足。因此，不管怎樣沒有充裕的時間，我還是偷一點空隙寫一段，竊一截餘暇錄幾句，手裡在做事，腦中便在起腹稿，一半也把來當作精神上的避疫針。當然，在不連貫的情緒下，在煩囂的環境中，要想使作品緊湊、嚴謹是不大容易的，但只要讓我把要說的話說了，情熱總算獲得了宣洩的機會，寂寞也得到了慰藉。而且換的幾文稿費，多少也可以添置些心愛的東西，或者貼補貼補家用。只要對寫作或是看小說有一點興趣，我覺得沒有什麼消遣對家庭主婦比寫作更適宜的了。影，我希望妳切莫因繁瑣的家務而放棄了妳的初衷，縱使不期望成為大作家，至少也得使生活裡除了吃飯、睡覺、帶孩子、管家務之外，還有些使妳充實，使妳向上的東西，據說那位以寫作為職業的女作家，海倫・米勒，當孩子吵鬧時，她可以一邊將他抱在膝上，一邊繼續寫作。她那種鎮定的精神確是值得我向她看齊的。是嗎？末了，願妳繼續努力，為自己的精神和智力安排一條出路。

編註：本文原刊於《中央日報・婦女與家庭週刊》，一九五〇年一月一日，第七版。

再版小言

這本集子出版後，我一直懷著惴惴的心情，像一個母親關念著她初涉世的孩子。屏息著傾聽它們投向一個城市又一個城市，靜候著從遠處傳來的回聲。雖是對自己的孩子有一份錯愛，卻又怕它受不起考驗。然而，不想它卻意外迅速地通過考驗而為讀者們接受了。而最使我感奮和愧疚的是這短短的幾個月中，謬承文壇先進，同文輩，給了我許多指示、批評、鼓勵和寶貴的意見。除了誠懇的接受，今後更將以努力來報答這份期許。

感謝一些青年讀者寫信給我，那樣仔細地告訴我書裡的錯字，又逐篇逐段地提出來同我談論。記得在出版時我曾說希望這一嘗試給我帶來更多的指示與勇氣，如今，不僅我所希望的已經實現，而且我已不再孤寂。因為我的感想，我的思念，已獲得了共鳴和默契。

有幾位讀者問我，另一部分幾時可以出版，我的答覆是隨時都可以付印。只是，只是我的能力只能在白紙上寫黑字，卻無能把它鑄成鉛字。我正在等待著機會，就如大仲馬說的：「人生便是希望和等待。」

為著使內容充實些，我更換了其中的幾篇。初版時因為自己在台北沒趕上校對，因此錯字不少，這是我最為抱憾的，希望這次能糾正過來。

讓我再說一句，我誠懇地期待著更多的批評和指教！

十一月二十日

它

無疑的，當我落地後第一眼看見的一定是它，它那龐大的陰影正覆蓋著整幢古老而森嚴的屋子，要不，為什麼媽總說我才睜開懂事似的眼睛，馬上又受驚了般緊閉著拚命地哭個不休。

當我獨自一人堆積木堆得沒有勁了，或是打扮洋娃娃打扮得厭乏了，本能地想找一點溫存時，抬起頭來首先接觸的總是它，它常是倚在陰暗的屋角裡，蹲在笨重的家具後，俯在高高的樑柱上，窺視著有一點空隙就向人進襲，那時我稚弱的心靈實在受不住它的威脅，我慌張地丟下玩具，蹣跚地像爬山般爬過一重重崇高的門檻，穿過一座冷清清的客廳，又是一座靜悄悄的大廳，但是到了牆門間，我還是攀不到那笨重的門閂，還是打不開那一排八扇的白漆巨門，去到外面去躲避它的侵襲。於是，我又只得失望地踅回來，重新跋涉過那一截艱鉅的路程，找著正在打牌或是縫紉的母親，緊緊地偎著她，貼在她膝前，扯著她的衣角，再不敢獨自一人留在任何一間房間裡，因為這老屋裡到處少不了它的蹤跡，有時母親讓我纏得不耐煩了，便嘟囔道：「這孩子老纏著人，不會自己一個人去玩嘛！」

可是，她永遠不曉得我心中的懼怕，我也說不出我怕什麼，因為我還說不出它的名字，我只知道它存在著，比奶媽嘴裡的神鬼更確實的存在，它是無形無質的，但它包圍在你的周圍時卻又那麼撲擊不破的堅韌，它輕得有如空氣裡的氧氣，壓著你心頭時卻又重得像鐵塊，園中落葉墜地有似它的足音，微風從窗隙掠過鬢畔恰如它的呼吸，而屋角懸垂的蛛網塵埃，階下凝結的蒼蘚青苔，全是它留下的痕跡。

不知我自小慣受它的染薰，抑是我那愛靜的天性易與它接近，我出學校，我進社會，我做了母親，但它依舊似一個無聲無息的幽靈般追逐著我，趁隙還照樣地施行一番蠱惑。我若單獨散步，它總是我須臾不離的伴侶，我若獨坐凝思，它常是我忠實的守護神；我擱下針線，它悄悄來到面前；我掩上書本，它輕輕翩臨眼底；我病臥牀上，它更少不了左右周旋；我厭煩地闔上眼，它卻潛入心靈深處，侵透了心靈。

現實給予的磨練，已使我對它不致感到太嚴重的威脅，情感納入定型，我已沒有幼時那強烈的憎嫌，但一時間我也曾有過被糾纏的煩厭。好心的友人勸我擺脫它，於是我決定了一次叛棄。

我知道不遠處有一座「歡樂之城」——那裡晝夜燈炬輝煌，金碧耀燦；那裡終日音樂飄揚，笑語紛沓，高貴的紳士淑女如雲般麕集。就在我怯怯地踱進去的一剎那，強烈的燈光和色彩立刻刺得我眼花撩亂，濃濁的脂粉香混著熱氣，更薰得心神作嘔，我寧一寧神，這才看清了形形式式，多少的人呀，人人臉上都堆著一般的笑，但這笑就像漂亮女人臉上的眉毛。人人都穿得雍容華貴，裝作的十分莊嚴互相標榜著、恭維著，交換著堂皇的言語，和善的眼波。驟然燈光一暗，人人都變了樣。女的全裝腔作勢，賣弄著風情；男的一個個眼裡燃著兇焰，你暗地裡擂他一拳，他偷偷地掐你一把。有人跳上台去大聲叫囂著唱高調，有人在台下鬼鬼祟祟地商討著「走私」、「壟斷」、「囤積」的陰謀，有的露出猙獰的面目，隨處找著可以吞噬的目標。勾心鬥角，同流合污。那荒淫、那卑鄙、那無恥，那貪婪……哦！在這環境裡我是太陌生了。我感到頭痛，全身的神經像給蜂螫了一口般起著痙攣，我狼狽地轉身退出，背後哄起一陣輕蔑的嘲笑。

我走進明淨的陽光裡，新鮮的空氣拯救了我的暈眩，卻洗滌不了一肚子的懊傷，我覺得心裡像真空狀態般空虛難受。我發覺我的寧靜已在方才那片刻間軋碎了，只有我原想逃避的「它」才能醫治，我只得抱著投降講和的心情，怏怏地踅回家去。幾乎有點親切地感受到它淡淡的擁抱。我將臉埋在手掌裡，自暴自棄地說：

「你勝利地笑吧，你高興地接受吧，從此，我甘心做你的俘虜了。」

但我不曾聽見勝利的笑聲，彷彿是風從枝葉間穿過，留下輕微的絮語。

「你錯了，我並不要你做我的俘虜，我們有的是深永的默契。」

「默契！」我憤恚地抗議。

「是的，你若冷靜的想一想，你便知道我不是妄言，譬如你剛才去的地方，那卻是我不屑去的。可是，你又在那裡獲得了什麼？習慣那環境的人都是迷失了自己本性的人，而你與我相處，卻永遠保持著完善的自己，充實的心靈。」

「充實？分明令人窒息。」

「那是你自己不懂得處理，斟滿的杯子原要氾溢。」

「氾溢嗎？是頌揚你還是詛咒你？」

「別盡是衝撞我，傻人兒，你見過壓力唧筒嗎？我便做為那股壓力，該噴洩的是你的愛，你的憎，你的憧憬，你所感受的、體念的一切⋯⋯。」

「呵，呵，我曉得了，我明瞭了。」我若有所悟地歡躍起來，急忙趕到桌畔，鋪好白紙，抽出筆桿，將心中湧升上來的形象、感念，一一從筆尖瀉落在紙上，寫著、寫著，慢慢地心頭不再堵塞，不再沉重，當我哼著輕快的樂曲擱下筆時，我覺得我就像天空那朵浮雲，無掛無慮，翩然欲飛。但我沒有忘記指點我的它，我急於要向它道謝，可是，當我回過頭來時，卻再也感不到它在哪裡。

從此，每當我的心感到沉重時，我便借筆來洩宣，正如它說的，我們間有著深永的默契。我們的情誼過去維持了那麼些年，無疑的，今後還將一直維持下去。

你不知道它是誰嗎？那麼走過來點，我必須輕輕地說，因為它襲擊起人來雖然不肯放鬆。但在生人面前它卻還有點怯生——它嗎？它便是「寂寞」。

編註：爾雅出版社版本，於文末加記「民國四十年・屏東」。

鄉居閒情

那還是民國三十三年，我隨著一家報社避戰亂在贛南的一個山村裡，原是緊張紊亂的心情，很快便被山村安詳而靜謐的氛圍所撫平。我們便在報社附近的農家分賃了一間茅舍，前臨池塘，後偎山麓，兩旁是菜圃和果園。門前還遮著一架瓜棚，住房雖是簡陋矮小，環境卻幽靜可喜。橫過塘前那一片廣袤的稻田，更有一道清澈的河流，一支活潑的溪澗迴繞著山腳，無休無息地歡唱、奔躍。給莊矜沉肅的叢山增添不少生氣。

從此，山岡上、田野裡，林中、澗畔，處處印上了我漫遊的足跡，像鳥兒在天空盡情飛翔，像魚兒在水中隨意浮沉，我自由自在的在山林間遨遊、遛達。在那時，我，重新覓得了「自我」，因為新鮮的空氣滌除了那些蒙蔽著的「世故人情」；在那時，我又迷失了「自我」，因為大自然的莊麗和諧融化了我的意識。

清晨，報曉雞才抖開牠的金嗓子，我便披衣下牀，打開後門，踏著濡濕的露水走上山丘，那時群山穆然，叢樹凝翠，大地猶在沉睡未醒中。不一會，最高峰上渲染上第一道燦爛的金光，緊接著一片細碎聒噪的鳥啼突破了沉寂。樹梢迎著陽光，伸一伸枝葉，抖落了綠色的夢。我也向著逐漸從山後上升的旭日，伸展伸展肢體，肺部吸滿了新鮮涼沁的空氣，和充溢著喜悅的心情，開始了美好的一天。當驕陽熱烈地擁抱著大地時，我便擱下剪刀紅筆，挾一卷書，逕自去山林裡躺下，頭上是蒼松白雲為蓋，身下是茸茸綠草為氈。陽光從樹隙透過，篩上滿身斑斕的金鱗。周圍一片靜寂，風過處，只聞松濤呼嘯，澗水淙淙，遠遠傳來隱約的伐木聲。陽光、清風、花香、水聲，合成了一支神奇的催眠曲，慢慢地我的意識陶醉了，我的神志迷離了。恍惚間，有著小時候給母親輕拍著的感覺，書在手中執著，但字跡卻逐漸模糊。驟然間從黑字裡湧出一團鮮妍紅霞，那不正是滿山遍野開得絢麗的杜鵑花！可怎麼雲朵化成了白帆，藍天又幻作大海，我正是那駕駛的舵手……驀地睜開眼來，杜鵑花依然紅豔耀目，只是書卷拋在一邊，樹影已是西斜了。

有時，我也會曳枝釣魚竿，揀河畔那一帶綠蔭坐下，清澈晶瑩的河流穿過兩岸的翠靄，帶著野薔薇和杜鵑花的笑靨，悄悄地流著、流著，成群寸餘長的小魚，優遊地在水裡浮沉、迴旋。一隻嬌小的翠鳥倏然低掠過水面，魚群立刻驚散了，但須臾又從石罅裡、水藻下漂浮出來，欣喜地歡聚在一處。我少有釣得到魚的時候，但我常常一坐便是半天，並無患得患失的心情，只是靜靜地凝視腳下那一泓潺潺的清流，和流水裡輕晃著的悠悠白雲、幢幢花影，心境恰如止水明鏡。秋空霽海，更無半點雜念。

有時，我也會偕同同事W，同去攀臨山峰，在高高的山巔上，我們一聲呼嘯，彷彿千峰萬巔一齊聞聲奔來，我們引吭高歌，更是山谷共鳴，匯成一部雄偉無比的混聲大合唱。而仰視蒼穹，是那麼遼闊深邃；俯瞰大地，田丘茅舍就如圖中點綴。群山環繞，天風獷厲，此時此境，只覺此身已飄飄不在人間。下山路比較輕鬆，我們或走或憩，交換著講述自己讀過的最美麗動人的小說。講到悲壯處，蒼松為之嘯吟；講到悽婉時，澗水為之嗚咽。大自然的壯美增加了故事的綺麗，故事的色彩又渲染了周圍的情調，在這兩相滲透的迷離氛圍中，我們肅然默然，忘記了是自身浸沉在故事裡，抑是故事裡的人物復活在心坎？

每天編完了報紙歸去，總是夕陽滑下了山巒的傍晚。山坳裡的村舍吐出了裊裊的炊煙，耕罷的水牛溜下了池塘，這裡那裡，傳來村女喚豬呼雞的輕俏聲。田莊洋溢著一片悠舒的氣氛。我推開柴扉，一群待餵的雞立刻啾唧著圍繞在我腳前，我將米粒放手裡，牠們便擠攘著爭向我掌心啄食，那嬌憨的模樣，使人由衷地發出愛憐。母親端出晚餐來，碧綠的是豌豆，姹紫的是茄子，都是才從菜圃裡新鮮摘下來的，還有嫩黃的蛋湯，是自家母雞的產品。那幾個月裡，我有著畢生最健旺的胃口。

我愛山村的靜謐，我更愛居住在山村那份從世俗中解脫的自由，只有返回大自然的懷抱裡，人們才能顯出那一直為塵慮世俗所掩蔽的、最可貴的品性——單純。

讓我在這一年的開始，虔誠地訴下我的願望：但願在來年江南「群鶯亂飛，雜花生樹」

的時候，我已在故鄉那明媚的水鄉結屋三椽，對著明窗外柔細的垂柳、潺潺的清流，正如現在這般靜靜的書寫……

編註：本文原刊於《自由談》第三卷第一期，一九五二年一月十五日，頁四十二～四十三。爾雅出版社版本，於文末加記「民國四十年」。

牆

窗外，是對面人家一座森嚴、高峻的圍牆，當我想把眼光放遠點時，它攔阻了我的視線；當我想深深地呼吸一番，它又彷彿把空氣壟斷了，使我感到窒息。

牆的年齡已不輕了，白堊早被風雨剝蝕，到處暴露出峻嶒的骨骼，但它猶自矜傲地挺著胸，猙獰地裂著那一排參差不齊的尖利的牙齒——碎玻璃片，向蒼穹、向路人示威著，顯出隨時有把侵犯它的人齧傷的可能。在陰濕霉爛的牆腳下，有幾莖嫩弱的蔓藤，遲緩地蜿蜒著、攀附著，渴望爬到牆上來，接受陽光的洗禮。而在牆裡頭，幾枝蒼鬱的樹枝又竭力地伸展著肢體，妄想探出頭來吸收更多的空氣和養料。但莊嚴的牆，從來不為這些生的意志所感動。

是一個陰霾的，沒有太陽的日子，我看見一個疲憊的流浪者，拄著希望的手杖，拖著淌血的腳脛，蹣跚著來到牆下，從牆裡飄送出的孩子的嬉笑和烹調的美味，逗使他停下了腳步。他渴望看一眼，只是看一眼，像欣賞一幅山水畫可以讓意念徜徉在山水間般，他要看一眼牆裡歡洽恬美的景象，他枯渴的心靈裡也感受些人間的親切，但阻擋著他期待的眼光的是那岸然屹立的牆，它嚴峻地拒絕了他。

牆裡有青春的歡笑，牆裡有了新生的喜悅，牆裡有疾病的痛苦，牆裡有了死亡的悲哀，這許多情感的負擔，全由牆裡的人承受了，而更忘記了窒息和寂寞。

人類不是有同受甘苦的義務，不是有互助合作的美德嗎？可是、可是……猛然我像發現了不渝的真理般雀躍起來，人們本來可以坦白的親密的生活在一起，生活在宇宙這大花園裡，全是牆，全是這泥塗石砌的蠢物，疏遠了人與人的關係。我要把這個真理、像地球是圓的真理般告訴一切圍困在牆裡的人……

那晚颳了一夜暴風雨，「嘩！」窗子對面的牆坍圮了一角，正巧給了我宣諭真理的好機會，我滿懷欣悅，踏著凌亂的泥石走過去，迎著我的是男主人懷疑的目光，和女主人漠淡的招呼，顯然的，他們正為新的災難而感到不安。

「這樣子，屋裡的事外面都看見了。」女的說。

「這樣子，歹人很容易就可以跨過來。」男的說。

二個孩子好奇的踏上亂石堆想跨出來，立刻給雙親警告的聲音喝住：

「不許到牆外去！」

「馬上去找泥水匠砌起來。」最後兩人這樣決定著，瞥了我一眼，便回頭走進屋子。

我一句話沒有說，片刻間彷彿航海的人迷失了方向。但不一會我便清醒過來，而且領悟了。隔閡於人與人間的，還有一道無形的牆，更堅固，更厚實，而造成它的是成見、防嫌、自私……也許連宇宙的風暴，都不能將它撤除。

坍圮的牆很快便修好了，雖然新的白堊與舊的泥灰有很顯明的區別，但依然一樣的無罅無縫，連一絲空氣都無法通過。

編註：爾雅出版社版本，於文末加記「民國四十年七月・屏東」。

失落的心

在一條通衢的大道拐角上，躺著一顆紅豔玲瓏的心，猶自冒著灰白的熱氣，輕輕跳動著，一縷鮮紅的血殷殷地滲進了塵埃。

一個行人過去了，昂著頭沒有看見。

一個俯著頭蹙著眉的行人，不經意地瞥了它一眼，仍舊匆忙的走過去。

一個人悠閒地踱了過來，發現了它，蹲下去，好整以暇地審視著，似在鑑別那是什麼朝代的古董，然後搖搖頭站起來，又悠閒地踱了過去。

一個魯莽的人大踏步跨過來，一發現它，頓時止住了腳步，向周圍環視著，誇張地呼喚：

「看！有誰掉了東西！」

分開的人立刻靠到他這邊停下來，一個個探詢著，審視著！

「這是什麼？」

「這是什麼？」

「好像是一只爛柿子。」

「不，像是一只熟透的桃子。」

「你們說的都不對，這是一顆心，一顆人心。」一個人大聲嚷著，排開眾人，炫耀著自己的見多識廣。

「那是誰失落的呢？」

好像一股風吹進了樹叢，人群裡起了陣騷動。

「我早就捨掉這撈什子了。」第一個傲然宣布著，掉頭不顧而去。

「我的沒有這麼紅。」

「我的可是冰涼的。」

「我的正在脅下挾著呢。」大家看看沒有什麼稀奇事物，便都陸續散去。方才彼此研討問訊，一會便各走各的，互不相關。

那人見已沒有什麼可使自己成為中心人物，便也撒下孤零零的心走開了。

一陣驟雨，心淋濕了。

風飆過處，又蒙上一層薄薄的灰塵。

一張滿疊著皺紋的臉，一蓬拖到膝下的白鬚，一個佝僂的老人不知從哪一個角落閃了出來，他拾起那顆被遺棄的心，熟練地在口袋裡掏出些什麼，止住了流血的傷痕，又從右口袋摸出些什麼敷在表面，然後，一反手投進背上那只重甸甸的簍子裡。他悠然地找一塊石頭坐下，掠開鬍鬚，燃上一袋煙，繚繞的煙霧迷失了太陽的光線。

隨著黃昏來臨，行人稀少了。這時，一個蒼白沮喪的青年，像一隻鬥敗的公雞般蹣跚地走來，緊蹙的雙眉鎖住無限悲憤。

「青年人，什麼事使你這般頹喪？」老人從鬍鬚裡擲出憐憫的聲音。

「唉！老伯，我還是一個初入世的人，我的良知告訴我為國家興旺，為人民謀福利，應該獻出全部的熱忱、真摯。可是，我剛掬出滿腔真誠，便招引了嫉妒和誹謗的創傷，我堅持公正，排擠和傾軋更使我無以立足。」青年顫抖的聲訴，憤慨激紅了蒼白的臉龐。

「那麼，你獻出真摯、公正、熱忱的心是遭社會摒遺了。」

「是的，我覺得空虛、徬徨，無去無從。」青年按著胸說。

「看這裡，」老人掏出那個撿來的心：「這是你的嗎？」

「啊！真是。」青年驚喜地一把攫住，「但看來似乎黯淡了點，而創口也不流血了。」

「那只是我一點極微小的施予，如果你需要，我可予以更大的施予，使你避免社會的排斥。」老人捋著鬍鬚，得意地誇耀他的伎倆。

「那是什麼？」

「『世故』。它會填補起你的創口，敷蒙在心的外層。當『時間』使它累積時，你便能在社會中操縱自如。」

「可是，」青年猶疑地：「這樣不是使純潔的心玷上瑕疵？」

「哈哈！純潔無疵的心！」老人笑得那麼狂放，「那只有嬰兒才有。多少進入社會的人不向我索取那入世的法寶！」

「不然呢？」

「不然嗎？你那受傷的心將遭受更多挫傷。」

青年疑惑片刻，一個勇敢的思想像透過雲翳的驕陽般驅走愁霧。

「不！我要遵照良知的吩咐，我必須忍受一切！」他小心謹慎地將心安頓進心坎，怨憤的眼睛輝朗了，抿緊的嘴唇刻劃出堅定的毅力，決心使悲蹙的臉成為一座莊嚴的雕像。他挺著胸，一滴沾在前襟的血漬彷彿一枚搏鬥勝利的最高勛章，大踏步地一直向前走去。

「是英雄，也是傻瓜。」老人望著遠去的背影，在鬍子裡呢喃著，揹起簍子，跟來時的無聲無息一樣，去時也無蹤跡。

編註：爾雅出版社版本，於文末加記「民國四十年」。

在片刻的黑暗中

晚餐後，他又加班去了，我正自漫不經心地拿起編結物來排遣餘閒，電燈連招呼也沒有打一個，照例又收起它的光芒，周圍驟然落入深沉的黑暗裡。桌上早便準備好了蠟燭，可是我不想點燃，為的怕攪碎那份寧靜。

常久的黑暗果然使人感到窒悶。片刻的黑暗卻像一朵浮雲掠過夏日，也給在俗務羈絆中的人們透一口氣。

街上有一輛汽車緩緩地馳過，明晃晃的車燈將園裡的樹影映上玻璃窗，瀟灑拔俗，扶疏有致，多美的一幅活動水墨畫！平時又哪來這般眼福欣賞？我凝視著窗戶等待再一次映現，可是沒有，倒是逐漸有些濛濛的灰白色，襯出了窗子的輪廓，想來是星光。

一串木屐聲敲著街磚過去，竟也這般清脆。在黑暗中一切感官都閒散著，只有思維卻更活躍，像一支游離的黏絲，在太空搖曳浮漾。我無意把它納入針眼，由它牽引著我輕叩記憶之門。

黑夜似乎總是關聯著夢，孕育著安謐，在我經歷過的黑夜中，最難忘卻的是：一個充滿了恐懼，一個洋溢著溫情和怡悅。

在那些恐怖的日子裡，不知經歷過多少這樣沒有燈亮的黑夜，有時夜更深、更靜。一天忙碌下來，人們正從夢裡尋求片刻安逸，突然，一聲尖厲的汽笛像魔鬼的呼嘯劃破了夜空——空襲警報！立刻，寧靜的心頓時像張滿了的弓弦，在黑暗裡摸索著披衣穿鞋，悄悄地出了城。黑黝黝的田野裡驟添不少一明一滅的，遮掩著的手電燈光，就似點點閃爍不停的燐火。黑壓壓的群山，黑憧憧的樹影，無邊的黑暗成為一片沉重的威脅，只聞急疾的腳步沙沙地擦過砂礫，再沒有人敢打破這沉默。忽然，輕微的嗡嗡聲來自遠遠的天際，立刻所有的耳朵都豎了起來，眼睛盡可能地搜索著深邃的天空，在疏朗的星星中，有一顆、二顆、三顆……正在移動著，驟然一道光亮從地面劃過夜空，驚起了宿鳥在樹上撲翅聒噪。緊接著遠遠地轟然連聲，閃灼地火光烘亮一個山峰又一個山巔，星星倏起倏落，追蹤著的光亮也左晃右移，那確是壯觀奇景，但看著的人卻抱著待刑的心情，生命受著威脅，生死存亡只是瞬間的事，一分鐘就似一月一年。終於，聲音稀遠了，光亮隱淡了，從死亡的邊緣跨回現實，緊張的心情稍微鬆懈下來，這才覺得蹲在田溝裡或墓穴中的雙腿已經麻痺了。渾身更是冰冷濡濕，困頓地踅回家裡再去尋夢，夢已不復香甜。

在那些甜美可喜的日子裡，不知也消磨過多少這樣沒有燈亮的黑夜，那時，小城稀疏的街燈還不比星星亮，沿河一帶，索性就讓星月來管轄，有月亮的夜晚河山顯得格外嫵媚，沒有月亮的夜卻是無比莊穆。每晚，我總愛在門前小立，那潺湲的河流，對岸的山林，便隱約地出現在夜的雰雺中。不用贅言，我們的腳步很自然的向橋上走去，流水的低吟在沉寂的夜晚卻成為歡暢的歌唱。遠遠地抹角處亮起了一點火光，是一隻輕巧的魚筏正順流而下。筏尾的松明火炬，映紅了岸、水和橋上的雙頰，那一排鷺鷥悠閒的模樣就似夜遊的紳士。竹筏打從我們腳底下穿過去，又慢慢地消失在另一個拐角處。我們走向對岸綿綿的草地上背靠背地坐下，樹林在身後悄悄喁語，流水在面前潺潺吟唱，頭上是一片遼遼深邃的天空。夜的空氣那麼柔和，夜的氛圍更恬靜可喜。黑暗像一幅輕紗，輕輕地圍裹著我們。我們在黑暗裡試著辨認對岸各自的家，遙指著牛郎織女星笑說是我和他。突然，岑寂中響起一個美妙婉轉的聲音，彷彿是一支清泉來自遙遠的天際——那是一隻夜鶯在樹上歌唱。輕快怡悅的旋律激盪在夜空裡，一闋比一闋熱情婉轉。樹林靜止著，風逗留在樹梢。我們屏息凝神，緊握著手靜靜傾聽。沉默中我們清楚的感覺彼此的血液在流，彼此的心在跳，兩顆靈魂酣然偎依……等一切復歸靜寂，這才發覺夜露已沾濕了草地，那時，雖是生活在各自的天地，年輕與無羈卻使心與心密切偎依。如今，已是生活在一起；在這靜靜的夜、在這沉沉的黑暗裡，我多麼願意有一雙親切的手緊緊相握著，沉寂中重溫一次心的默契，然而……噢，難得有這片刻的寧靜，又何苦在這狹隘的感情領域中打轉！看，又是一幅活動的水墨畫滑過窗扇，靜中獨賞，不也悠然自得。再不推開那扇窗子，看滿天的星子在樹隙閃爍，讓涼沁的氣流輕撫著臉頰，也能消除胸中的塊壘。

靜寂中有細微的腳聲，一隻溫暖的小手摸索著按在我臂上。

「姆媽——」

「唔，怕嗎？」

「不，有姆媽哩。」一個嫩滑的小臉貼在我頰上輕輕摩挲，「講個故事吧！」

……在很久很久以前，世上的夜晚都像現在這般黑暗，除了星星和月亮，沒有一絲火花，也沒有一點光亮，後來，有一個叫普羅米修士的人，從天上盜來了火種……眼前驟然一亮，電燈終於復明了，我闔上眼又緩緩地打開來，首先接觸的是孩子那對明亮清澈的眼睛，正帶著信任和期待的神情，靜靜地，靜靜地凝望著我。

編註：爾雅出版社版本，於文末加記「民國四十年・屏東」。

收穫

那一片黃澄澄，黃澄澄的，無邊際的鋪滿在路畔，在廣場。昔日那般嬌嫩柔荏，如今都顯得豐盈充實。而每一顆飽滿的穀粒，都蘊孕著一份喜悅。

歡慶喲！收穫的季節。

一年的辛勤，一年的忙碌，一年的希望哪！一年的憂慮擔心，全在這值得歡慶的季節，獲得報償。

卑劣的種籽長出醜惡的莠草，優秀的種籽長出良好的秧苗，種籽若不落在瘠地裡，落在頑石上，總有萌芽的一天，播種者要不疏怠耕耘和灌溉，嫩芽總須長大、開花、結實。

在人生的園地中童年是醞釀時期，青年便該撒下願望的種籽了。而中年以後，乃是人生的收穫季節。

青年朋友，你在你的園地裡種下了什麼呢？

有些人的收穫是物質的享受。

有些人的收穫是高官顯爵，名譽和地位。

有些人的收穫是子孫繁衍，面團團享盡天倫之樂。

但這些都是凡庸的，最使我贊佩的該是那些謹慎地埋下樸實的種籽，誠懇地用智力灌溉，用心力耕耘的人。他們輝煌精湛的成果，往往是人類的福祉，社會的利益，世界進化的原動力。——他們是科學家、藝術家，以及在長春的園地裡培植著稚嫩的小花，以畢生的精力灌溉下一代的教員，還有就是讓真善美的種籽，在心血和腦汁的灌溉中，信念和意志的扶植下，開出美麗的奇葩，結成智慧之果的靈魂的工程師——作家們。

這些種籽都經過精選細擇，他們的收穫是全人類的收穫，就跟飽滿的穀粒是維護大眾生命的食糧一樣，那是精神上的糧食。

輝煌的理想結輝煌的碩果，微小的種籽也有微小的收穫。最難堪的是當別人都挑著豐收的擔子從面前匆匆經過，而自己卻是兩手空空。

人生的收穫季節不像時令的收穫季節，常是參差不齊的。有時耕耘期會特別延長，那便是忍耐與恆力的考驗。經不住這考驗的人，悲哀便是他的終身伴侶。而種籽有時也會誤撒在瘠地裡，枉費灌溉。那多半是為了生活。生活常驅使人去作沒有收穫的耕耘，就似農家的雇工一樣，過去我便曾犯過這樣的錯失，幸好自己不曾忘記警惕，如今我又孜孜地浸沉在耕耘中，在我收穫的季節，我並不指望有豐功偉績，有不朽的事業，我只望我散出的那點熱，使接觸它的人也能體味到溫暖，我發出的那一點光，能夠讓看見它的人感受到明亮，那一份無比的、微妙的心的慰悅，便該是最珍貴的收穫！

「沒有勤勉的人生便是罪惡」，請勿荒蕪了那屬於你自己的園地！

編註：爾雅出版社版本，於文末加記「民國四十年・屏東」。

作者的話

——寫在第六版

彷彿是一株樹上所結的第一顆果實，這是我的第一本集子，還記得收在集中的一篇，〈尋求〉，寫於三十一年，到現在已是十六個年頭；而另外一篇〈祝福〉，是來台後為恬恬兩週歲寫的，如今她已預備暑假考中學了。時間之流悄悄地流去，除了白紙上印下的黑字，便不留一點痕跡，這幾年中，《青春篇》由再版，三版……而至六版，那些譾陋的習作居然能獲得如許讀者的謬愛，是我當初所未曾預料的。而當青年寫作協會舉辦「全國青年最喜閱讀的文藝作品，及最推崇的文藝作家測驗」時，被推選為散文第一，又謬承中學教科書編輯委員會將其中一篇收入初中國文教科書中，更使我感到無限的感奮和愧恧，讀者們給我的鼓勵和愛護，實在比我這支拙筆所能給讀者的還多得多。趁印行這第六版時，致上我執誠的謝忱。

在寫作上，我一直是比較喜歡散文的。「……因為它的感性便是健康生命的氣息……因為它能創造崇高的意境，那種內蘊的美的氣氛，是別的文藝形式所缺少的，而它多樣性的體裁，更可以隨意抒發自己的感情和思想。」（錄自拙作〈漁港書簡序〉）但是，也許是由於小說的領域更廣闊，反映更深刻。也許是散文的情緒不及以前那樣容易把握，因此在四十年本書初版到現在這七年中，獻給讀者的就只《漁港書簡》、《生活小品》，及《艾雯散文選》三本散文集，小說集卻出了七本（二本在編印中），我自認散文的產量減少，在自己是一份心靈上的損失，願在此書印行六版時，自己在文藝園地那最深雋幽美的一角勤加耕耘，亦以此報答先進和讀者對我的厚愛和期許。

岡山・民國四十七年四月一日

編註：水芙蓉出版社〈作者的話——寫在第八版〉與本篇相同，僅改文中「六版」為「八版」，故未收錄。

新版題記

彷彿已經是非常非常遙遠了。寫下這些片章的時候，心情和想法，自己讀來也覺得有點似曾相識，卻又陌生。如同那支老歌唱的——我的青春就像小鳥一樣飛去不回來；只留下片羽零翎，些許心靈的痕跡，幾聲腳步的回響。重溫一遍，依稀又找回那一段飄散失落的生命歷程。在那種易於感受、易於激動、夢想凌駕現實的年齡，不成熟的作品中滲有天真的狷傲，幼稚的狂妄，奔放的熱情，率直的衝勁。如今看來，覺得好玩好笑，卻也遺憾早便隨同青春和時光沖淡消失了。

三十五年（自收在集中最早的一篇作品算起），又是如何漫長的歲月？蟄居南部二十餘年，六十二年遷來台北，偶然也參加些文藝集會，以文會友。已不知多少次，被介紹給知名不相識的少壯或年輕作家說：「噢，我初中就讀妳的《青春篇》了。」一次，有一位正好對面而坐，他衝著我說還記得《青春篇》中一文的片段，接著即席喃喃背誦，我沒有聽清楚，當然也不知道對不對？卻感動得嚅嚅吶吶、手足無措。更有一位在他的大作〈寫作生涯〉(《涓涓集》)中提到早歲曾「……早晨四五點鐘起來,利用路燈背〈青春篇〉。」最近又在報上讀到〈啃書的日子〉一篇中,那一位回憶他當兵時寧願調作伙伕,好利用空暇去書店、圖書館看書。直到自己賺點稿費有能力買書時,「第一本買的便是艾雯女士的《青春篇》。」……當我聽到或讀到這些,總是感到無限惶恐、慚愧而又滿心感謝;感謝他們給我這份榮幸和鼓舞,慚愧的是這許多年來,自己雖然仍執著於一份理想,出版過十幾本散文和小說,卻沒有顯著的長進,更說不上超越和突破了!

記得民國三十九、四十年那時的自由中國文壇,還保留著未經墾拓的荒涼,出版社更寥若晨星。當啟文出版社(因出版該書而成立)那位謹慎樸實的沈經理託人介紹想出版我的作品時,真有點出乎意外,幾經磋商,我的第一本集子就那樣順利問世了。在當時種種匱乏條件下印行得還差強人意,居然很快就再版、三版……令人興奮的是,除了讀者的愛護,更獲得不少文壇的前輩、及相識不相識的文友撰文題詩、批評鼓勵。可惜八版之後,由於該書局結束而告絕版,自己又懶於顧問,這一擱置,幾乎又是二十年。

如今,才由水芙蓉重新設計裝幀。趁這新排之際,我把幾篇評論拙著的文章選刊於後,正好做個紀念。《青春篇》書內如果說有幼稚不成熟的地方,請原諒當時年輕;如果說青春不只紅顏,也包括一種心情、一種意志,一份永遠對事物的好奇,對一切美好的喜愛,對人類的關懷,對理想的執著;那麼,青春雖然不再,慶幸我還多少剩有這些,可以做為明日創作的資源和動力。

於倚風樓・民國六十七年夏

青春不老

——爾雅版《青春篇》新記

每一年有一個璀璨的季節——春天，每一個人生命中也有他絢麗的春天——青春。

春天裡豔陽普照，生意盎然，萬物欣欣向榮。卻也有料寒未消，淒風苦雨的日子。

青春擁有夢想，擁有熱情，擁有開朗的胸襟。卻也有寂寞苦悶，義憤填膺的時候。

就在那易於感受，易於激動，夢想凌駕現實的年齡；就在那國家蒙難，流離顛沛，為生存搏鬥，為自由作戰，向生活挑戰的時代，我開始了塗鴉。寫下那些片章時的心緒、情懷、感受及想法，彷彿已經是非常非常遙遠了。如同那支老歌唱的——我的青春，就像小鳥一樣飛去不回來。只留下翎羽片片，墨色斑斑，是些許心路歷程的痕印，是幾聲長征腳步的回響。但重溫一遍時，那些湮沒在時光裡的景象，依稀又在塵霧中冉冉升起；當遍地烽煙，家園河山正被敵寇剁得寸寸破碎，在新贛南尚未遭蹂躪的庾城，傍著菜圃的小樓上，那個撂下課本，甫入社會的纖荏女孩，從八小時伏案工作抒放回家，陰丹士林旗袍上也許還沾著些躲空襲警報的泥屑，又湊著自製的小檯燈，咬筆吟思；初探文學門庭，「尋求」真理寶座，不覺夜深了。母親在鄰室輕敲著板壁提出警告。庾城告急，退守猶城，一個車輛不能到達的地方。獸蹄迫境，又避難至更僻遠的山村。借住的農舍緊傍著牛欄，報紙在未完成的保學教室裡編印，面對黃土山坡的大窗戶釘著手臂粗的木柵，為防老虎來襲，山風挾著松濤掠過屋簷，油燈盞熒熒黃光晃閃得滿室陰影，案桌上有人擱下剪刀紅筆，旋又提筆傾訴；藉〈山村小簡〉寫出被囚困的憤恨無奈，對自由和平的渴望祈求，寫下〈路〉，鞭策自己未來的走向，期待錘鍊成信念。但勝利復員，還來不及返回劫後的故鄉，便又匆促來台。

屏東是第一座登陸的城，花木茂盛、四季如春，那時卻是個文化沙漠。在全然陌生的環境裡拓建新生活的同時，也汲汲於在一片荒涼中擴展精神領域，墾拓心靈世界，一支可以塗塗寫寫的筆是我唯一可以仰賴的支柱，生存的原動力，屏東有名的陽光，更熾燃了我寫作的熱忱。從椰葉飄拂的大雜院，到鳳凰木掩映的小木屋，以年輕人率直的感情，單純的思想，滲著些許天真的狷傲，幼稚的狂妄，我寫下象徵性的作品：對真理的追求，夢想的憧憬，生命的期許，情操的淬礪，愛情和事業的矛盾。同時也試著從所關愛的周遭及現實生活中，去發現、去體驗、去詮釋種種使我感動，讓我喜愛，給我啟示的一切。

在人生的里程中，青春是最可貴的。開拓未來，實現自己，奠基於此，創始於此，卻常常由於年輕不知珍惜，兀自讓一些小小的自滿，一些愛情的迷惑，一些驕矜和狂妄，一些逸樂和猶豫，以及庸凡繁瑣的生活消磨了。為提高警惕，我在〈青春篇〉中以象徵「青春」的女神嚴厲譴責：

——你只是把我當作生命的裝飾，愛情的點綴，卻漠視了我莊嚴神聖的使命！

——你就不曉得把短促獻給永恆；去為一個理想奮鬥，去切切實實、勤勤懇懇的創造。

——當我整天廝守著你們時，你們一味將我浪費，從不珍惜；可是等我一旦離開了你們，又不勝悔恨地嗟歎青春易逝，青春不再……

這一篇做為書名的〈青春篇〉，當初發表於民國三十九年的《中央日報・副刊》。自那時起，寫作已不止是我的興趣，我的寄託，而已全心投入，當作終身頂禮奉獻的精神事業。這一路寫下來，幾乎是一生一世歲月！

還記得民國四十年二、三月間，也是這般草木蔥蘢，鳥鳴婉轉的早春時節，左營海福書店那位謹慎樸實的沈經理，輾轉託墨人介紹出版我的作品，因而成立了南部最早的「啟文出版社」。一塵不染的純白底色，僅右上角以極柔和的線條，勾勒一片深深淺淺的綠，春樹和青草，一抹白雲輕掠過綠野，橘色題字，封面設計清新淡雅。書出版後，居然又暢銷，更令人欣慰振奮的是除了讀者的愛護，還獲得不少文壇先進、相識和知名的文友如葛賢寧、王平陵、趙友培、司徒衛、劉心皇、孫旗、張雪茵、季薇、李莎、亞敏等撰文題詩，批評鼓勵，這份榮寵和反應，使我第一次深深地感到，做為一個默默耕耘的文藝工作者，在這世界上並不是全然孤寂的。由於篇幅不能一一刊出，只能選刊一首李莎的小詩做為代表。

生命的春天——給艾雯

青春似軟泥
時光走過
踩下深深的腳印
妳已豎立起
閃光的里程碑
儘管風風雨雨
它，不會褪蝕的

生命的春天
是多彩的啊
於是，我讚美
人生的「青春篇」
是一首綺麗的散文詩

三十六年（初版到今天），又是如何漫長的歲月！其間二十多年一直蟄居南部小鎮，獨自耕耘我小小格田，六十二年遷來台北，偶然也參加些文藝集會，以文會友。已不知多少次被介紹給知名不相識的少壯或年輕作家說：「噢，我初中就讀妳的《青春篇》了。」一次，有一位正好對面而坐，他衝著我說還記得《青春篇》某一文中的片段，接著即席喃喃背誦。我聽不清楚，當然亦不知道對不對，卻感動得囁囁吶吶、手足無措。之後又陸續在報刊書本上讀到幾位已是名作家的在回憶從事寫作的作品中提到，諸如余阿勳在《涓涓集》書中〈寫作生涯〉一文寫著「……早晨四五點鐘起來，利用路燈背〈青春篇〉。」郭兀在《又聞潮聲》書中〈啃書的日子〉一文寫提到他當兵時自己賺點稿費，有能力買書時，「第一本買的便是艾雯女士的《青春篇》。」張拓蕪收在《左殘閒話》書中的〈瘠土〉一文有段：「雖然買不起書，但那段時期……艾雯的《青春篇》……我都有手抄本，大部分也都能背誦。」——每當我聽到或讀到這些，總是感到無限惶恐、慚愧而又滿心歡喜。感謝他們還記得我不成熟的小書，給我這份榮幸。這許多年來，自己雖然仍執著於這份理念，不斷要求提升、超越，也出版了一、二十冊小說和散文，風格是不是改變？有沒有長進？就待愛護我勉勵我的讀者朋友們來評定了。

「青」書在出版問世時，雖然非常非常順利，畢竟三十多年是很長的時間，其間由於出版社結束或其他變故，曾迭遭中斬停版。如今，很高興能將這本歷經滄桑的小書付託給爾雅。主持人隱地老弟本身是位嚴謹的作家，爾雅歷年來出版的叢書更是品質第一，相信妥善的照顧和嶄新的形態，今後會讓它安安穩穩，一帆風順。近幾年來，愛護我的年輕朋友撰文介紹我時，每每喜歡以「永遠青春的艾雯」、「永遠的『青春篇』」、「不老的『青春篇』」做為標題，從事寫作原需要不斷的充實、提升、擴充自己，創作乃使人永遠年輕。如果說青春不只紅顏，也包括一種心情，一種意志，一份永遠對事物的好奇，對一切美好的喜愛，對周遭及人類的關懷，對理念的執著，那麼，青春雖然不再，慶幸我還多少擁有這些，可以做為明日創作的資源和動力。

於停雲小築・民國七十六年初春

風雨念故人

——山村小簡之二

室外，風像一條威武無比的巨龍，疾捲著大量的雨水，從一座山巔掠過一座山巔；在田野上馳騁，在山叢裡盤旋，一切生物都在它的淫威下，蜷首貼尾地收斂起蓬勃的生氣。蒼松的呼嘯，河流的沖激，雨的滂沱和著風的怒吼，匯合而成一道巨大無比的聲浪，像萬馬奔騰，像山洪暴發，震撼著整個山谷——今宵，又是個暴風雨之夜。

已經一連幾天風風雨雨，剝奪了我唯一可以解悶的機會——散步。只能成天像隻鼬鼠般，蟄伏在空空洞洞的臨時編輯室裡。排字工人剛把畫好的版面拿走，我收拾起紅筆殘稿，對著一燈熒然，滿屋陰影，心情鬱悶沉重——忽然，有什麼振翼突圍。噯，是我思念的鴿子，我讓牠突破風雨，飛越時空，飛向昔日的夥伴，飛向你……

那些在庾城相聚的日子，現在想起來是多麼令人懷念喲！

是日寇的侵略，使我們與故鄉隔絕。是殘酷的戰爭，驅使來自東南西北的我們，聚集在那蕞爾小城。不知這是不是也稱「緣」？國難家變中締結的緣。我們這一群失鄉、失學、失去親人（我算是幸運的了，父親雖然在戰亂中去世，仍與母妹在一起）的年輕人，卻都堅強地站在自己的工作崗位上。「鎢」是對日抗戰中很重要的資源，間接也參與了生產報國的行列。八小時工作、上班、下班，沒有消遣娛樂、沒有社交旅遊，躲警報便是唯一的戶外活動。生活單調的就像《神曲》裡那個領受責罰的巨人施梅佛斯，日日夜夜把大石頭推上山頂，滾下來，再推上去。周而復始，永無變化。原該是雲雀鵬鳥般海闊天空飛翔，出谷澗水般活潑向前奔流的生命，卻局促在一個小小的角隅；原該是懷抱著美好的夢想，遠大的抱負的金色歲月，卻是那樣黯淡無光。我們為我們的青春抱屈，但沒有怨尤；我們為我們的命運不平，但不曾氣餒。畢竟，國難當頭，頑敵不除，又哪來小我的自由，哪去追求我們美夢和理想？

年輕人是從來不懂得用世故來偽裝自己的，矜持只是有點靦腆，緘默許是因為羞怯。只須一點溝通，自然藩籬盡去，坦誠相見。說起來，還該歸功於你和洪。處裡發起康樂活動，你倆那樣熱心地推動歌詠隊，號召各路青年參與。每晚，冒著冷風，涉過小橋，集合在空曠的大禮堂裡，圍湊著黯淡的燈光，唸那油印的歌譜。幾支口琴便是伴奏的音樂。熾熠的熱情驅退了四面迫來的夜寒。沒有誰是音樂家，卻都敞開心胸，全心全意地投進去：把愛國歌曲唱得慷慨激昂，抗戰歌曲唱得熱血沸騰，懷鄉思親的歌曲唱得人辛酸淒切：唱到〈流亡三部曲〉裡那二句……「什麼時候，才能夠回到我可愛的故鄉，什麼時候，才能夠見到我衰老的爹娘？」每每令人熱淚盈眶，聲音梗塞。而唱到〈巷戰歌〉中：「看罷、國土搶去了三分之一，聽吧、槍炮震破了天和地。千萬人炸成肉泥，千萬人做了奴隸……這是血海的冤仇，報復責任在自己。……」更是悲憤填膺、敵愾同仇。〈馬賽曲〉中：「高聲歡呼親愛的自由，對你高歌可以消愁……」還真讓人精神振奮、士氣高昂。你和洪口琴合奏一曲〈雙鷹進行曲〉雄壯昂揚，最令人激賞，沉默的潔唱〈飄零的落花〉時，感懷身世、如訴如泣。調皮的小沈卻在唱〈遊子吟〉時聲音顫抖得不成腔調。我喜歡在唱〈夜夜夢江南〉時閉上眼睛，輕輕唱出……滿地花如雪、小樓上的人影、正遙望點點歸帆……，彷彿自己已回到蘇州，正是鶯飛草長、滿城花香……卻再沒有勇氣唱底下……白骨盈荒野……記得那時大夥兒最常合唱的是：〈熱血〉、〈巷戰歌〉、〈游擊隊歌〉、〈怒吼吧，中國〉、〈舉杯高歌〉、〈中國一定強〉、〈思故鄉〉、〈全國總動員〉、〈松花江上〉，唱的高興起來，也連笑連喊地唱茶花女中的〈飲酒歌〉、〈上山〉、〈夏天裡過海洋〉！而唱起〈初戀女〉、〈小夜曲〉等情歌時，少男少女們眼簾低垂，含羞帶怯，有情卻似無情。唱得每個人都讓自己愛國思鄉的愁恨，抑鬱不滿的情緒，全在吼叫聲中發洩殆盡。唱得真情流露、渾然忘我，「聲」「情」交融。噯，沒有什麼能像大合唱一樣，同心合力、團結一致的了。那年抗戰紀念日首次演出，我因為得了肺炎不能參加，聽說還造成了轟動——給沉寂的山城帶來一股旋風，掀起了陣陣「聲」浪：服務在各單位的流亡青年活躍起來了，紛紛組成合唱團，歌聲四起、群心振奮。沒想到歌唱竟賦有這樣鼓舞人心的力量……

而你，當大家唱得正起勁時，卻是第一個引退的人。你不耐久久耽於「間接生產報國」的工作，毅然投身軍事行列。那時當你問我意見時，我口頭上極力鼓勵，但內心卻充滿了矛盾。甫入社會，我太年輕，你從旁給我鼓勵和協助。對文學、對自然，我們有相同的興趣。多年交往，亦友亦兄。戰爭變幻莫測，明知這一別再見不易……然而，我還是為你遠征祝福。滯留會消磨壯志，囚蟄會使翅膀失去飛翔的力量，趁著年輕，還有冒險犯難的勇氣，是應該突圍去前方。如果我是男孩，如果我沒有家累，一定亦會採取同樣的行動。不久收到你輾轉抵達的來信和照片，穿上戎裝、英姿風發，比便裝時顯得神氣多了。之後黔桂失陷，粵漢路斷。從此音訊隔絕。噯，吾友，你究竟生存在何方呢？是在前線苦戰中，是到了指揮作戰的大後方，抑是像我們一樣，退守在另一處進退兩難的困境？

是的，另一處困境，呼吸的依然是自由的空氣，荒山僻野，耕者自耕。不僅遠離塵寰，也與戰爭隔絕。哦！我忘了告訴你，去年庾城告急，我們少數人疏散到上猶，留守期間，我意外地進了當地的縣報兼差。敵蹄掠過邊境，又隨報社避來這深坳裡的山村。母女仨賃一間傍著牛棚的小茅屋，工作地點就在尚未完工的小學裡。儘管電訊時斷，發行受阻，報紙依舊按時編印。這是我們生存唯一的憑藉。等待第一個發布勝利到來的喜訊。

風雨似乎減弱了。淅淅瀝瀝打在屋脊上，更顯得淒涼。那種天荒地老的孤寒從黑暗的四周向我包圍進襲，將我滲透——多麼渴望能再聽到那熱烈的歌聲。為我融開心底的冰凍！庾城在數月前亦逃不掉酷劫，淪入水深火熱中，不知往日合唱的夥伴們，可曾遭受迫害，抑或顛沛逃亡，祈求能平安脫逃。比起來，能困在自由的絕境裡，還算是最大的僥倖哩！

可記得那時大家天真的交換抄錄自己喜歡的歌，就像中學生畢業交換題紀念冊一樣；有人寫得端端正正、有人用美術字，也有配了精美插圖的。世界上大概沒有比那更繁富的歌本了。轉輾避難、我一直在身旁。此刻，我輕輕掀開黑色的封面，翻到你抄的那首〈思故鄉〉，耳畔恍惚又響起那深沉的男中音蒼涼地唱著……思故鄉，欲斷腸，關山萬里路茫茫。路茫茫，空惆悵，伊人秋水，天各一方……

天各一方，噢，天各一方……淚眼朦朧中，但見將燼的燈蕊結了一朵燈花。「青鳥不傳雲外信，燈花空結雨中愁」。朋友，又怎樣才能傳遞給你這封信呢？

雨夜於平富鄉，民國三十四年五月十一日

艾雯全集1

散文卷一

漁港書簡

漁港書簡：高雄市，大業書店，一九五五年二月台初版，三十二開，一〇九頁；後改由台北市，水芙蓉出版社重排印行，一九八三年二月發行初版，三十二開，二〇六頁。

◎大業書店版原目：

寫在前面、無盡的愛、虹一般的憶念、年輕的日子、生命的音樂、夢的幻滅、無聲的弦琴、春的召喚、趕在太陽前面、種花記、庭園二章、狸奴、控訴、枇杷、漁港書簡、大地的祝福、航程、台北來去、當我回到家鄉的時候、山城憶、白雲故鄉、母女、拐角那一家、春雨、我是怎樣從事寫作的。

◎水芙蓉版新增篇目：

作者簡介、漁者有其船、栗子之戀、初歷地震、綠色幻想曲、方老教授、有朋自遠方來、四重溪之春、白雲深處覓歌舞、山在虛無縹緲間、晴山綠縈西子灣、從贛南到台灣、評介《漁港書簡》（易叔寒）、由《漁港書簡》想起（糜文開）、艾雯的《漁港書簡》（江聲），改原題篇名「我是怎樣從事寫作的」為「摸索前進的路」。

◎說明：

本集據大業書店初版編入。

水芙蓉版新增篇目收錄於大業書店版末，作者簡介、評論文章未收入。

寫在前面

來台灣五年，除了另外出版的兩本小說，這才是我第二本散文集。巧得很，第一本散文集《青春篇》也正在這時四版了。兩本書會師一朝，由我自己先檢閱一番，十分慚愧，它們不分彼此，一樣的譾陋，一樣的淺薄。但是，也一樣的是由一支笨拙卻是忠實的筆寫出自己真實的感情，寫出自己所感受和接觸的，以及對一切善和美的渴慕和憧憬。

我喜歡散文，因為它的感情便是健康生命的氣息；我喜歡散文，因為它能創造崇高的意境。那種內蘊的美的氣氛，是別的文藝形式所缺少的。而我更喜歡的是它多樣性的體裁，可以隨意打發自己的感情和思想。因此，當我一開始叩入文藝的領域，首先便選擇了散文作為學習的路子，原望在這方面有所獲得，可是，近年來卻因為我的興趣又涉獵及小說這更廣闊的一種天地，散文便寫得少了。這也便是為什麼幾年來我才向謬愛我散文的讀者，獻出這不像樣的第二個集子。

一切藝術永還是聯繫著時代的，它不僅是表現一己的感情生活，更要從這時代人民大眾豐富的生活中去提煉，它不僅是刻劃個人的希望和理想，更要刻劃出這時代人類對明日的希望和理想。在這裡，我選「漁港書簡」作書名，並不是因為這一篇寫得特別好，而是為勉自己在這一個課題，這一個方向下，再試作更多的努力！

抄於岡山・民國四十三年十一月

◎輯一

無盡的愛

——寫在母親節

記得早年在一篇描述母愛的文章裡讀到：「當你尋見了世界上有一個人，認識你，知道你，愛你都千百倍的勝過你自己的時候，你怎能不感激，不流淚，不死心塌地的愛她，而且死心塌地的容她愛你？」時，我不禁感動得流下淚來，等全篇讀完，已是淚流滿面，躲在被窩裡啜泣不止——是的，普天下母親的愛是一樣的：一樣的真摯，一樣的細密，一樣的堅強無盡，一樣的永恆不變。可是，正如俗語說的：「人在福中不知福。」往往浸沉在母親深濃、沉摯的愛中，卻不理會。一旦恍然覺悟，憶及過去故意在一些小事上同她違拗，同她爭執，能不由衷的悔恨疚慚？

友人總說我幸福，我不否認，因為三十年來，我一直生活在母親身邊，從未有一個月以上的離別。儘管自己也做了母親，有母親在一起，彷彿總還是個事事要依賴她的大孩子。儘管經歷過世事滄桑，在母親跟前，卻永遠保持著赤子之心。

母親堅毅、果敢而富正義感，父親去世時，我還年輕，潤妹更幼小，社會在我是一個萬花筒，生活在我是一個謎。但母親卻給了我生存的勇氣，教我怎樣與生活搏鬥，在她的安慰和鼓勵下，我終於慢慢的堅強起來，我敢於面對現實，我懂得克服環境，我之所以能夠在人海的危浪險瀾中屹然獨立，都是母親賜予的力量！

母親為我們操心勤勞，她是從來不知道休息的。她有很深的胃病——數十年來一直纏綿著她的痼疾。但精神卻很好，她愛乾淨，性子又急，對人家做的事總看不慣，常常一面抱怨，一面把什麼事情都做好了，因此，她很少有閒暇的時候，晚上帶起老花眼鏡來讀一會小說，地方新聞，該是唯一的享受了——母親太勤快了，以致我卻越變越懶！

母親是多慮的，常常為這個擔心冷熱，為那個擔心飢飽，有時，我們總笑她多慮，但回過頭來一想，這縝密的思慮中，每一分該蘊蓄了多少愛！

母親今年已經六十歲了，滿頭濃密的黑髮中已摻有三分之一燦燦的銀絲，是歲月的染工，抑是為我們操了太多的心？照理說，她辛勤了半輩子，如今原該享一份清福。但無能的女兒卻一直不能好好的供奉她，雖然，我知道她絕不介意，她說過：「只要一家安樂她便心滿意足。」

我從小多病，也不知讓母親多擔幾多憂，多惹幾多麻煩！記得有幾次九死一生的大病，她總是衣不解帶的在牀前守候我，默默地為我祈禱。當我從死亡的邊緣上掙扎著醒過來，無力的睜開眼睛，第一眼總是看見母親正憂愁的俯視著我，見我醒來，那因日夜焦慮而顯得困瘁的臉上卻滾下兩串歡喜的熱淚。嘴唇顫抖著輕輕喚我的名字——那印象永遠深刻而清晰的留在我記憶中，我覺得我幾次能夠逃過死神的魔掌，不是醫藥的功效，而是母親無比的愛的力量，愛的意志。

母親的愛是深厚的，無可衡量的，它密密緊緊地包圍著我，我一舉手，一投足，一笑，一呼吸間都感到它的存在。母親把自身的一切都揉合在愛中，當我踽步在人生的路程上，她用愛的力量支持我前進，當我因顛躓而受傷時，她用愛治療我的創傷——啊！這深厚的愛，這深厚的恩惠，我將如何報答？但母親愛我是不望報答的，她只是為愛而愛，我生出來好像只為承受她的無限無盡的愛。

「愛情的眼睛裡是容不下一粒砂子的」。但母親的愛卻不然，她因為愛我，也愛我所愛，所接近的人，母愛是超過世上一切其他的愛的。

母親的愛是永恆的陽光，照耀著我的身心，但陽光有時會被雲翳遮掩，母親的愛卻永遠像溫煦的春暉！

母親的愛有似廣闊深邃的海洋，兒女們的一切缺點，一切錯失，執拗和違叛處，都能包涵，深藏，不留痕跡，愛掩蓋了一切。

母親的愛是沒有厚薄，沒有差別的，普天下的母親用一般的愛來愛她的兒女，若是世界由母愛來處理，該是怎樣充滿了溫暖，親愛與和平！

母親節，這一個節日該是歷史上最有意義，唯一充滿了愛和感恩的節日！那些共產暴徒，那些叛逆的兒女，請在這一天想一想你們的母親，如果你們了解母親的心底神聖的愁苦和眼淚，了解母親的犧牲、忍耐而堅強無盡的愛，你們的良心還能讓你們舉起反抗母親的手來，還能摧毀她的希望和安慰嗎？

母親，親愛的母親：謹獻我的愛與祝福給妳，以及普天下的母親！

民國四十二年・母親節

編註：本文原刊於《中央日報・婦女與家庭週刊》，一九五三年五月十日，第六版。

虹一般的憶念

童年的記憶是一道美麗的虹霓，儘管世事滄桑似雲煙，人情變化像陰晴，當你靜下來澄清你為人情世故蒙蔽的胸襟，如同讓砂礫沉下澄清水流般，幼時的瑣事便會帶著些親切，甜蜜和真摯，浮現腦際，像彩虹橫貫碧藍的天空。

童年的記憶是記憶裡最深永的記憶，童年是易鑄的塑料，小心靈感受的一切，便是一生的塑型。

我自幼便身體孱弱，而一直到十三歲，我是雙親膝下唯一的愛女，當別人正從一加一算到兔鶴同籠共幾頭幾腳的時候，我只是盤桓在父母膝前，把故事和太多的寵愛，滋潤正在茁長中的心智。我的性格得諸父親的淡泊、恬適和富於幻想，遠勝於母親的堅毅、果敢與偏重實際。父親生性瀟灑不羈有些舊名士的派頭，公餘之暇不是弄弄絲竹，調調丹青，便是耙土和泥，種植花木。他對我的教育一向是採取放任和自由主義的，總認為我身體不好，應該少動點腦筋，但他並不曾忽略一顆孤獨的小心的寂寞，常時鼓勵我培養一些愛好和興趣。而我，心目中自然也就以他的舉止為規範，父親作畫時，我是第一個欣賞者，小手忙著幫他磨墨鋪紙，記得有一次他畫了春夏秋冬四景，我便最愛那幅冬天的雪景，山頂、樹巔、屋脊全蓋著皚白的雪，一個披著猩紅斗蓬的人拄著拐杖，扶著童兒，正步上小橋向對林走去，意思大概是畫的踏雪尋梅，但那時我並不懂得這些，不知怎麼那幽美的印象卻深深地鐫上我小小的心坎，直到現在，我閉上眼還能隱約看到那幅雪景的構圖，在父親的鼓勵下，一度我也曾描臨過《芥子園畫譜》。稍後父親工作日形繁複，我的興趣也轉移，我那一份對美術的慧根也便逐漸泯滅了。

父親栽花時，我是他得力的助手，我會耐心耐意地跟著他簸土、撒種、分秧、除蟲，眼看著植物從種子萌嫩芽，從芽長大、開花。這過程有難以言說的期望、欣喜。下雨天我便雙手支撐一把大油紙傘，讓父親在傘下用篾片樹枝扶持起柔弱的枝莖。

我又愛蒐集香煙畫片，那時香煙名目繁多，香煙畫片成了競爭的廣告。有成套的連環故事，有人物的畫像，有風景片，有迎合兒童心理的「老鼠世界」，滑稽娃娃，還有湊起一套可以換獎品的。五顏六色，不下百十種。每當家裡買回香煙來，我總是搶著第一個拆封，父親不但把他幼時收藏的幾套名貴的香煙畫片全送了我，逢到同事吃香煙的，也問人家討了香煙畫片帶回來。有時更同了我去「玄妙觀」搜配我所缺少的，那裡專門賣香煙畫片的攤子有好幾處。普通的一個銅板買六七張，隨你揀。稀貴的有賣到幾毛一元一張的。我們離開家鄉去江西的那一年，我已在二尺方的木箱裡蒐集了一箱子，裡面還一小盒一小盒分門別類的裝開來。走的那天，我費了很大的氣力才把它弄到一堆行李旁邊，父親卻說：「沒帶的東西多著哩，等錢塘江大橋造好了，不用那麼多周折時，馬上再來拿。」可是誰又想得到這一次離鄉，父親他老人家便永遠不能踏上鄉土了。而十四年來流離顛沛，我們也不曾回過家鄉，那一箱傾注了父親和我多少心血的香煙畫片，也許早已腐蝕成塵灰。

可是這些愛好可都比不上我對看小說的迷戀來的深永、沉緬，父親嘴裡的故事是一種啟示，啟示我去掘發書本裡無窮的寶藏。當那些薄薄的《兒童世界》，《小朋友》已不能填滿我的寂寞與貪婪時，我便用最大的毅力來開發早便饞涎的父親的書櫥，起初像《聊齋誌異》裡那些陌生的字眼，艱深的句子，常使我像踽踽獨行的人遇著了險嶺巨流般望而卻步。但慢慢地我終於克服了困難，一知半解地把故事的情節如同未成熟的酸果般囫圇吞下去，當我遇有不認識的字時，總是懶得查字典而把上下的字聯起來想它的意義。看多了，生的也就變成熟的。一直到現在，有很多字我不僅曉得它的意義，而且已是運用自如了，可是依然不曉得的它的發音，因此，就是拿我自己的文章朗誦一遍，恐怕裡面還少不了唸不出來的生字哩。

我把父親書櫥裡的小說啃完了，又把姑母家那些石印本的章回小說生吞活嚥了一頓。還像隻餵不飽的饞鼠般到處伸出鼻子去探索，我小時原很怕羞，跟大人到親戚朋友家去總是怯怯地不大作聲。但如果看見人家有好看的小說擱著，卻不知又從那來的勇氣問人家啟借，別人聽見我這樣的小孩子要借大人看的書，總是先懷疑的看我一眼，好像說：「妳也看得懂嗎？」然後才吞吞吐吐顯得有點不放心似地說：「好吧，可得看快點，不要弄壞。」其實最後二句叮嚼大可免了的，我一看起小說來就恨不得一口氣就看光，一睜開眼來一直看到黃昏，接著馬上湊上才燃著的洋油燈，再帶到枕畔直到眼睛實在瘦澀得張不開了才伴著入夢。看得入神時心也矇了，耳朵也聾了。鄰家的孩子在牆門間裡拍皮球，捉迷藏什麼的我都不聞不問，大人喚我做什麼也不理會。有時母親看不過了搶掉我的書把我轟出門去，叫我把頭腦清醒清醒。父親看見卻只是笑著說：「這樣看不行的，將來眼睛會同我一樣近視。」（這話果真說中了）。可是他說雖這麼說，看見我沒有了書看那副如魚失水的樣子，他又會跟我上圖書館，租書店去租借。他自己本來也是個小說迷，但後來借書卻多半迎合著我的興趣，只要聽到父親老遠便喚著我的名字進來，我便猜到他不是借了好看的書來，便是弄到了珍貴的香煙畫片，星期日父女倆去逛舊書店，亦是最大的樂事。

一個身體孱弱，沒有伴侶的孩子的童年該是多麼寂寞！但那細微縝密的慈愛，卻彌補了一切。我就這般像書蠹般在書堆裡糊裡糊塗的鑽來鑽去直到考上中學，那時我自問對功課非常隔閡，心裡十分卑怯。不想上第一堂作文便挽救了我的自尊心，國文老師不但把我的作文選出來給別的老師觀賞，而且還賦予我一個特權，說是「妳如果自己有題材，可以自由發揮，不必限於我出的題目。」由此，我給自己那股「獃氣」獲得一個冠蓋，不管生吞活嚥，還是囫圇吞棗，多看書究竟還是占便宜！

我不覺得後來那些年學校教育造就了我什麼。我欣慰我自己到現在還保持著一份淡泊寧靜的性格，我慶幸我自己到現在還有份對文學執著的愛好。在生活的窒悶中，足以使我的心靈有所寄藉。這都該歸功於幼時的陶冶薰染。

是的，童年是易鐫的塑料，我覺得塑型十分適合於我自己，我感謝父親（願他在天之靈安寧！）為我塑成了這麼一個型。

民國四十年・兒童節

編註：本文原刊於《自由談》第二卷第四期，一九五五年四月一日，頁十四～十五。

年輕的日子

年輕的日子，噢。年輕的日子真好過！

如果說人生如浮雲，年輕的日子便是貫穿雲層的，綺麗的虹彩。

如果說生命是一篇單調冗長的樂章，年輕的日子便是那突出、明快，而不受拘律的一組音符。

年輕的日子，生活是一支出谷的澗水，一條奔放的溪流，不用前顧後慮，不懂艱辛困苦。只是吟唱著，歡躍著，一路上彼此追逐，衝撞，摔角……從不知道疲乏和退縮。

年輕的日子，思想是一隻活潑的小鳥，一匹無羈的野馬，儘管局促一隅，卻擁有整個宇宙。思想馳騁的領域，便是廣袤無限的世界；那遼闊天空，那浩瀚的海洋，那寬廣的平原，還有那光和熱，花的芬芳和愛的蜜汁融成的遠景。噢噢，未來的世界多麼美麗！未來的生活多麼豐富！未來的日子發著光芒，那耀熾的光芒閃耀年輕人的眼裡，鼓舞著年輕人純真的心靈！

年輕的日子，你我都愛做夢，不是高枕無憂做著發財的夢，不是躺在席夢思上做享受的夢，我們夢著花開的季節，夢著旅行另一個行星，夢著在北國的草原上乘馬馳騁，夢著尊貴的繆斯女神親自接見。夢像一片詭譎多幻的雲彩，燦爛絢麗，但也荒唐離奇。

年輕的日子，你我都愛唱愛笑，像一隻弄舌的百靈。然而，有時也會為一瓣落花悲哀，為一隻受傷的麻雀憂愁，為一首美麗的詩感動地流淚，有時又無端地歎息著，悄悄地說：春天春天，你這惱人的季節……但是，只要春天的觸手輕輕撥著生命的琴弦，立刻又是唱又是笑，一切可笑的感傷化作煙散霧消。年輕的情感直率而沒有矯揉，年輕的心靈熾熱而沒有設防，年輕的人處在一起，就像磁和鐵的彼此相吸，就像水和乳的彼此融和，就像花和葉生在一棵樹上。

那虹彩般綺麗的日子，那澗流般奔放的日子，啊！那洋溢著活潑、明快的青春的旋律的日子，你我都曾有過。但是，你我都不知珍惜。過去了，像春風穿過樹隙，像流水流過溪谷，只是春天一年一度，流水永恆不息，而年輕的日子過去了不再重臨。

縱情的笑吧，唱吧，在你年輕的日子。

豪邁的灑開腳步，跑吧，跳吧，在你年輕的日子。

放鬆你思想的野馬，你展開夢幻的翅膀，想吧，想吧，在你年輕的日子。

年輕的日子，噢。年輕的日子真好過！

如今，年輕的日子將一天天離我遠去，但願呀！但願我能永遠保持那年輕的心！

民國四十一年八月十四日

生命的音樂

我把自己關閉在斗室，寂寞伴隨著我，像塵埃摻入空氣。

窗外正颳著風，小院裡群樹喊喊私語。

一再地，我捺住無端的煩躁，調理著思想的弦線，但那受了潮似的弦線只是發出微弱而雜亂的嘈音，我無法將這些散漫的音符組成樂章，譜進那密密層層的綠色方格——我彷彿聽見時間歎息著，像一條黝藍的水流，迅疾地、默默地流過我身畔，流向無垠的大野——我索性拉開窗子，風挾著片落葉欣然掠過我頰際擁入，淡淡的夕陽堆一院陰影，又快黃昏了呢！

我感到心情的沉重……

一陣悉索的腳音，像風捲起落葉摩擦過地面，又是她，幾次我曾見她踽踽地打從我窗前經過，那雙蒙著一層抑鬱的明眸，似輕霧迷濛下一泓明澄的湖水。秀癯的臉上有著給時間和生活著意琢磨過的，超越她原來年齡的痕印，她那嚴肅專注的神情，永遠似在思索著，或是尋覓什麼失落的東西——她沉思的眼光和我困惑的眼光在一瞥間相遇了。

「妳是遺失了什麼還是尋求點什麼？」我忍不住問。

「全對。」她乾脆地答覆，眼睛固執地凝視前面。

「有人愛追尋一個消逝了的夢。」我自語似地試著搭訕。

「夢像一路綻放在人生路程上的花朵。一面凋殘，一面自會繼續開放。」

「有人不時為褪蝕的青春悼惜。」

「青春是火，而智慧是光，當激動心靈的青春之火的灼熱逐漸降落，智慧之光便開始照亮了另一半生命。——又何必為褪蝕的悼惜！」

「還有人永不滿足地渴求著愛情。」

「愛情不比財富，只要一次全心靈全生命的融貫，愛情便是永生。」

「啊！」我一時語窮，怔怔地想在那憂鬱的眸子裡搜索出供我猜測的資料。

「我問妳，妳懂得笑嗎？」她一本正經地反問我。

「什麼，懂得笑？」我不禁啞然失笑。

她仍是嚴肅地望著我，不以為然地搖搖頭。

「我不是指那些變質的，習慣性的筋肉抽搐，那些只是從喉際榨出來的、乾澀的聲音。我要尋覓的是那種真純、爽朗、充滿生命活力的笑——那種心靈喜悅時的共鳴，生命最美的音樂。

「在年輕的日子，我曾擁有那『一串抖動在春風中的銀鈴』似的笑，像鳥兒擁有牠的翅膀，像花兒擁有它的芬芳。那使我自我陶醉的笑聲也曾陶醉過別人，那使我在歡樂中浸沉的笑聲也曾浸沉過別人。可是當我入世越深，我便不得不忍住了該笑的，而在笑不出的時候堆上笑臉，這些年來我接觸的盡是矯揉作態的笑，幸災樂禍的笑，毛骨悚然的笑，阿諛奉承的笑，冷嘲熱諷的笑——而生活、苦難、這重重磨折，更使我忘記了怎樣笑。

「沒有了音樂，世界便死般沉寂，沒有爽朗的笑，生命也就瘖啞了——」湖上霧更濃稠而至盈然欲化，她黯然俯下頭去，但見睫毛閃動著像一對疊翅的蛺蝶。

夕陽把她的背影拉得更瘦更長——

•

——沒有了笑，生命也就瘖啞了。我若有所悟，收回凝眺的眼光，隨手從桌上拿過一面鏡子，嘴角一掀……噢，我彷彿第一次才聽見那陌生的，發自我喉際的乾澀的聲音，第一次才看見臉上那習慣性的筋肉抽搐！

為什麼我那生命的音樂是這般滯澀？

為什麼我不再擁有那年輕、爽朗、充滿著活力的笑！

為什麼我不再擁有四月的薔薇般，綻開在嘴角唇畔的笑！

為什麼……

那女人幽幽的聲音又響在我耳畔：

「生活，苦難，這重重磨折……」

鏡子裡上翹的嘴驟然下墜，迷惘的眼睛裡凝集著潭水般深沉的怨恨，我擲下鏡便抓起筆來，我讓怨和恨揉成字句，就似用荊棘和刺藜搓成刺團。我要詛咒生活，我要控訴遭遇的苦難，我要……突然間，像從乾裂的地面噴出一股清泉，像從靜寂的山谷湧上一注急流，一陣孩子的嬉笑同著紛沓的腳聲，傾刻間洋溢在寂寥的小衖。想從嘈雜中辨識似曾熟悉的什麼——剎時間我忽然覺得世界上沒有一種音樂有孩子們爽朗的笑聲動聽，宇宙間沒有一朵花比得上孩子嘴角的笑美麗。

那像露水般未沾一點塵泥，那像春風般飄颺無羈，那像清泉般暢流激奔，那，那充滿新生力的笑，是屬於他們的了，我欣然想把這發現告訴那苦苦尋覓的人，但那人已自走遠。

我輕撫著孩子柔細的頭髮，望著漫天燦爛的霞彩，虔默祝禱！為著孩子的幸福。讓生活、苦難，這重重磨折完全由我們這一代承受吧！但願我們的下一代永遠擁有年輕、爽朗、充滿活力的笑，不受任何磨折、阻壓。

笑吧。民族的幼苗，讓四月的薔薇永遠綻開在你們嘴角唇畔。

笑吧！未來的主人翁，讓生命的音樂旋律，永遠伴隨著你們前進的腳步。

滯澀也罷，瘖啞也罷，我不再為已失去的悒悒，我要掉轉筆尖，謳歌那充滿新生活力的生命的音樂。刻劃那將在美麗的樂曲中誕生的，自由、光明的遠景！

民國四十一年四月

編註：本文原刊於《文壇》第一卷第一期，一九五二年六月一日，頁二十三。

夢的幻滅

一、尋夢

還是在我年輕的時候，年輕得像含苞的花朵那樣羞怯，初生的小虎那樣懵懂的時候，我做了一個夢。

你知道，在那樣的年齡原是最愛幻想，最愛做夢的，我曾做過不少不少數不清的夢，但那些夢就似彩色繽紛的肥皂泡，不等你捉摸領悟，便一個個幻滅了，消失了，不著一點痕跡。只有這一個夢，夢醒後卻依舊在心上留下深刻的印象，彷彿在白布上印上花紋那樣鮮明。這夢給予我一種啟示，這夢使我對生命有一種新的憧憬。

要描述一個縹緲的夢可真不容易哩，一如雲霞多彩卻沒有一支筆能圖繪。我只記得我夢到一個地方，那地方是我在世界上從未見過的，最美麗而充滿了和平、恬靜、莊諧的氣氛的一片園地，蜿蜒地環繞著園地的是一條澄清明澈的小溪。在陽光的照耀下，那些樹的葉子綠得彷彿透明而發亮，那些花顯得嬌豔欲滴，像一片色彩的浪潮，令人目眩而神迷。那小溪潺湲地流著，波光相映，宛似披一身閃爍的銀鱗。甜蜜的空氣似一隻溫軟的柔荑，愛撫使我心怡，芬芳的清風殷勤吹拂，似向我密密絮語使我陶醉，小溪低低吟唱著，配合大自然的天籟，合奏成一部無比優美和諧的樂曲，使我覺得心靈中有什麼要洋溢，要上升。一轉身，我又發現花木掩映中嵌著一條純潔的白石小徑，小徑盡頭是一幢纏蔓著薔薇的白石小屋，屋畔有一株茂盛的樹，樹上的葉子比翡翠還翠，比碧玉還碧，就在這翡翠碧玉叢中，懸著纍纍的果實，那是一種我從未見過的果實，揉合著蘋果的紅，杏子的黃，葡萄的紫……一個個肥碩圓潤，光澤誘人。我正踏上那條白石小徑，腳下卻不知被什麼一絆，夢便驚醒了。

夢醒了，卻不曾幻滅，不曾消失，像一片浮萍飄在我腦湖，像一片苔蘚長在我心園。

夢使我憧憬，夢給我希望，夢予我以追求的目標！

我也曾將夢和我的憧憬告訴過我的友人，但有的回答我揶揄的眼色，有的回答我諷刺的嘲笑，有的直率的說：「別那麼傻，那是虛幻的夢，而我們所處的是現實！」

於是我緘默了，我把夢當一個祕密深藏在心裡，像深藏在山中的寶藏。只在無人時，才悄悄掘開來獨自欣賞，獨自讚歎，獨自浸沉其中。

我不信夢中能夢見的境界，現實世界會沒有，只是誰也沒有信心去尋求罷了。

我一定要找到那夢的境界。我懷著年輕人的固執、魯莽和熾熠的熱情，從現實中去尋夢！

二、幻滅

說來也許你不信，我居然找到了那夢。哦，不能說是我找到了夢，應該說我在現實中又墜入夢的境界，夢的境界滲入我的生活中。

我是怎樣得到那夢的，自己也很迷茫，彷彿我已為尋求而心神交瘁，彷彿我猶自在躊躇徘徊，像一首詩裡說的：「眾裡尋他千百度，驀然回頭，卻見那人在燈火闌珊處。」就在這迷離恍惚間，恰似早晨起來乍一推門出去，便迷失在濃霧裡一樣，我的意念只那麼一動，心扉微啟，自己便迷失在那個夢裡。

我感受到夢裡那種令我怡愉的愛撫，使我陶醉的絮語，還有那使我感情奔放的，纏綿的旋律和節奏，世間的一切，都顯得無比美麗和燦爛，無比純靜而莊諧，在宇宙的大融合，大和諧中，我亦為之溶化、融和，又合成一個，但我不清楚這一個是不是還是從前的我？

我如癡如醉地走上那條白石小徑，摘食下香甜如蜜的果實，輕輕推開小屋的門走進去。同著我一路的是我那親密相依的伴侶。——噢，我忘了告訴你，這一次就是他，他像是一根引線燃著了火爆，他引我進入這夢的境界。

在沉醉中，我忘記了地球在運行，在迷戀中，我忘記了時間在循環。彷彿是短促的一剎那，又彷彿是漫長的一世紀，我完全記不清我究竟享有了多少時候這般溫馨，這般甜蜜這般美好的日子……忽然，有一天我感到那撫慰不再那麼令人心蕩神移，那絮語不再那麼撼人心靈，就像芳醇的醴醪出了氣，味道慢慢變淡了。看看窗外，那些翠玉似的樹葉似乎也枯黃了，那嬌豔的花朵也憔悴了，那輝煌的果實顯得青黃乾縮；我怵然一驚，迷亂而惶恐，想打開門出去看個究竟，一拉門扇，不動，原來門已鎖上！

我原以為永不降落的陽光，不知已在何時降落，暮靄四合，屋裡一片陰暗，我便木立在陰暗中。

這不會是夢，卻也不全是真，像陽光把大地萬物照耀得鮮明生動，愛情的光輝渲染了一切，愛情之杯像醇酒醍醐，夕陽近黃昏，薰意淡薄，我第一次用理智的眼睛視察周圍，而第一眼瞥見的是大理石的牆原是塗的白堊，如今白堊剝蝕，露出裡面的木柵，溫暖香巢，不料卻是樊籠！

我做了多麼荒謬可笑的一個大夢，夢醒了，從雲端裡跌進狹隘的樊籠……

三、索鏈

狹隘的樊籠，沒有生氣的生活，我所憧憬的難道便是這沉寂苦悶。我所希望的難道便是這枯燥淡漠，我所追求的目標難道便是這庸俗平凡？我實在不甘心做樊籠裡的囚徒，我寧可恢復未曾做夢前單純無慮的生涯，但夢已做了醒了，而對著的正是現實，跌撲不破的現實。

誰也逃不開現實，躲不了現實，是嗎？

但我卻曾經想逃，想躲，當反叛的意識在我心裡崛起時，我聽到過一個聲音，這聲音是陌生而低沉有力。就在我徬徨無主時，它在我耳畔升起了：

「你的力量還充沛，為什麼不撞破這樊籠，你的翅膀尚健朗，為什麼不振翅飛翔？」

「我也這樣想……」我的回答是猶疑的。

「那就把『想』付諸實行吧！」

「可是……你不看見我被索鏈繫住了。」

「鎖鏈？」那聲音顯得有點困惑，「不，我沒有看見什麼鎖鏈。」

「它是無形的，感情的索鏈。」

「它很堅固嗎？」

「不一定堅固，但非常非常柔韌。」

「用力扯斷它！」

「那怎麼成！」我喚道，「它是繫在我心上的，一扯，豈不把心扯碎？」

「那你究竟還是願意忍受囚禁的痛苦，抑是心碎的痛苦？」

「兩者都不願。」

「但事實上你必須選擇一種！」那聲音嚴厲而堅決，我不禁畏縮地退了一步。

「我不能忍受心碎的痛苦。」我吶吶地說，十分苦惱。「我怕會因此死去……」

「你這無用的弱者！」那聲音粗暴地叱責著，彷彿已離開我耳畔。「弱者！」再叱了一聲，便消失了。

聲音消失了，我又立刻懊恨自己的愚蠢，我呼喚，我懇求，但一切徒然，那聲音永遠不曾再回到我耳畔來。我僅有的一點反叛的勇氣也消失了。

這是很久很久以前的事了，如今我的活力已衰退，我的翅膀已軟弱。我從來沒有計算過籠中的歲月，我唯一的消遣是望望那被木柵劃成一條一條的一角藍天。有時我還會記起那個夢，但是那樣的縹緲、虛幻，已經離我很遠很遠了……

「這便是你那荒謬可笑的夢嗎？」我問，但沒有回音，再看那隻籠裡的鳥時，牠正啄著自己翠綠色但已失去光澤的羽毛，一會兒又寂寞的歪著頭望望木柵外的藍天，冷漠而孤僻，從牠神情上看不出一點同我說過話的激動，也不像能說話的樣子。那麼剛才那一番話又是誰說的呢？這靜靜的屋子裡只有我和牠，如果牠不會說，難道……我困惑地抬起眼來，看到的只是窗外的一角藍天……被窗戶上的木柵劃成一條一條的藍天。

民國四十三年三月底

無聲的弦琴

對音樂，我說不上什麼高深的修養，但是，我卻常常撥弄我的弦琴。我喜歡那不規則的旋律，甚於一切。

那旋律曾帶我去遙遠的地方，夢的王國。人生的樂園，浩渺無垠的海洋，一望無際的原野……而更多時卻是引領我進入一種空靈玄虛，神祕奧妙的境界，使我迷離恍惚，渾然忘失了自己。

在我心神愉悅時，我便輕輕撥動琴弦。

在我寂寞苦悶時，我也輕輕撥動琴弦。我的琴弦，是我須臾不能離開的伴侶。然而，我的琴弦奏出的卻是無聲的旋律，沒有一隻世俗的耳朵能夠聽見領略。懂得它的只有心靈的耳朵，僅僅限於屬於我自己的心靈之耳。琴身是我那跳躍著的心，而思想，便是它纖柔靈活的弦線。只要意會的指尖那樣輕輕一撥，敏感的琴弦立即顫抖而起共鳴，一個簡單的音符，一段徐緩的節奏，轉瞬便串綴成無盡無止的，繁複而微妙的旋律。迷人而詭譎的旋律，別把身心的浸沉看作自我陶醉，那是心智上一種無上的享受！

懂得這份享受的人，縱是在窮困中，生活不致感到貧乏。

懂得這份享受的人，縱是在孤獨中，人生不致感到空虛。

懂得這份享受的人，宇宙所展視給我們的是太大太多了。生命豐盈充實，恰如掘發不盡的寶藏。

我愛挾著我的弦琴，在清新煥發的早晨輕輕撫奏。

我愛挾著我的弦琴，在萬籟無聲的深夜悄悄撫奏。

我愛挾著我的弦琴，在幽深的山谷，在靜寂的海邊，在空曠的田野，靜靜地，靜靜地撫奏。當我奏弄時，胸中了無半點塵機煩慮，彷彿生命便這般化入旋律中。

那無聲的鼓舞，那無聲的安慰，不知給予我這微弱的生命多少振作？還記得有一次我病了，病中精神和體力像山崩似的突然崩陷，彷彿已走到世界盡頭，但見一片黑暗。這時，琴弦無意被觸動了，我平靜下來，慢慢地恐懼和悲哀在弦音中沖淡、消失，我重又獲得了生的意志，認識了生的綺麗，一個堅強的意志能克服一切。以後，幾次重病，我都不再恐懼，沮喪，只是平心靜氣，撫奏我的弦琴一直到苦難結束。

我那弦琴的旋律是多彩而繁複，瑰麗而輝煌，像一座盛開著繁花的花園，我一直想把它一一摘下寫在紙上，但是，每當我伸手去捕捉，它便像閃爍的水銀般而滑脫了。僅僅捉到幾個音符，也是低沉而零落——我的筆在這時乃是最笨拙的了。

在有生命的日子，我永不會停止撫奏：就似在有生命的日子，思想的弦線永不會中斷。但願有那麼一天，我終於能完全把握那美妙飄忽的旋律，寫在紙上印在書上。

我輕輕撥弄著無聲的琴弦，用我心靈的耳朵傾聽……

民國四十三年四月

◎輯二

春的召喚

像一個慣於揮霍的浪子，毫不在乎的把萬貫家產揮霍光了，卻計較著僅剩下的最後一文。我讓三百六十五個日子悄悄地從身邊溜走了，留下那最後的一晚，偏有無限的留戀。我要守望著這漫漫長夜到黎明。我泡下一杯濃茶，靜悄悄的，將回憶的長卷在面前展開，回顧這一年中的記載……鐘敲過十二下，我怵然驚覺，這一夜，哦，不，這一年已完了！這時，遠遠傳來清亮的雞啼，我起立推開窗子，窗外一片迷茫的夜霧，星子在深邃的蒼穹閃爍，周圍是那麼靜肅，那麼莊嚴，彷彿所有的生物全屏息凝神，震懾於冥冥中的一種神威——突然間，我聽見一個聲音，來自那莊得穆高邃的蒼穹，那麼親切、溫柔，卻又堅定、沉肅，那聲音輕極，輕的只能用心靈去感受，我覺得我的心跳忽然加快，一種莫名的亢奮在血液裡流轉。我看見星子瞇著眼睛，樹梢輕輕晃動，小草微微點頭，泥土裡隱約有小蟲啾唧……哦，我明白了，那便是春的召喚！

春從不誤點，從不遲延，當除夕的鐘聲響過十二下，她便翩然降臨。
接受她的召喚，大地將獲得新生。
接受她的召喚，草木將獲得青春，蟄伏在泥層下的復活了。
接受她的召喚，人間將充滿了生氣和活力。
接受她的召喚，我忭然許下小小的心願：
今年，我得好好的把握時間，為充實自己。
今年，我準備用我的筆，更有力的刻劃出愛與仇，善與惡，真理與強暴。
今年，我計畫印兩本集子。
今年，我不許再生病。
接受春的召喚，我將在美麗與至善的希望中，勇往直前，一無所懼。

民國四十一年十二月三十一日

編註：本文原刊於《文壇》第一卷第四、五期合刊，一九五三年二月十日，頁九。

趕在太陽前面

散步歸來，滿懷欣悅和清新。將一捧紅嫣紫奼、摘自田野間的花束，插入籃瓶，注滿清水，再拭乾被露水沾濕的手腳。這時初升的朝陽才從遠遠的一排樹梢葉隙透漏出一點消息，而該上班，該上學的，都已在屋裡忙著整理並充實自己，一天便這麼開始了。彷彿搬家時那番忙亂，只是昨天的事，然而搬來這鄉間卻已消磨了四十多個日子。到這裡來以後，牆上的小白花已開放過兩次，前院的那叢芭蕉，又舒展了四張綠緞似的寬葉，來時只指頭那麼粗細的香蕉，如今也纍纍下墜，壓得枝梢也要斷了。在這些日子裡，我是最不勤懇的一個，因為，對新的環境有著太多的新奇，太多的計畫，乃至太多的遐思替代了正待去做的事。

新居不算太狹隘，卻清靜可喜。小院裡兩棵榕樹拱衛著紅磚鋪砌的台階，做為圍牆的是一圈密密的常綠灌木，週期性的隔些時日便在葉叢間盛開著一球球潔白的小花。花開時，滿院滿屋便洋溢著濃郁的芳香。花牆外是一條綠草芊綿的道路，每當夕陽西下，耕罷歸去的牛群，三三兩兩響著清亮的鈴鐺，一面啃著青草，悠閒而安詳地從門口踱過去。

若說眼睛是心靈的窗子，窗子便該是住宅的眼睛。新居正有著可愛的眼睛，在那矮矮的窗檯上，孩子在那裡作功課，大人在那裡納涼或縫紉，連貓都愛在那裡打盹，我卻最愛端一張竹椅在窗前，靜靜地坐著，看雲彩冉冉掠過藍天，聽群鳥在樹梢嘰喳歡唱。來自田野間的清風，在我思想的海面掀起微微的漪漣，綺麗空靈，忽明忽滅，無法捕捉，也不能圖繪。我就這麼坐著，讓鋼筆蘸滿了墨水又乾掉。時間像一條無聲的暗流，悄悄地從我身畔流過，不留一點痕跡。

門前的路通向不遠的一支河流，水很淺，卻有著寬闊的河牀，兩岸一叢叢雪白的蘆花，在風裡招展；生在斜坡上的藤蘿，每天迎著陽光開出一朵朵紫的藍的喇叭花，為大地奏著無聲的青春之樂章。聯繫著兩岸的是一座木橋，木橋有一個恰如其身分的淡雅而可愛的名字：柳橋。每當彩霞渲染著河水的薄暮，我們常散步至橋上，聽流水嗚咽吟唱。而在月夜，橋浴在溶溶的月色裡，更是無限嫵媚！那怕是一支濁流，映著月色也閃爍著銀光。若是渴了，橋堍不幾步便是清靜的文化茶座，進去呷一杯冰紅茶，聽兩支輕音樂，再讀幾本新到的雜誌。鄉下市面早，這麼著，也就享受了一個恬靜的夜。回來時，穿過野草叢生，寂無人聲的小巷，路燈從枝葉叢中投射下扶疏的樹影，在涼沁的晚風裡輕輕晃搖，更為夜歸人平添幾分詩情！

回到家裡，若是有點倦意，便沐浴一回，帶一卷心愛的書躺在牀上；若是意猶未足，便捩亮檯燈，鋪開稿紙，隨興之所至寫上幾筆。這時，伴著筆尖的沙沙聲，只有鐘聲嘀嗒。窗外黑沉沉的夜，靜得彷彿正在凝結起來，凝成混沌未開時的沉寂和昏暗。但是，可不能盡情地寫，忘記了夜深。因為，明天還得起早，趕在太陽的前面！

民國四十二年九月

編註：本文原刊於《中央日報・副刊》，一九五三年十月十二日，第四版。

種花記

這許多年來，我一直懷著一個小小的願望：便是在我住宅的窗前，能有一個花木點綴的庭園。當我打開窗子時，呼吸的是花草的芬芳，看到的是悅目的色彩。

跟著父親在花園裡種花植秧，是幼時記憶裡最難忘的一件樂事，父親生性瀟灑不羈，對藝術十分愛好，但為生活所驅，不得不蹋躋仕途，中年以後，公餘之暇便把全副心靈寄託在園藝上。記得是我十歲左右的時候，我們寄居在上海浦東，屋子前面有一大片園地，蔦蘿藤和牽牛密密地纏繞著四周的竹籬。大大小小千百朵喇叭開得一片燦爛。園裡更呈紅嫣紫奼，繽紛陸離，誘使路人都不由得停足窺視。從春天到秋天，更番地開著黃燦燦的金絲桃，亭亭玉立的紫錦葵，嫵媚的虞美人，淡雅的荼蘼，雍容的秋菊，伶俐的剪秋蘿……還有一種可愛的小花。我忘了它的名字，總是在太陽上升時便一齊綻放，顏色有粉色、淺紫、淺黃等五、六種，嬌豔無比。可是等太陽一下山，它們便也跟著香消玉逝。明朝又開過一批新的。那不凋的老少年還一年三次的變換著顏色，父親為了種花，差不多買齊了有關種花的書，向遠處購來一包一包的花籽，戚友家有名貴花種的，更特意地去討籽分株，除了握筆，不輕易觸摸什麼的手指，卻不避污穢的弄泥施肥，小心翼翼地撒下種籽，分秧、除蟲、澆水……事必親臨。不管下雨烈日，一天總有好幾個鐘頭逗留在園裡。背著手，瞇著眼，仔細地檢閱他一手培植的行列。或是替這裡摘去一片黃葉，替那裡扶正一枝傾斜的花莖，有時半晌默對著一朵剛吐蕊的花朵，不是欣賞，簡直是分潤著那微妙的，生命展揚的無比喜悅。臉上流露著安謐、滿足的神情。這時我不由得會對他產生一種羨慕和欽仰，覺得他培植了這些美麗的花草，比養育了我還要偉大，而在不知不覺中我已受了他的薰陶——然而，這一切已是十幾年以前的事了。父親去世後，生活的重擔便落在我肩上，接上忙著工作，忙著戀愛，忙著結婚，而賃居的房子總沒有一角可以供我種植的園地。如今來了台灣，在家賦閒，除了理家事耍筆桿之餘，還有一份閒暇。於是塵封了若干年的願望，又落在窗前那一方小小的園地上。

那是長長的一片與鄰家共有的院子，屬於我這邊大概二丈長，一丈多寬的一塊，倒占去了兩扇門和一個垃圾箱。前靠著衖巷，右手是大門，垃圾箱那邊便貼著另一家的院子，用以為界的只是一道齊肩高的，空格子圍牆（一幢房子作兩家），一排三幢屋子，中間二道這樣矮牆。而那小小的院裡早便栽下了一排五六棵樹，老實說，我對它們是不大欣賞的。它們只會一股勁的往上竄，綠葉全點綴在樹梢，當我坐在窗前放眼平視，看見的卻是些畸形怪狀的枝桿，有的拖著一排排的鬍鬚，有的斑駁彎曲，像二條互相糾纏著的熱帶蛇。有的瘦瘦細細，伶仃可憐，有的又彎腰曲背，老態龍鍾。有人說台灣是四季常春的季節，望望樹巔永遠是一片蔥翠，可是再看看地下，也永遠鋪著滿地落葉。早晨才壁壁角角打掃乾淨，不到晚上它們又悄悄地東一片西一片躺在浮土裡。提起那些浮土，也是怪討厭的。雖然土壤堅硬的不亞於三合土，地面卻浮著一層灰沙和砂礫，貧瘠得永遠長不出一莖綠芽——但不管這些，我還是決定要用美國西部人開荒的勇氣和毅力，著手懇植。

我把這綠化園地的計畫興奮地告訴了他，不想他卻嘲笑地說：「這豆腐乾大一塊瘠地還要種花！我看妳還是少枉費精神吧！」

「種籽撒進泥土，遲早總會萌芽的。」我說：「你看我的。」

我理想中的合作者亦告吹了。一賭氣一個人便開了工。

起初我只有一些牽牛花籽，我就把來播散在牆腳下，想用它爬滿那些空格子，也遮斷那些向內窺探的視線。我一天二次的澆著水，像一個忠實的保母照顧她的孩子們。一星期過去，荒涼黑色的土地上終於萌發了第一批綠色的奇蹟。綠色，象徵著生命，蘊蓄著青春，綠色是詩，是年輕人的夢，是永生——我凝視著那點點從泥土裡掙扎出來的綠芽，從心底泛起了喜悅。我小心地折了些樹枝插在綠芽周圍，默默地祝禱它們迅速生長。可是日子一天一天過去，一直還是二瓣托葉。而慢慢地葉尖卻透著萎黃，莖也軟癱下來。終於像缺少母乳的幼嬰般夭殤了。仔細一推究，原來是先天不足。因為急於播種，我只在地面耙鬆了薄薄一層泥土，柔荏的幼芽還沒足夠的力量，讓鬚根深入堅實的土壤去吸收養料。因而生生地瘦斃了。

於是我又借來了鐵鏟、十字鎬，笨手笨腳地鋤著堅硬的泥土，泥土裡竟摻著那麼多的石頭和石灰團，有時鐵鏟打著石頭，「噹」的一聲，直震得我虎口發麻，眼淚幾乎奪眶而出。竭盡棉力地忙了一個上午，總算把地鋤鬆了。又蹲著揀出石頭，把土弄勻，等到站起來時，只覺得耳朵營營發響，眼前閃著無數的金星，接著金星不見了，變成漆黑一團，雙腿不住哆嗦。他們以為我中了暑，爭著問短長。我一手扶著牆，強自笑著說：「只是曬多了太陽有點頭暈，歇一會就好的。」

第二批種籽又撒下了，除了牽牛，還加萬壽菊和剪秋蘿。這次比較順利，雖是清清癯癯，淋上幾陣春雨，卻也長的嬌小伶俐，青翠可愛。給小園添上不少生氣。奇怪的是每晨檢視，總少了幾枝，而在地面留下一個個空穴。我猜想那準是孩子們搗的鬼，可是左右隔壁那許多孩子又不能確定是誰。那天一枝長得頂豐滿的萬壽菊又失蹤了，我忍不住責問正在園裡嬉戲的一群孩子，是誰拔了花？孩子們立刻七嘴八舌地聲辯著自己不曾拔過，只有隔壁梁家的二毛、三毛，不聲不響地眨巴著眼望了我一會，立刻一溜煙回去了，不一會梁太太尖銳的嗓子就在自己園裡嚷起來。

「沒出息的死鬼，誰叫你們成天東跑西衝的，趕明兒人家丟了金銀寶貝，也怨上你們偷的，生成的笨嘴笨舌，挨了罵只會回家來哭訴……」說著，那張寬扁臉已在牆畔的一叢棕欖葉際探過來，我只裝不看見，悶著頭沒有作聲。

「噯，×太太，是不是我家大毛、二毛拔了妳家的花？」

「花被拔了是事實，至於是那個拔的，孩子這麼多，我也不能斷定。」我冷冷地說。

「是囉，孩子那麼多，就數我家的手碎。妳要是看到了他們拔的，告訴我，看不把他們的指骨，一個一個地敲斷！」

話說過的第二天中午，大家睡得靜靜的，我怕熱，獨自從牀上起來坐到窗台上去，就在這時，我看見二毛正打從園地裡站起來，看見我慌張地把手往背後一藏，但我已看清了那不是花枝是什麼？我很想帶著告訴他母親，但為了免嘔氣，結果還是警誡了他幾句。這時，園裡也只剩得三枝菊花和二株牽牛了。

牽牛藤爬得很快，不久就竄過了牆頭，菊花也有尺餘高了，葉底枝脅都長著米粒大的蓓蕾。我驕傲地把成績向他炫示，誰說撒下了種籽沒有收穫！不想誇耀未已，新的災難又來了。一天好端端的一枝菊花又傾倒在地上，根還埋在土裡，黑壓壓的螞蟻像開什麼慶祝大會似的麕集在根部，也不知是在梗莖裡做了窩還是腐蝕著纖維，裡面已經空了，再看另外二枝，也都有螞蟻在爬上爬下，我趕緊拿了DDT來噴射了一頓——可是已經遲了，螞蟻雖然大半死亡，被噬傷的纖維已無法挽救，過不了幾天，還有二枝菊花便同著即將綻開的蓓蕾一起萎謝了。

菊花的猝然摧殘使我傷了心，幾天我都不曾去園裡澆水，那天我睡著還不曾起身，恬恬卻在園裡大聲嚷起來：

「媽，花開了！一朵、二朵、三朵……」

可不是，三朵淡紫色的牽牛花正迎著朝陽展開了笑靨，恬恬高興地拍著手唱著：

牽牛花，牽牛花
紅紅綠綠開得滿地爬
遠遠的看，遠遠的看
好像許多小喇叭

「媽，這個喇叭可不可以吹？」

「可以吹。」

「會不會響？」

「會。今晚在妳夢裡響。」

她笑得那麼快樂，我也笑著近前去察看，好些綠苞苞頭上都露出一截紫的，明朝該有六七朵開放。當晚我果真做了一個夢，夢見牽牛藤蔓延得滿牆滿壁，開放的花團錦簇。就似一座綺麗錦屏。一簇簇紅的紫的白的小喇叭，齊向著我的窗口奏出青春的樂章——可是，可是等我清早打開窗子，準備在喉際的一聲歡呼卻突然變成了驚痛的歎息，藤依然纏在牆上，但已同地面五六寸高的一截脫離了關係，葉子萎縮得像鹹菜。花，自然一朵也沒有了。不用說，這準是孩子想摘花摘不到，索性從空格子裡拉出去拉斷的……

從此，我再不願提種花的事。

是的，我已為種花傷透了心，我決計把種花的願望窒煞在心底。像貧瘠的土地窒煞種籽。沒想到潤妹又特意為我搜羅了一大包種籽來，這次的種類更多，總有六七種，像正在戒煙人看到香煙，這包花籽對我竟是一個誘惑，噢，多麼不可抗拒的誘惑哪！我嘴裡雖然說著不再種花，但一想到這些微小的褐色顆粒，只要放進土壤自會裝飾得滿園紅嫣綠翠，我的心又為之騷動了。又一次我又悄悄地鋤鬆了泥土，撒下種籽。更用鵝卵石砌成幾個不規則的花壇。

為著安全計，我又以糖果向摧花使者——孩子們行了賄賂。

種籽平安地萌芽了，生長了，這期間除了我的狸花兩次爬上花壇替我施肥，害我重新清除砌建。和那天颱風吹下一片椰子葉壓斷了好幾枝外，再不曾遭遇過什麼災難，可是好景不常，不久隔壁又遷來了一家芳鄰。先主人而來訪鄰的是他家的一群食客——雞。雞先生一位，雞太太兩位，雞公子四位。本來這一帶前後附近沒有不豢養幾隻這樣的食客的，所不同者別家都深鎖庭院，而這一群就像吉普賽般到處遊蕩。也許在牠們眼中我這一角園地還是沙漠的綠洲，因此牠們總愛攜兒帶女，此呼彼應的到園裡來遛達。先生為著討好太太，不惜跳高奔下地啄下葉子來獻殷勤。母親希冀為孩子找點肉食，專在花枝旁耙土搔泥，一家子樂在其中，悠然自得。逢上我一陣吆喝，這才大驚小怪地聒吵著，打從空格子裡鑽出去。可是一轉眼又是啄的啄，搔的搔——從此，我的生活便失去安逸。只要園裡有一點動靜，我便不顧一切地衝到窗口去，有時正捉住靈感振筆疾書，有時是清晨中午好夢未迴，有時伴客暢談，一語未了，驟然如脫弦的箭射向窗前，每使來客瞠目而視，於是不得不回頭來向他解釋。而奔視的結果，有好幾次竟是風吹落葉。他笑我患了神經過敏症，我自己也覺得神經緊張，身心勞瘁，簡直不勝其煩。而一天天過去，那群侵略者對我的拍桌打窗，虛張聲勢，已習以為常，不再懼怕。就是我舉起那支常備棍作勢撲打，牠們也只是愛理不理的側著頭將我瞅上半天。然後大模大樣地走過一邊，可惡的牠猜透了我打不到牠們。投鼠忌器，我也絕不會將棍子擲出去，至於繞道玄關，再換鞋下去追逐，更會把我累死！

慢慢我與這群吉普賽的主人熟識了，門口園裡碰著，也點頭搭訕，有一次我故意將話題轉到雞身上，我告訴她近來雞瘟蔓延，她的雞似乎應該關起來，不料她毫不在乎地說：

「不要緊，我們過去住在那邊也逢到雞瘟，我這幾隻卻沒有死，現在牠們是有免疫性的了。」

我一時語塞，第一次外交便告失敗。

過了些日子，我又遠兜遠轉地暗示她的雞盡吃我的花，能不能……

「我們的後園沒有門。」她猜出了我的意思，說得倒乾脆，「要是雞來吃妳的花，妳儘管不客氣地趕好了。」

趕！趕！噢，再趕我可真要趕瘋了。

隔了不久，像死灰裡突然爆出火星似的，隔壁忽然大興起土木來。竹子、綠紗、鐵絲齊往後園裡捎去，懊喪萬分的我又在心裡萌發了一絲希望，敢情吉普賽的主人大發慈悲，為牠們築起窠來了！

不到二天完工了，果真是一幢精美的雞舍。

「恭喜妳，雞舍落成了吧！」我笑著打趣她。

「蓋好了。今晚就可以放進去。」她高興地說，聽了這話的我卻比她還更高興。突然間我覺得她很動人，太陽也特別可愛，微風怪柔和的。這天我一天哼著輕快的曲子，慷慨地贈予孩子糖果，歡笑承顏的陪母親扯了半天聽膩的老話，又替他作了點什麼，連恨入骨的那群雞們，因為想著牠們明天便失去了自由，我也一天不曾舉起棍子來驅逐。大家都奇怪我這份不常有的愉快，我卻只是含笑不語。二個多月來精神上所受的威脅即將解除，我又焉能不高興？

傍晚澆水時，我把遮蓋在花枝上的篾簍竹子之類障礙物完全撤除，我為它們重新盡量地享受陽光和雨露，重新獲得自由而慶幸著。

也許因為再不用提心吊膽，這晚我睡得特別安逸，一直睡過了平時起牀的時間。矇矓中恍惚聽得窗外有異聲，起初又以為神經過敏，不予理睬。可是一聲嘹亮的長鳴突然直叩安逸之門，我暗自叫聲不妙，連忙跳下牀來奔到窗前。哎，天！這是怎樣的浩劫？比遭遇了暴風雨的襲擊還摧毀的利害。我那塊園地裡的花草幾乎沒有一枝倖免的。有的遭受了腰斬，有的剩一根禿枝，有的被蹂躪的失去原形，遍地狼藉，枝葉凌亂，那位雞太太（後來才知道雞房裡原來是養才孵出來的來亨小雞）正腳踏一枝，全力啄食，雞公子也各自覓得可口的，大肆饕餮，雞先生卻以一個征服者的驕態，兀立籬篗上，引吭高啼——我猛然拉開窗子，抓起那根棍子，用力摔了出去，只聽見「咯咯大大」一陣驚啼亂飛，我也不管後果如何，猝然轉身倒在牀上，拉起被子蒙住了頭臉，心裡有什麼在澎湃上升——

「如何！不出我所料……」

他冷嘲熱諷的聲音偏透過被子直往耳裡裡鑽。

民國四十一年五月

編註：本文原刊於《大道》第四十三期，一九五二年七月一日，頁十九～二十二。

庭園二章

牆頭草

古舊的牆拆裂了，一枝不知名的小草便在磚罅縫裡生了根。

牆巍巍然屹立在當空，左邊是一樹開得絢爛的桃花，右邊是一棵蒼邁勁拔、四季常青的羅漢松。不知名的小草蹲踞在牆上，左顧右盼，俯仰自如，顯得那麼悠舒傲岸。

造物賦予它無比纖柔的腰肢，運轉靈活的軀幹，雨來時，它卑恭地佝僂著腰，風來時，它便順著風勢左右搖晃。

風從東邊來，牆頭草頻頻向右首，彷彿朝羅漢松彎腰阿諛。

「啊，偉大的松先生，我一向崇拜的就是你！」

風從西方來，牆頭草又頻頻側向左首，似乎對桃樹獻媚。

「噢，美麗的桃小姐，我一直從心底敬愛著妳！」

有時，它也俯下頭，倨傲地向麕集在牆腳下的一群同類說：

「知道嗎！同胞們，我正在向大樹們交涉，要它們分一點陽光給你們，你們應該擁護我。」

在沒有風的日子，它便昂然自得地臨空佇立，望望天空，一朵白雲打從它頭頂掠過，望望地面，小草簇擁在底下，像星星遙遙地簇擁著月亮。不禁喃喃自語：

「噯，我是這般地超然，我有我獨特的立場。」

春天的陽光是溫和的，春天的風是寬大的，春天的雨更是柔輕潤，牆頭草這一族便在這份溫和寬大中繁殖起來了。它們一會兒攢集在一處，喊喊喳喳像在商討什麼，一會兒又逍遙自在，左右的搖擺，天高地遠，它們看來是那麼滿足於自己超然崇高的地位。

可是，有那麼一天，暴風雨來了，大滴驟密的雨珠幾乎折斷了它無比纖柔的腰肢，猛烈的風幾乎拔出它生在磚縫中那浮淺的根。它那副超然崇高的氣概頓時掃蕩無存。當風把它颳向右邊，它便抖慄著向松樹求助：

「支持我一下吧，偉大的松先生，我一直是你忠實的信徒，你總不能看著我覆滅。」

可是蒼邁的羅漢松正沉著氣，使出渾身的勁力與暴風雨搏鬥，無暇顧及它的危急。

猛烈地，風又把它颳向左邊，它又哀求地向桃樹乞援。

「援助我一下吧，親愛的桃小姐，我一直是妳虔誠的崇拜者，妳怎忍心看我被摧毀！」

可是紅嫣一時的桃花，經不起暴風雨的考驗，早便萎謝凋零，僅剩得頹枝空枒，猶自在風雨裡顫慄。

雨更緊密，風更獷厲，牆頭草徒自掙扎，依然抵禦不住風雨的銳勢，在一次偃倒中終於不曾抬起身來。

風雨過後，又是一天晴朗的藍天，可是璨璀的陽光裡卻再不見那簇悠然自得的牆頭草，嘁嘁私語，左搖右擺。

牽牛花

小園裡有沖天的檳榔樹，婆娑的鳳凰木，雍容的芒果和一枝嬌小的山茶，但沒有一株花草。樹木都愛向上竄，只顧著在枝梢著意打扮，而留下靠地面的部分，卻是幾枝光禿禿的枝桿和濃密的葉子投下的一片蔭影。

一陣微微的春風，一陣霏霏的春雨，蔭影覆蓋的土地上，不知何時起萌發了一枝嫩芽，兩片淺赭色肺葉形的葉子，一根白色的小莖，過了幾天，葉子中間又竄出一線淺綠的更細的莖，旁邊偎著米粒大一點綠芽。慢慢的綠米長大、展開，原來是一張桃子形的葉子，葉面還敷著一層茸茸的絨毛。莖梢圈成三四個圈圈，恰如綠色的彈簧。看來是那樣荏弱纖柔，一陣風過便左晃右搖似將摧折，一顆雨珠便壓得它半天都抬不起腰肢。然而生的意志比鋼鐵還堅強，不多幾時，彈簧圈下已懸著三張桃形的嫩葉。

春天溫暖的陽光氾濫了大地。芒果樹在陽光下綴上一頭的金星，山茶給陽光烤的嫣紅了粉靨。而在那茂密的葉叢下，卻依然是一片冰冷的蔭影。這時彈簧圈迭連放了二三圈，覺得有些困，它歇下來窺探著遠遠的葉隙透露的陽光，那金黃色的光芒賦有一種不可抗拒的誘惑力，一瓣稚嫩的春心不禁悠然嚮往。但它荏弱的莖枝已支持不住逐漸龐大的載負，忍不住求助地輕挨著左邊的芒果樹。

「別惹我，討厭的小東西，我這裡正孕育著秋天的收穫。」芒果樹擺出一副神聖不可侵犯的樣子，擺脫了彈簧圈。

於是，牽牛藤又仰臉靠向右邊的山茶。

「別挨我，醜陋的小東西，我這一身嬌豔的裝扮弄髒了你可賠不起！」山茶樹厭惡地扯一扯腰肢，灑脫了彈簧圈。

牽牛藤徬徨無措了，彈簧圈抖慄著柔莖欲折，乍一迴眸，卻瞥見了身後磚石砌駁的高牆。它轉過身去，試著把彈簧圈搭上磚牆，牆沒有反應，可是磚上也沒有可以纏藤的地方。彈簧圈用了最大的努力鉤住磚上小小的稜角，連忙又迅速地從旁邊生出幾個小圈圈，緊緊地向兩旁鉤攀，嗳，多麼艱鉅的旅程，生之旅程喲！柔弱的牽牛藤一面吃力地鬆弛彈簧圈向上、向左右爬、鉤，一面孕育著綠色米粒，展開茸茸的新葉。同時還得不忘記將鬚根在纏密的樹根縫裡，用力地鑽進泥土深處，不是嗎？要根深才柢固。

幾次，牽牛藤爬得疲累不堪，在中途逗留。但一想起陽光的誘惑，它又再度鼓舞起勇氣，爬、鉤。在進行的途中，它偶爾看見三五朵金星，一瓣兩瓣粉淚，從高不可攀的樹梢，越過它身畔飄墜在地下。它不知道它已爬完春天，緊接著來的該是夏季。

彈簧圈吐了一圈又一圈，近了哩！那光的照耀，熱的溫存。可是，夏季的驟雨來了，密密的粗大的雨點，有一股強大的力量，花朵在這力量的摧殘下凋零了，浮土隨著雨的流沖走。纖柔的牽牛藤那樣緊緊地，緊緊地攀牢著牆，用著全生命的力量。一陣比一陣緊密的雨像無數支急速起落的釘鎚，直打得它喘不過氣來，它不住的瑟縮著、顫慄著，已是衰弱得承受不住了，只是下意識的抓緊——等它清醒過來時，雨已停了，陽光在樹隙閃爍。萎縮軟垂的葉子經清風一吹又重復煥朗挺秀，牽牛藤帶著淋浴後的煥發，一股勁往上翻了幾圈……啊！它感到一陣暈眩，一陣迷茫，原來它終於接觸到渴望已久的陽光。那璀璨的光明，那無比的熱力，頓時使它覺得自己已在片刻間堅強壯大。一聲歡呼，它更使勁向上攀越——

牽牛藤從牆裡爬到牆外，密密的紫色小喇叭從牆外開向牆裡，剝落的磚牆隱沒了，絢爛的陽光下但見一幢花團翠簇的錦屏，把春天常留在小園裡。

民國四十一年三月二十五日

狸奴

在我家豢養的三隻貓中，狸奴是最不得人疼愛的了。牠有一身厚而且軟的、條紋清晰的灰褐色狸斑毛，從頸項起整個腹部卻是銀白色的，綠寶石似的眼睛微微向上豎起，圓圓的小耳朵像一對木耳嵌在圓圓的頭上，臉不太圓，但帶著點秀氣，幾根疏朗的鬍鬚更使牠顯得神采奕奕。牠有潔癖，洗一個臉會無休無止地洗下去，有時不小心踩到一點水什麼的，立刻像挨了針戳似地直跳起來，又是抖，又是舔地忙上半天。因此牠一身總是十分乾淨，黑的光澤柔潤，白的雪白雪白，嫩紅的腳趾就像未沾上一點塵土的桃花瓣。牠的儀表和風韻在同伴中確屬佼佼不凡。可是偏生牠傲骨天生，狷介成性，從來不懂的向飼養牠的主人表示親暱——像別的貓那樣用額角來撞，用身子來擦，喉嚨裡發出討好的聲音。有時趁牠不防備我硬把牠抱在懷裡，牠就拚命地叫著，掙扎著，彷彿連這份愛撫也有傷牠的尊嚴。牠從來不叫，也很少和同伴們嬉戲，不是獨個兒爬上屋脊樹梢耽視滿枝跳躍的鳥雀，便是找一個僻靜處所睡覺——牠那孤僻狷傲的性格，使牠逐漸在我們這裡失去了寵愛。

有一次，狸奴忽然隔了兩三天沒有回來，大家以為牠走失了。可是牠卻又悄悄地走了回來，神情帶著點憔悴，性情卻更怪僻。牠不但不准牠的同伴共牠一只碗裡吃飯，連走也不許牠們走近牠。甚至牠自己走過牠們蹲著的地方也露出牙齒來示威著。以後牠便常常這麼神出鬼沒地三兩天回來一次，奇怪的是牠不僅沒有消瘦，身體都反而顯得臃腫——原來牠是雌貓，已經懷孕了。

那天清晨，我在夢裡被一陣搔窗的聲音驚醒，還伴著「咪嗚」的叫聲，那聲音裡有著焦急，乞憐和一種特別溫柔的意義，我家的貓沒有一隻會這樣叫的，可是明明圍繞著屋子，在窗前門口徘徊不去。我起來打開窗子，突然一團灰褐色的東西直撲面前，毛毿毿地擦過我手臂，接著「咪嗚」一聲，跳下窗台，把臉貼在我腳上，尾巴劇烈地搖動著。噯，竟是狸奴！狷傲不馴的狸奴會向人乞憐，這不是奇蹟嗎？接著我去盥洗，我下廚房，牠便一直纏繞在我或母親腳跟前，漫聲叫著，用頭臉摩擦著。當那兩隻牠平日視同仇敵的同伴，懷著戒心卻遠遠地，好奇地打量牠時，牠首先表示親善的過去親一親鼻子，又伸出嫩紅的舌頭來舔牠們的頭臉，牠倆略一猶豫，立刻也照著做了，往日的仇隙須臾便化作融洩的友愛。彼此咪嗚咪嗚地訴說著衷情。

「狸奴怎麼忽然間變的特別溫柔起來？」我困惑地覺得牠今天也特別的可愛。

「也許要生小貓了。」母親諦視著牠鼓得高高的肚子說。於是我們用一只肥皂箱給牠做了個窩，放在壁櫥裡。我還在鋪棉花哩，牠已挨著我的手臂跳了進去。我一摸牠，牠一個側身便半仰著躺在箱裡，眼睛半開半閉，腳爪一收一放，喉際咕嚕咕嚕響個不停，顯得十分安舒。可是只要我一站起來，牠也馬上跟著一翻身跳出來，又是繞著叫著。牠那乞憐的動作和叫聲，贏得了孩子們的同情，他們一個個放下了玩具，守在窩旁，更番地撫摸著狸奴，她們或站或蹲，切切地低語著，凝神一志地看護著狸奴，狸奴還報著咕嚕咕嚕說不盡的謝詞。

在不斷的愛撫下，狸奴終於慢慢地安靜下來。孩子們撫著蹲得痠痛的腿，躡手躡腳地走開了，我輕輕拉上了紙門。

晚飯後，猛然記起狸奴已半天沒有動靜了。我輕輕拉開紙門——

「小貓，小貓，一隻小貓！」恬恬第一個拍著手跳起來，噢，可不是一個很小很小的身體在狸奴身邊蠕動著，白底子上灑著大朵的黑花，毛還是半乾半濕的，狸奴正全神貫注地用牠鮮紅的舌頭，給初生的小貓施洗哩。

「不要看，看了會搬家的哩。」母親向我提出了警告。

可是，隔了一歇，我又忍不住拉開門來，又是一隻！這隻卻完全是牠母親的縮影，二隻才出世的小生命正安逸的並列在母親懷裡啜奶，狸奴一隻前腳搭在小貓身上，舌頭還在不停地舔著，聽見聲音，軟弱地抬起眼皮來向我叫了一聲，但聲音微弱得不可聽聞，可憐的狸奴，為這新生命的誕生，牠默默地忍受著徹骨錐心的痛苦，牠已耗盡了所有的精力，然而在牠眼裡卻揚射著無比的喜悅、溫柔和慈愛，使牠那翠玉似的眸子溢然欲流。牠盈盈地凝視著我，似乎說：「看吧，我創造了怎樣的奇蹟！」

我想起牠一天未沾湯水，拌了碗飯來給牠聞聞，然後放在箱子外面，但牠只是無聲地叫著，卻不曾移動身體。我又把飯送到牠面前，牠立刻那麼饑饞地大口舔著吃了——啊，原來牠是一步也不願離開牠的小寶貝。

狸奴做了母親，狸奴也不再是從前的狸奴了。牠成天小心翼翼地哺育小貓，守著牠們學步，守著牠們嬉戲。有時出去一會兒，回來時在喉際「嗚哪」一聲，小貓立刻睡眼惺忪地跳起來迎上去，狸奴便把辛苦捕來的小老鼠什麼放下。自己卻蹲在一旁靜靜地看小貓嚼食，顯得那麼滿足而安詳。

是什麼使狷傲化作溫柔，是什麼使浮躁變得穩靜？是那最崇高無上的母愛。那一點一滴地充實生命的母愛，縱使人獸之間有不可衡量的區別，崇高的母愛卻是一般無二。

民國四十二年一月

編註：本文原刊於《軍中文摘》第四十九期，一九五三年三月，頁十七。

控訴

——我寄居的那個小城號稱「花園都市」，而我住的街，是這城市裡那些美麗的街道中最幽美的一條。我曾經驕傲地把它介紹給遠方來的友人，而贏得他們一致的讚美。構成這幽美情調的便是那些蒼鬱繁茂的樹，綠蔭蔚成深邃的拱門。每當我漫步林蔭或是樹下小立，總可以聽到它們在頭上絮絮低語，悠悠吟唱。它們，活潑蓬勃的一群，是大自然的寵兒。可是今天，我再聽不見笑語，聽不見吟唱。這悲悲切切的是它們的控訴，我只是做一個忠實的執筆者。

……人，你號稱萬物之靈的人哪！我們曾經由衷地敬愛你，而如今，怨不得我們又恨你。我們原可以自由自在的生長在山林或原野，你偏生要把我們移植到此地來。這且不管它，因為我們一直傳統的保持著「隨遇而安」的好性情。只要有泥土便能生下根。我們要控訴的是你的失信，你像青蠶齧食我們的葉子般，吞食了你自己的諾言。不用贅言，我們這付斷肢殘軀便是控訴你的鐵證。

不是我們自負，我們的色彩是宇宙中最柔和、最永恆的色彩。我們的生命力，更是無比的堅韌與充沛。你們人習慣把我們象徵青春，形容生命。自然，我們很高興接受你們的這份尊崇。因此，當你鏟上最後一撮泥土，把「綠化計畫」這重任付託給我們時，我們立刻毅然肅然的負起了這使命。開始與狂風暴雨搏鬥，和忍受蟲豸、旱渴等種種磨難。一年一年過去，我們長得茁壯、茂密，使單調的市街詩意盎然。由於鳥雀成群地在我們枝葉間築下安謐的窠，你，生活在庸俗的市廛聲中的人，乃有耳福欣賞大自然最美妙的音樂！

我們讓自己受著烈日的烤炙，為你鋪下陰涼的綠蔭。我們小心地迎來清風，播送給憩息在我們身畔的人。晚上，我們作成濃暗的陰影，方便愛人們談情說愛，相親相依。每至春來夏初，我們更把金黃嫣紅的花朵裝飾著藍天，當趕路的人陶醉於它的絢爛悅目時，便忘卻了跋涉的辛勤。噢，人！為你服務，我們已是竭盡心力。可是如今？……你，你，你忘恩負義的人哪！

我永遠忘不了那慘痛的一天。雖然只要一想到那情景就會不寒而慄，我仍得把當時的經過重述一遍——那天，天氣十分炎熱，我們大夥正忙著遮蔽烈日，迎送清風，忽然鬧嘈嘈地來了一大群拿著鐮刀、斧頭的人。有一個人便爬上我的鄰居枝上，掄起斧頭肆無忌憚地往下斫。眼看我的夥伴呻吟著、抖慄著，不一會便被斫伐得支離破碎，我正自為它悲憤。不想那人很快的又爬到我身上來了，起初還只是斫了些手指什麼的，底下包圍著的那些人卻一個個昂起了頭，用貪婪的眼睛注視著我。嘴裡嚷嚷地喚：「過去一點，過去一點。」「揀粗的斫呀！」接著一斧頭重重地落在我肩膀上，不管平時我們曾怎樣地忍得住痛苦，也不由得痛得迸出了眼淚。這時我旁邊那幢屋子裡一個熟悉的聲音在喚：「不要斫哪，遮著太陽哩！」可是斫的人毫不理會。於是喚的人又用更響的聲說：「好好的樹為什麼要斫掉？你們是哪裡的？」「公司裡叫我們來斫的，礙著電線你曉不曉得！」斫的人粗聲的回答，一面不停手的又掄起斧頭來。我感到一陣昏黑，就在一陣勝利的歡笑聲中，我失去了知覺——等我甦醒過來時，第一眼看見的就是街道變了樣，變得那麼淒涼。而我們，一個個斷肢折腰，留下不到三分之一創傷纍纍的肢體，兀自伶伶仃仃地，風吹著就要折斷似的佇立著——我們是整個地被摧殘了，而街上，你們人正興高采烈地忙著用牛車載著我們的肢體，一車車地運走……

唉，數十年的殷勤服務，結果只換來妨礙電線的罪名，固然，有些電線打從我枝葉間穿過，但我們一直是相處很好的。就算我們礙著它吧，那也只有部分的枝葉，但是，斫下的明明有十分之七八是與電線毫不相關的。我們可以說那是一種陰謀，那裡面一定有不可告人的詭計。不然，那就是你們「不准斫伐」、「愛護樹林」的命令，只是一片謊言！

往事不堪回首，如今我們已失去了一切讚美，失去了因服務獲致的快慰。我們為自己的存在感到悲哀和黯淡，我們生命的漿汁猶自從創口裡向外流洩，縱使日後能結成疤，也不知哪年哪月才能恢復被斲傷的元氣。

如今，我也聽到了你，人的詛咒。你責備著太陽太毒辣，曬得你背脊發痛。你埋怨天上不颳點風，悶得你幾乎要窒息。你揮著汗、喘息著。又恨找不到一角陰蔭休息。你的腳步不再那麼輕鬆，你的心情不再那麼悠閒……但我沒有一絲幸災樂禍的報復心理，我們只為你的愚昧悲哀。

啊，啊，人，尊貴的人，萬物之靈的人。你一直標榜著你是真理的服膺者，你酷愛著正義。那麼，請回答我們的問題，你為什麼自己訂下「計畫」又自己破壞？為什麼親手栽下我們又親手斫伐？說吧，說吧，如果你不是劊子手的同謀者，你就該為我們懲兇。一以慰我們殉者，一以為我們倖免的同胞保障生命自由！

我們控訴你，人！

民國四十一年八月

編註：本文原刊於《中央日報・副刊》，一九五二年八月十六日，第四版。

枇杷

微風夾細雨，溽熱全消，望著滿院新綠，心裡覺得有什麼似汽球裡的氫氣般湧升著。於是推開紙筆，為遠方的一個友人述說幾日來的抑鬱——

岑寂中，遠遠地傳來熟悉的叫賣聲，近了，親切的聲音歇在門口向我兜攬，是那個常常買慣她香蕉的老婦人，但今天擺在籮擔裡的卻不是一串串瘦長青綠的香蕉，或黃胖的芭蕉，淺淺的一層鋪在籮蓋裡的，竟是一顆顆金黃的枇杷。

「枇杷偕甜啦，買嘛！」

「噢，有枇杷賣呢！」我高興地向母親說，自己便擲下筆跑出去。

枇杷的顆粒不大，面上那一層茸茸的絨毛都褪落了，顯得有點萎熟，這在我們家鄉叫作「揀落剩」，是最下乘的了，為著保留那層絨毛，賣枇杷的向來是不允許主顧翻揀的，但在這裡似乎完全不懂得這些講究。

我隨便挑揀了些，用一個瓷盆供奉著，也許是興趣隨著年齡變了，對著幼時最喜愛的果子，竟沒有饕餮的胃口，而只剩下欣賞與回味。

故鄉是盛產枇杷的，每當端節前枇杷上市時，滿街挑著叫賣的，水果鋪裡堆箱裝簍的，全是黃澄澄惹人愛、逗人饞的黃金果。枇杷分黃皮黃瓢，黃皮白瓢和白皮白瓢三種，最名貴的是第三種「白沙枇杷」，產洞庭山，多半裝簍外銷或是被當作饋贈遠方親友的禮品，而門口賣的大多是一、二兩種，那時一吃罷午飯，便像有一件什麼待做的大事般，臉都來不及拭就跑去大門口等著。不一歇賣枇杷的吆喝著來了，更忙不迭地嚷著大人出來買，一買總是稱上好幾片，一面輕手輕腳幫著揀那圓淨無瑕的，一面已滿嘴地氾濫著口涎，買好後，便刻不容緩地就著籃子大嚼起來，大姆指只輕巧地望那梅花臍裡一搖一揭，薄薄透明的皮便隨著指尖褪下來，四揭四綹，皮似一朵倒垂的梅棠貼著柄枝，中間便拱露著細膩、光滑、盈盈欲滴的瓢肉，吃到嘴裡，沁甜的果汁立刻沿著兩顎舌頭直滑到嘴角，「嘖」的一聲又被吸收了回去，嘴裡一個還不曾吞下，手裡又剝好了第二個、第三個——眼睛盯視著枇杷，嘴更無暇談說，一直要吃到「肚皮脹得青筋起」，這才欲罷不能地望望那「看籃子」的幾顆剩餘，行動遲鈍地離開滿桌子狼藉的果皮殘核。

我們更把光溜溜的枇杷核洗淨了，拿來作抓子的遊戲，或是當彈子彈著玩。

那時家裡只有我一個孩子，十分寂寞。平時我便去隔一條巷子的姑母家玩，姑母家有一個比我小二歲卻要稱她「娘娘」的安，一個鄰家的英，還有就是一座我們永遠玩不厭的大花園，花園裡有土山，有池塘，有各種花木和一棵合抱的枇杷樹，樹根正偎貼著山麓，樹蔭便遮蓋了大半池塘。冬初花開時，白色的星形花朵，雪一般鋪灑在水面，一到春天，青青的果實便纍纍實實掛滿在枝間，我們一個數著懸在空間的，一個數著映在水裡的，數來數去，從沒有數過一個相同的數目。數亂了，三人便笑作一團。我們一天天的盼著枇杷變黃，等到真個黃熟了，姑母便揀一個日子叫工人來採摘。那天連不常去花園的表嫂她們也擠在一起看著，指點著，大家臉上都洋溢著一種收穫的滿足，枇杷摘下來姑母便指點工人分成大籃小筐的饋贈親友，我在樹下不僅揀大的先吃個痛快，拿回家去還是夠我二、三天大嚼的。

有一年也是摘枇杷時，老門房的兒子福生忽然在枇杷樹上捧下一個湯碗大的草窠下來，裡面是四隻孵出不久的小鳥，瘦小的身體沒有一根羽毛，只是張著大嘴唧唧地叫，彷彿完全不曉得自己遭遇的厄運，樣子很醜陋也很可憐，姑母看了把眉毛一皺，胖胖的臉上打起幾十條皺褶。

「福生還不給送回去，等歇老鳥找不著要急煞哉，真正作孽！」

福生喏喏地又把鳥窠送了上去，可是等到摘枇杷的人散了，他又悄悄地溜進來爬上樹去拿了下來，我們正在樹下抓子，當即哄著說是要告姑母。

「別嚷，別嚷！」他向我們賄賂著：「待我餵大了，一個送一隻，養在籠裡唱歌。」

「你有奶餵牠們呀？」英裝作懂事的責問他。

「噢，不。」他忍住笑說：「米倉裡有的是米蛀蟲，捉些來餵牠們才肥吶！」

「養大了一定要送我們咯！」

「一定，一定。」他邊說邊抱著鳥窠一溜煙跑了。

第二天惦著鳥雛，早餐過後又馬上跑去姑母家，約了安和英一起到門房裡找福生，我們第一句話就是問「小鳥呢？」「小鳥好不好。」

福生垂頭喪氣地支著頸坐在門檻上。半晌才把手一攤說：「都完了。」

他拿出鳥窠來，裡面還加填了厚厚的棉花，可是橫在雪白的棉花上是怎樣一幅慘狀喲！昨天猶是四張活潑潑向著空中索食的黃嘴，今天邦只剩下了二張半。一隻給咬去半個頭，二隻卻啃破了臟腑，就像三塊才割下來的獸肉，血肉糢糊的軟癱在那裡——我們瞥了一眼連忙別轉臉去，英的眼睛裡已閃著淚光。

福生說他臨睡時檢點一下還是好好的，一定是晚上給老鼠咬了。

從此，當我們在枇杷樹下遊玩時，一聽見樹上鳥叫，一定有一個抬起頭來說：「老鳥又來喚牠的孩子了。」

這一說，其他二個也立刻停止遊戲，仰起頭來向一眼看不到頂的枇杷樹望著望著，好一會都提不起勁來繼續玩耍。

離開家鄉十幾年，從未回去過一次，也從未嚐過家鄉那樣沁甜多汁的枇杷，日寇占據時聽說姑母去世了，家道也式微了，如今關進了深沉的鐵幕，更是消息沉沉——噢，家鄉，家鄉是越離越遠了。不知再嚐到那沁甜多汁的枇杷時，我可還有幼時那股一口氣吃得不抬頭的豪勁？

民國四十一年四月

◎輯三 漁港書簡

一、海的感召

林，我終於來到海濱，與日夜憧憬、夢魂縈牽的大海朝夕相伴了！就當我執筆時，耳畔不斷傳來潮水拍打著巖岸的聲音，溫柔而纏綿，那是海的囈語，海的吟誦，不，應該說是海的夜曲，它正催眠大地進入安謐的夢中呢！

如今已是深夜了，而我來的時候正是下午，當汽車繞著海岸線迂迴前進時，遠遠看見籠罩在金色的霧雰下那一抹撲朔迷離的海，早便心嚮神馳。我一見來接我的蘅便說：「先介紹我見了海吧！」蘅只是微笑不語，引我穿過一條沙礫小徑，走進一幢白色小屋，只一眼看見那敞開著的窗子，我的視線便再也收不回來。原來，原來窗外便是那一碧萬頃，廣闊無限的大海！

在我唯一的記憶中，海是狂放的、粗獷的，不是嗎？在開赴台灣的船中，我被風浪顛簸得半僵的躺在艙板上，眼睜睜地望著黑壓壓的波濤山似地矗立在舷旁，巨浪卻似一群激怒的野馬，奔騰撲擊——可是，如今展現在窗下的海卻是那麼平靜，平靜得像一個深邃的湖沼，只在風過時掀起粼粼漣漪，微波輕拍著沙岸，宛如朵朵曇花忽明忽滅，那一片暗藍遠遠地，遠遠地展延開去，又銜接了另一片蔚藍，分不清海裡有天，天上有海。海裡三兩點白帆，彷彿天上的白雲，天上朵朵白雲又似海裡的白帆。在海天的大和諧中，我溶失了自己，我覺得我自己就是那一朵雲，那一支帆。——一瞬那城市給我的塵思煩慮，被海風吹散得無影無蹤，腦中沒有一點雜念，胸中不留一點渣滓。人在這時，彷彿已潔化淨化了。

我默默的諦視著海，海也用它深邃湛藍的明眸凝視著我。——在那明眸深處，我感到有股不可抗拒的魅力。

海是威嚴而超絕，溫柔而沉靜，豪放而熱情，涵博而深沉，神祕而……噢，林！我想把海描摹一番、讚揚一番，但在海的面前，我是太渺小了，我覺得我不配寫海，而文字在這裡卻是最拙劣的。

擱下筆，我傾聽夜潮在窗外呼喚，那喚聲是如此輕柔而親切——彷彿慈母喚著愛兒，情人喚著情人。

這裡是一個漁港——一塊很小很小的陸地。大海熱情地把小島攬擁在懷裡，而我又躺在小島的懷裡，海潮輕輕地，緩緩地，撫拍著懷裡的小島。今夜，我要做一個屬於海的夢！

二、霧港

林，昨夜我在海潮聲中睡去，今朝又從海潮聲中覺醒。海不曾做夢，但一個無夢的酣睡，在一個被失眠苦惱了數月的人，不啻是乾裂的土地上一番甘霖。感謝海，是它吟唱著催我入眠。

窗外一片灰暗，我疑是天還沒有亮，薇偏說是晨霧。拉開窗扇，猛不防一團潮濕的海風挾著霧莽闖地撞入我懷中，彷彿是地球這一大鍋裡冒出來的蒸氣，幾乎將我蒸發。向那一團灰霧諦視良久，才隱約看見黑影移動，有槳板划水的聲音，想來是捕魚的船兒已開始作海上的逐獵了。

濃霧散清，驕陽已浮在半空，陽光像金色的液體瀉落在海面，三兩隻漁筏隨波起伏，像幾片飄浮著的落葉，輕捷的海燕便繞著落葉盤旋、翱翔。近海有一隻漁筏正向海裡撒網，遠遠只見忙著撒網收網，一網又是一網。林，我們這些吃魚的人，誰又知道這期間該包含著多少的忍耐和等待，多少的辛苦和勤勞！

直等到滿天陽光被漁網網盡，漁筏兒才緩緩歸航。沙岸上，弄潮兒郎的妻孥們一個個引頸迎候，殷勤地接過漁簍，先掂一掂分量，若是接在手裡的魚簍是沉重的，心情便輕鬆，若是魚簍是輕的，那麼心情便沉重了。——然而，沉重和輕鬆又是一回事，只要平安歸來，一天的盼望，便在這一刻獲得慰藉。我走近一個中年漁夫——他緊抿著嘴正在收拾漁筏漁具。「今天運氣好！」我搭訕著說。但他只向我淡淡一笑，搖搖頭，沒有作聲。

「出海遠一點，不是捕得魚更多嗎？」

「漁筏兒太小嘛，抵不住風浪。」蒼沉的聲音裡深藏著無限遺憾。這時，一艘機帆船一路喧譁著，昂首闊步地駛進港來，激起的浪花沖得港內的小船搖晃不定。那高聳的桅杆，那髹漆鮮明而龐大的船身，使它在周圍那些灰暗的小舢舨、小漁筏中，像一隻獨立鴨群的天鵝。

中年漁夫從眼角裡向它睨視一眼。林，就在這一瞥中，我看見那眼光裡流露著的是怎樣複雜而深沉的感情啊！

大船攏岸了，壯健的漁夫猿猴般敏捷地在船上船下忙碌，一個個壓著冰的、沉重的魚簍揹上了岸，魚網也抖開了，懶蛇似地晾在沙灘上，多長的網喲！林，那網使我想起帝王們出巡時，從宮門一直鋪展到市街的華氈。

所有大船上、小筏上的漁夫們全拖著被海水和汗水浸透的身軀，肩負著朝夕相依的漁具，有的哼著小調，有的卻沉著頭，匆匆地打從晾著的漁網旁邊走過。

沙灘靜下來了，留下海潮獨自傍著巖石吟嘯。

霧，海上的濃霧又悄悄從四面飄湧過來，彷彿一隻無形的纖手在拉攏簾幕。

一個浪潮滾到我腳下，擲給我一把晶瑩圓潤的珍珠，多美的珍珠！林，我真想把它們穿成項圈送給你，但一挨著指尖，它便碎了，只在掌心留下濡濕的水漬。——如今我便用沾著海水的手給你寫信，不知你能否從它嗅到海洋的氣息？

三、海的兒女

林，這幾天我只在沙灘徘徊，拾取了數不清的貝殼。記得有個詩人說，他的耳朵是貝殼，充滿了海的音響，我卻願這些貝殼都是我的耳朵。如今我有這數不清的貝殼，將永遠也聽不完海的歌唱，海的祕密。回來時，我一定放幾顆最美麗的在你枕畔。

說起貝殼，還記得來的那天，我遠遠便看見村裡一堵一堵潔白璀璨的牆，在陽光下閃爍著。我正驚異這貧陋的漁村竟有這般華貴的大理石圍牆，不知這圍牆內住的又是何等人家？待近了一看，方知牆全是一用一種白色的大貝殼砌起的。那貝殼的樣子很有點像救生艇，有時兩三個膠結在一起，蘅告訴我那叫蚵，漁婦們把它從岩石上鑿下來，把蚵肉剔出來賣了，殼就堆在屋前屋後，日積月累，堆得高高的，遠遠看去，誰說不像大理石築成的圍牆？

就在這潔白美麗的大理石圍牆內，便圍著矮小簡陋的漁民之家。在漁島，據說人的繁殖跟魚類一樣的迅速，每一家都有一串梯形的孩子，人們在暗沉沉的小屋子裡就像關在簍裡的群蟹，蠕蠕蠢動。這便是漁人的家！漁人的家裡充滿著海洋的鹹腥味，也瀰漫著貧窮的氣息。

海洋是豐饒的，肥沃的，但在海洋懷抱中的這一塊陸地，卻是這樣貧瘠。儘管海洋不斷的灌溉滋潤，土地仍像一棵不會結果的樹，一個患不孕症的婦人，從來不曾生產過糧食。大地，人類的母親，但這母親卻沒有乳汁哺育她的孩子。

漁民們必須從海上去捕獲魚類，換取藉以生活的物資，但海上的生涯全靠運氣，而漁民們只會操縱舵槳，卻不能操縱命運！

於是，漁民們只得吞食著粗糲的雜糧、拾來的蚌、海螺和網底的小魚小蝦，穿著千補百衲的衣服，孩子們赤著腳，半裸著黧黑的上身……

「船還沒有，怎能講究吃的穿的啊！」

「等自己有了船，生活就會好起來。」

沒有怨尤，沒有憤恨，這便是他們對貧苦生活的答覆。他們不曉得什麼是享受，只求免受凍餒，風平浪靜。他們不懂什麼叫愛情，只有互相合作，同嘗甘苦。他們沒有豐富的知識，卻有一肚子海的學問。他們是勤勉的，從不懶惰貪安逸。多麼樸實而可愛的人們——海的兒女們，他們才是上帝最善良純真的子民！

但他們都吃不飽穿不好。

噢！林，剛才我第一次聽見了海燕的鳴聲，竟是那麼尖厲淒絕。海今天彷彿有點不安靜，不住激動地猛撲過來擁抱著陸地，又沉重地歎息著躺下去。我似乎覺得有什麼預兆。

四、希望和期待

林，說起來我還心悸，那晚上的風浪多大啊！我被排山倒海的呼嘯聲驚醒，只覺得屋子在搖晃，彷彿整個島村已浮起來，像冰山般隨波飄蕩，驀地一個閃電，映出窗外地獄般深沉可怕的黑暗，接著又是震撼天地的風吼海嘯。——驚惶中，我更想起了那些簡陋的小屋，想起了那些出海未歸的漁船，想起了今晚上該有多少人在黝黝的海上與風浪搏鬥，多少人虔敬地，惶惑地，跪在窗下，跪在神龕前，祈禱著冥冥中神力的保佑。

那天有一艘舢舨失了所有的漁具，有一隻漁筏沒有回來，永遠不會回來了！那捕魚的人兒曾把青春消耗在浪濤裡，如今又把生命埋葬在海底，他本來應該戰勝風浪的，但「漁筏兒太小，抵不住風浪」……

風暴過後，海一直沒有安靜下來，伴著它撒野的是獷厲的風，濛濛的雨。煙雲迷濛中，海有一種淒迷撲朔的美，但沙灘上卻是冷清清的，沒有晾著的漁網，也沒有半裸的孩子披著陽光的金縷衣在嬉戲。除了僅有的幾艘機帆船照常出海，那些敝舊的舢舨竹筏都悄悄地停在港灣裡，像一隻隻被人遺棄的破履。

慣在海洋上周旋的漁人們，一連幾天空閒下來便覺得手足沒處安排，而明天的生活像一塊石頭壓在心中。無聊地檢點一番漁具，又撇下了它而走到岸邊去默默地眺望著海。那熟悉的海，正在腳下搖擺著嬌軀，向漁人送來一個挑逗的眼波，猛的伸展開胳臂，作一個擁抱的姿勢，撲到漁人面前，吻著他的腳尖，彷彿在說：「朋友，為什麼不到我懷抱裡來呢？我正等待你。」

漁人只是一往情深地凝視著海，眼睛裡流露無限焦灼和渴慕。——忽然把右臂一揮，喃喃地說：「如果我有一艘真正的船。……」

船，又是船！林，在漁港，彷彿永遠重複著這一個字——船。

是的，海是宇宙中最豐富的寶藏，最肥沃的牧場，同時也是最危險的戰場。但只要有一艘結實的船，便能縱橫海上。就像農夫渴望著自己的田地一樣，漁民們克勤克儉，耐苦耐勞，也只為一個願望——船，一艘真正的船，一艘行駛得快而穩，足以抗禦風浪的機帆船。人們把希望之火同生命之火一同燃亮，然而，傳給下一代，又下一代……甚至有幾輩子都這麼著在期待中生生死死，這願望還不曾實現。

海的兒女有同海一樣深沉的性格，他們的願望也同對生命的熱愛那樣強烈，那樣執著不移。

林，生命便似這般在希望和期待中延續下去，但是，多麼漫長的歲月啊！

五、逐波流馳

林，這些日子海又恢復了安靜，大的小的漁筏又去海上隨波追逐，海岸寂寂，海風輕輕，而海那湛藍的眸子似乎藍得更深邃，更迷人。浪花拍擊著沙灘，彷彿是海在喃喃囈語，絮絮傾訴；是在傾訴億萬年來在海底深藏的感情，是在敘述海的沒有完的故事！我便躺在沙灘上，凝望著那湛藍的眸子，聽那無盡止的絮語。海的纏綿的傾訴使我沉醉，而在那魅人的眼波深處，我迷失了我自己。

林，你問我怎麼消磨日子，告訴你，就這麼朝朝夕夕像狩獵海上的漁人，讓辰光隨著波浪流馳了。

六、漁者有其船

林，有幾個月沒有給你信了，別怨我疏懶，實在是海使我迷戀的太深了，以致我覺得伏在桌上拿筆來東塗西畫都是多餘的笨事。但是，今天我必須借筆尖把我的喜悅——不，應該說是海的喜悅海的兒女們的喜悅，向你訴說。

今天的海似乎特別美麗，特別溫柔，在那暗藍的髮的波浪上，綴著一朵朵潔白的大百合花，湛藍的眼睛脈脈地向港內諦視著，彷彿在等待什麼，迎接什麼。再看看岸上吧，在這沉寂的漁村裡，此刻正掀起了一陣歡喜的浪潮，就像慶祝一個隆重的節目似的。漁民們一個個放下工作，穿上他們認為最好的衣服，臉上那些被歲月和風浪刻下的紋印裡嵌滿了笑意，黯淡的眼睛彷彿全滴上了油，閃亮閃亮，像閃爍在陽光下的貝殼。彼此呼喚著，挾老攜幼，齊向沙灘上跑去，浪潮迎著他們撒下大把的珍珠。

就在港灣裡，大海豐腴的臂彎裡，澄黃的陽光下，一排停歇著十幾條嶄新的機帆船，船身鮮明炫目，船上旗幟飄揚——這便是政府放領給漁民的第一批漁船。

那些海上的健兒帶著虔敬、興奮、激動，而又有點怯怯的心情，莊嚴地攀上了漁船。走著看著，又愛憐地拍拍船舷，親切地摸摸舵盤……不錯，這是一艘真正的、呱呱叫的漁船，是屬於他們自己的船！

噢，林，那些眼睛全因喜悅而迸出了感激的眼淚，願望在血淚的灌溉下開了花，他們終於有了自己的船。從前那些黯淡的日子將變得光輝而充滿新的希望。船在鞭炮聲、鑼鼓聲、歡呼聲和海的召喚聲中，唱著雄壯的進行曲，一艘艘起碇了。第一次出發去海上狩獵，去海上長征，岸上萬千隻眼睛跟著它移動，每一個凝視是一句祝福。船更在凝視中遠了，小了，留下長長的一條條浪花的環帶，那些環帶，在凝視中恍惚融成一幅幻景，在景中望見了未來豐衣足食的安樂生活，望見了漁港的繁榮——

我的視線停留在海平線上，我的心卻隨著漁船馳去的方向遠颺，遠颺，我想著海的那邊……

「嘩！」一個浪花撲到腳畔，我驀地驚覺，才知道沙灘上的人已逐漸散去，日將西墜，海風獷厲，海潮開始上漲。

噢！真的，林，過了明天，我該回來了，回到你們的身邊，回到戰鬥的陣線。我的神經衰弱症已痊癒，我要讓你們看看我已被海風和驕陽鍛鍊得怎樣健壯。雖然我是那樣捨不得離開海，但我相信我們不久就會高唱著凱旋歌，從海上回到海的那邊去，是嗎？

民國四十三年三月

編註：本文原刊於中國文藝協會編《海天集》，台北市：復興書局，一九五四年五月初版，頁一～十。

大地的祝福

來鄉下我有了一個新的發現，那發現是屬於哺育萬物的母親——大地的。

在城市裡，大地被人們爭奪著、分割著，一尺一寸用金錢來衡量。然後，一幢一幢的房屋在地面上建築起來了，人們躲在房屋裡營謀各自的幸福，享受各自的溫暖。從房屋裡拋棄出來貽贈給大地的是數不清的渣滓、垃圾——然後，一條一條的道路在地面上鋪砌起來了，路又聯起了城與城，人們便在路上擠擠攘攘、庸庸碌碌地奔波忙碌。繁榮，是屬於地面的。大地在城裡是瘖啞、貧瘠而被忽略了，它默默地包涵了一切污穢，默默地負起人們賦予它的重負！

然而在鄉間，大地是怎樣展現了它的才能，顯示了它的豐饒啊！每一尺每一寸土地都有新生，每一尺每一寸土地都有收穫。成熟的一批收割了，新播的種籽又萌了嫩芽，大地以它無比充沛的精力，汲之不盡的乳汁，哺育著在它身上生長的植物，而這些植物又延續了地面上活躍的生命，循環不息。

只要撒下種籽，大地便使之萌芽，只要勤懇的耕耘，大地便助之生長、結實，從不讓人失望。生活在城裡的人們是永遠不會理解大地，也不會從大地那裡獲得報償和慰藉。只有熟悉大地的鄉下人，他們懂得大地的需要，了解大地的情感，他們呼吸著大地的呼吸，耕耘過大地每一粒微小的泥屑，他們的汗液與大地的乳汁交流融和在一起，大地的收成也就是農人的收成。

那些遠離了泥土的、自以為是聰明的人，他們往往在繁華的城市裡，高踞在堂皇的樓閣上，做著高尚的工作。然而，他們愉快嗎？不，因為他們永遠不會滿足——不是不滿足於自己的知識，乃是不滿足自己的地位財富，但試看大地的兒女們，他們的需要是單純的，沒有太多的奢求和欲望。他們所有的願望、志趣，全寄託在大地身上。播種時揉著希望，生長時有新生的喜悅，而收穫賦予了心靈的滿足。

人類生來是單純的，越遠離大地，越變得複雜。

那無限廣大的，豐饒而肥沃的大地，在很久很久以前，在道路和房屋還不曾建築的時候，便哺育了人類的祖先，而將來億千萬的日子中，仍將哺育人類的後代，綿亙無盡期。

可是，在海的那邊，多少豐饒的土地上正進行著醜惡的鬥爭，流著善良人民的鮮血，多少肥沃的土地卻任它荒涼了、廢置了。苦難中的大地默默地忍受著屈辱，也默默地醞釀著新的種籽——那是億萬萬受迫害的人們悄悄播下的、復仇的種籽！

我拾起田裡一塊潤軟的泥土，為大地祝福……

民國四十二年十月

編註：本文原刊於《文壇》第二卷第四期，一九五四年一月一日，頁十六～十七。

航程

稠雨一股勁地落著，用久別重逢那種傾訴衷曲的熱情，驟吻著屋脊，大地上的窪坑慢慢地積滿了水，水溝裡盈溢出來，小院裡頓時成了水波盪漾的池塘。牆腳下一些初萌發的瓜秧花芽，承受不住這過分滋潤，大都摧殘了，唯有那三棵栽下不久的芭蕉，卻給雨沖洗得新綠耀眼。雨滴驟密地傾注在那寬大的葉子上，馬上又化成大顆的珍珠，連串地瀉落下來，「撒拉，撒拉」……夜，像在水缸裡注下一滴墨汁，悄悄地，迅速地在周圍漾化開來，那一重灰濛濛的簾子終於渾暗而模糊了。但撒拉撒拉的聲音卻更清晰，那單調的音節落在心坎顯得有點沉重，栽下芭蕉原為遮蔭，不想先領略了「雨打芭蕉心共碎」的滋味，我倒不會「種了芭蕉，又怨芭蕉」，只是在這般岑寂的夜，這般的稠雨積水，撒拉撒拉的聲音不由的把我牽回八年前的一個情境——我們局促在低陋的船艙裡，河裡漲著水，稠雨敲打著篾篷，也是這般淒涼，迷茫——

人生的旅程原是艱辛而冗長的，陸路跋涉困苦，水程風浪驚險。但是，在這動亂時代，又有那個能安然終結旅程而不經歷苦難、風浪？

坐船，在幼時的記憶裡是最使我神往的了，每年一次的下鄉掃墓，正是大地春回的清明時節。包下的篷船房艙裡有潔滑的地板和明淨的玻璃窗，櫓聲伊呀，一路披柳穿荷地順著潺湲的河流輕疾轉進。兩岸是看不厭的竹林田疇，金黃的菜花摻和著蔥綠的新秧，似一片織棉的圖案！小小的心靈就隨著疾起疾落的白鷺，翱翔在廣寬的田野間。還有一次是「一二八」事變那年，我們倉卒地從上海搭小火輪返蘇州。我只記得那艘小火輪上載滿了人，個個都露著倉皇黯淡的神色。正是冰凍臘月的天，船頭船尾都密密地遮著帆布篷，滿船瀰漫著使人窒息的氣氛。父親濃黑的眉毛緊蹙著，我彷彿第一次才發覺他是那麼蒼白而瘦癯。母親將一條大圍巾緊緊地裹著我偎在她膝前，風打著呼嘯，馬達單調而沉重地低吼著，我偶爾從被風颳開的布篷中望出去：只見河面擁擠著大大小小的火輪船、舢舨、篷船，用現在的話來形容，正是密如過江之鯽。

那時父親還健在，父親自身就似一艘被風雨剝蝕的船，載著生活的重負，載著我們一家渡過重重危浪險灘，但在最兇猛的一次風浪來襲時，他卻已撒下我們母女三人瞑目歸天了。

那是民國三十三年夏季，日寇正從廣東向贛南大舉進犯，我工作所在地便緊鄰著粵境，風聲一緊，機關當局立即從事緊急疏散，出路有二條，而我卻被指定去一個偏僻的小山城。那時我還年輕，那時以前我一直是信賴著父親的三不管的乘客，突然間把掌握全船生命的舵輪交付予我，航程是陌生的，而前途隨時都可能爆發不可知的風浪。我感到惶悚、恐懼，但母親的堅定又使我變得剛強，不是嗎？「一個人不管活的力量能不能搏鬥到底，但一經來到懸崖的邊緣，不得不跳下。」

山城與山城之間唯一的交通工具是蝸牛一般的帆船。而我們乘的便是平時載運鎢的貨船。同船的還有二家同事，貨艙上擱上艙板，鋪上蓆子，便做為房艙，頂上是一人高的篾篷，按嵌著活動門窗，船板洗得潔淨發亮，大家一律打著赤腳，船開了，只覺得身子輕輕搖晃，耳邊淙淙的水流滑過兩舷，每一艘大船後面都跟著一艘小船，或前或後，參差有致，剎那間大家全讓新鮮的感覺沖淡了緊張的情緒。

平時這段水程大概走三天五天，可是我們開船的第二天便開始下起雨來，篾篷遮蓋得嚴嚴的，局促在狹隘的船艙裡聽雨滴或緊或疏地敲著篾篷，大家都不想開口，執著書也無法入目，心裡有一種說不出的落寞，有時雨小一點，我便耐不住打開艙門，走到船梢站著，河上就似扯起了一層絹紗，兩岸的景物全籠罩在迷濛的霧絹裡。河面卻變得更遼闊了，水流湍激而黃濁，還夾雜著凌亂的樹枝草梗，滾滾奔來，掌舵的歎息一聲，蹙然告訴我說：

「又是上游的山洪暴發了。」

「年年這樣嗎？」

「說不準。年頭荒亂哪，天時也不正！」他搖著頭，神情驟然緊張起來，只聽見撐篙的一聲呼喚，這裡已用力把舵攀向左舷，一剎那一匹怪獸似的大樹椿便打從船側翻騰滾過，激起的水浪使船身顛簸了好一會。

雨不停地下著，河水也不斷地上漲，白茫茫一片浩渺，怕迷失了航程，船只是靠邊緩駛著，有時挨著人家栽的桐子林，篾篷擦過，一隻隻青綠的桐實就似冰雹似的墜落船中，一天我們正在船舷汲水，老遠便看見水面漂浮著一堵灰白色的東西，近前來一看，竟是一具浸胖了的浮屍，一拋一沉地直淌下去，接連二天，我渴得難受，但一想起那泡過屍體的沙濾水（一杯水到有半杯是黃沙），只得用舌頭舔舔枯乾的嘴唇。

約莫在水上遊蕩了五六天，在一個三岔口拐了彎，雨停了，水也退了不少，船在一個小鎮歇下來，船老大上去採辦食物，大家五六天沒踏到陸地，說上去得些「地氣」吧，可是回來時幾乎使船加深吃水量！不是貨物採購得多，而是由於心的沉重。小鎮上聽來的消息，說是那個小山城唯一通外的路線K縣又陷於敵手。

「我們是往牛犄角裡鑽嘛！」

「唉，甕裡捉鱉，死路一條。」

沉痛的語句像一支鏽鈍的錐子，直往心裡錐。

河上開始迴盪著拉縴人單調而沉緩的歌聲，七八個一串背著繃緊的縴繩，在田岸上，懸崖邊，彎著腰一步一挪地掙扎著，眼看船將貼近山崖，立刻又收起繩索落在船舷上，換上竹篙，斜插進水裡，用胸前那褐色的疤印抵住篙竿，腳便挺住了篾篷，竹篙直了，船遲緩地進行著，於是低沉的歌聲又從十幾個喉嚨裡唱出來，從河心一直飄旋到田野。

白帆扯起來了，風送著，船像一支出弦的箭似地筆直行駛，水清澄平靜。了無一點漲水的痕跡，洗出兩岸的稻禾叢樹青翠欲滴——年輕的心是載不住憂慮的，一時間我又神馳於周圍的景象裡，每天，空間才現出灰濛濛的曙光，我就鑽出船艙，掬起清冷的水洗去一晚的窒困，然後打開髮辮在曉風裡慢慢梳理，一面守候著朝陽上升。當萬千條金蛇竄出薄薄的曉雲，在平靜的水面追逐、交纏時，船已起碇半天了。兩岸景物一路悠緩地舒展著，矚望前面，遠遠的山巒正親切地向人環繞而來，回顧後程，渺茫的山和田在身後合抱圍攏，這時，恍然分不出身在景中抑是賞景的人！清晨黃昏，我就這般的耽迷浸沉，不管烈日的烤曬，有時發現一處美景，忍不住大聲讚美。夥伴們卻用那樣淡漠的眼光看我一眼，彷彿說：「真是孩子氣，不懂事！」於是，我只得默默地獨自領略著，好幾次嚥下了衷心的讚歎，好幾次抑制著對月放歌的衝動。

十幾天的航程中，我充分地享受著空氣，陽光和水，孱弱的我乃有著生平未有的健康。人，是從苦難中磨練出來的。這是我在這次體驗中獲得的答覆。

第二次航程距那次不過半年多，但情況完全不同，前次如喪家之犬，這次卻是勝利返棹，我們從山壑裡乘竹排回歸山城，竹排是用二排手臂粗的竹子紮成的，前後也有二個篾篷，出發時五六隻駛成一線，活似一條大蜈蚣，狹隘的河身夾峙在陡險的峭壁裡，峰巔間簇擁著一線藍天，兩岸盡是崢嶙的怪石，鮮妍的山花。河裡礁石錯雜，險灘密布，竹排便蜿蜒曲折的穿行著，有時經過淺灘，排夫全下去推著扛著，只聽見排底擦著矽礫「殺拉殺拉」的響。有時峰巒當前聳立，看看彷彿山窮水盡，近前時豁然又是不盡流水滾滾奔流。遇上險灘，老遠便聽見水聲喧譁，像一支聲勢雄壯的隊伍奔嘯而來，近前時更是聲勢奪人，人的聲音就似泡沫消失在浪花裡，只見白花花的水衝激著嶙嶙的亂石，浪花四濺。這時乘客早便下排繞道山徑，排夫個個如臨大敵般沉著氣，神情一顯得十分緊張嚴肅，竹篙插進亂石縫裡彎曲得弓似的，但排身在湍激的奔流中卻似釘住了，而稍鬆懈，立刻就會傾覆而被疾捲進漩渦，眼看水已漫過竹排，驟雨般迎面撲來的浪花更把排夫淋得渾身透濕……這掙扎，這搏鬥，永遠在我心裡留下了不可磨滅的印象。

有一天早晨從甜睡中醒來，我幾乎懷疑自己還在夢中掉進了雲堆。周圍是白茫茫灰濛濛的一片，峭壁、樹木以及同行的竹排，在一夜間竟全都消失了，我一眼不眨地望定了混沌的前面，慢慢地才從霧雰中吐出一角竹排，半扇篾篷，隱約空靈，似比海市蜃樓更奇幻。慢慢地霧淡了。灰色滲著些滲淡的暗紅——猛然間紅光萬丈一輪紅日已湧升在半空，我從未見過那樣紅的太陽，比落日紅的還更深暗，見著的人全發出歡呼說是勝利復國的好預兆，一個老排夫卻在旁邊冷冷地說：「這種顏色的太陽主血光災。」當時大家笑他迷信，不想如今毛賊在大陸殺人盈萬，果真應了村夫的預言。

來台灣，是隨軍事機關撤退的。我們晚上上的船，幾百個人和行李就同沙丁魚似地擠在方方的貨艙裡，我受不了那混濁的空氣，當晚便宿在艙板上，第二天船便起碇了，我第一次看見浩瀚淼渺的海，那遼闊無際的海，活潑矯健的海鷗便翱翔在廣闊的海面，一會兒趕在船首，一會兒落在船尾，逍遙自在，我不禁由衷地讚羨：

「唉，造物太不公平，怎麼也不給人按上兩隻翅膀，似這般海闊天空飛翔！」

「但牠們還不是跟人一樣在風暴浪濤中追取生活。」

「風暴浪濤卻不能影響牠們的自由。」

「難道我們不正是奔向自由？」

奔向自由，是的，讓我們為一切酷愛自由的生物祝福吧！

大海正醞釀著風浪，船開出去又退了回來，雖是一半天我卻已領略了暈船的況味，歇了一晚，船又開出去了，但風浪乃未減退，起初我還硬撐著看海，眼看船舷一會兒拋上去衝進了雲際，一會兒又落下來沉入海平線，暗藍的海面忽明忽滅的綻開著萬千朵大曇花。我冥想著千百年來流傳的，關於海的美麗或恐怖的故事——可是第一天我吐出了所有吃下的東西，接上第二天吐酸的黃水，第三天吐苦的綠汁，吐得我僵臥在灑滿鹽粒和煤灰的被蓋下，連眼都無力睜開，半昏迷中只聽得颶風暴虐地從左舷穿到右舷，發出一種金屬物撞擊的巨聲，波浪砰然打在舷板上，冰冷的海水直濺上我的額角。風浪相繼的隙間，從艙裡傳來孩子的哭喚聲和大人的呻吟，這時，有宗教信仰的都默默祈禱著心靈上的救主、上帝。而我的信仰便是我的信念，風浪顛簸中，感謝它一直堅定的支持著我。

到了台灣，一星期內我一直感到頭昏目眩，腳下虛空，真有點飄飄欲仙。如今只要一說起來乘船渡海，我先就心驚膽怕，他笑著說我這樣怕乘船，日後回大陸又怎麼辦？真的，回大陸時又怎麼辦呢？這是不久的事了，雖然最終目的充溢著和平、安謐，但漫漫的航程中誰又包得定不起風浪——

雨下得更大了，我惆悵地拉上窗扇，開亮了檯燈，提起筆在稿紙上寫上「航程」兩字，想了想，又在兩字上加上「未了的」。

窗外，雨打著芭蕉，撒拉撒拉……

民國四十一年五月

台北來去

這戰鬥中國的司令台，這自由中國的神經中樞，這文化總匯的都市喲！你的聲譽恰如初升旭日那萬千道富有吸力的虹彩，是那樣地誘惑著人去瞻仰你的風采。而友人們更是頻頻相召呼喚：「來吧！來拓展一下妳心的領域，來吸取一些文化氣氛，也讓紙上的默契獲得西窗剪燭，促膝暢談的印證……」受著這不可抗拒的感召，我的心早便脫羈北飛，為著追蹤那再不受羈束的心，我只得暫時摒棄一切俗務瑣事，還負著一點小小的使命，踏上了北上的旅程。

寶島是一片常綠的樹葉，台北靠近葉尖，屏東卻在葉腳。火車就像小小的青蟲，沿著縱橫錯綜的葉脈——鐵路，蠕蠕地從葉腳爬向葉尖。多艱辛的路程哪！

我們坐的是平等號美援車，一般的坐位，一樣的票價。不分厚薄，不用搶先，這在我國交通史上恐怕還是一個創舉。

列車不停地進行，景物不斷地變換。但遠山近樹，田岸沼溪，都讓一個「綠」字包括殆盡。綠象徵著蓬勃的生意，綠蘊蓄著幽邃的詩意。可是，別說綠只代表一個時季，自然之神落下她的畫筆時，卻也安排了次序，不是嗎？屏東的稻已長得玉立亭亭快結穗了，而一路上逐漸矮小下去，到台北時還剛長出秧苗來哩！

旅程終了，已是深夜十一點鐘，十二小時的枯坐，只累得腰瘦背疼，跨出燈火闌珊的車站，抬頭便見一個英勇戰士的雕像，高高地守在夜空中，形成一片肅穆莊嚴的情景。恰恰象徵著戰鬥中國的精神和靈魂，我不禁仰頭凝注，心中肅然。

街上沉悄悄地，都市已從一天的囂鬧中平息下來，走近了夜的邊緣。我們僱了兩輛三輪車，只覺得冷風颼颼，微雨濛濛，雖說這時已是台北雨季的尾聲了，卻還有十分寒意。我緊了緊大衣，深欣自己遵照好心友人們的囑咐，上車前硬著頭皮脫下了輕羅衫、風涼鞋，汗涔涔地換上薄呢旗袍，箱子裡還帶些厚厚的衣服，如今正好配上時令，禦得風寒。可是，誰又料得到一個星期這些衣服又全成了累贅。

當晚，我和同來的王太太歇在新生社樓上空軍婦聯分會辦公室裡，寬大的房間臨時架上兩隻帆布牀，就像椰子殼裡擱了二顆花生，風徹夜振撼著玻璃窗，闔上眼，我覺得大房間在搖晃，彷彿又在來台灣時的船上，風在呼嘯，海在翻滾，忽然一聲汽笛的長嘯，睜開眼來，原來是都城一個明朗可愛的晴天。椰樹帶著昨宵的雨珠在晨風裡婆娑，幾架飛機高高地掠過市空，宛如一群繫著哨笛的灰鴿。遠處，在一排綠藩的郊外，有一串列車噴著汽在行進，工廠的大煙囪裡開始吐出一縷縷濃濃的煙霧，給碧藍的天空抹上一筆水墨畫，都市在朝曦中醒來了，是那麼端嚴煥發。我屏息在窗口眺望著、瀏覽著，末了終於忍不住披著衣服奔下樓梯，奔進布滿陽光的街心。街上已滿是工人、學生和公務員，帶著在充足睡眠後煥發的神情，匆匆地步行、騎車，或是擠上公共汽車。我將自己投入這人與車的潮流中，親切地感到這大動脈在跳動、在活躍。我覺得我的血液也開始加速地躍流，神經也像綳緊的弦線般驟然緊張起來。啊！我已走進這都城的心臟，我將開始我的探訪和領略。

●

到了一個地方，總少不掉要附庸風雅，玩玩名勝風景。我們去了參觀了博物館、動物園，遊覽了北投和草山。

博物館——這大眾的文化殿堂，收藏相當豐富，據說陳列品共有一萬四千多種，分為歷史、高砂、南洋、地質、礦物、動物、植物、雜類等八部。瀏覽一週，恰如讀了一本概述宇宙演變的大書。

動物園裡雖然列有一百三十多號獸檻，但很多是空的。據說有些猛獸還在第二次世界大戰時，日本人怕炸壞了獸檻，猛獸出來傷人，便殺了製成標本了。園裡最多的是猴子，有二隻母猴剛剛生了小猴，一個懷中抱一隻，摟得緊緊的，有時偶爾讓小猴在樑上學爬，也還是小心翼翼的用前爪抓住牠柔細的尾巴，生怕牠摔下去。猴性本來是佻達頑皮的，待做了母親卻顯得溫柔端莊，儘管友伴們不停地在一旁跳盪嬉戲，她只是全副精神傾注在愛子身上，世間沒有什麼事物完全相同的——只有母愛，這份崇高的天性，這份開天闢地的愛情，所有的動物都是一樣。

我覺得動物都生就一副憨態，很惹人喜愛。可是看著這些原該自由地在空中飛翔，在山林徜徉，在水底優遊地生物，一隻隻跼蹐在幾尺見方的天地中，憔悴委頓，反覺心中有點悒悒。倒是園中那些人工景致，布置得還幽雅宜人。

北投只耽擱了二小時，許多人把它形容得怎麼神祕美麗，我總覺得還帶著些塵囂俗氣，溫泉的熱度又太高，腳伸下去不到一分鐘就像煮熟的紅番薯似的。比較起來，要算草山給我的印象最深刻了。我們去的那天是週末，早晨濛濛的細雨驅走了炎熱，可是遊人不多，過了士林不久，便見霧氣蒸騰，隱約繞繚著一座蔥蘢的山巒，一路上綠樹田舍，忽隱忽現，盛開的杜鵑花映紅了山崖，更向上去，但見四下白霧茫茫，車子直向雲霧深處爬去，座後不知是誰，一路吹著悠悠的口哨，我的心跟著哨聲就似雲雀般飛揚。車停處，萬樹凝翠，山花照眼，水聲淙淙，水氣迷濛，乍從囂市中來，更覺得靜得出塵拔俗。我們在一家簡潔的夫婦食堂——陽明園吃過午飯，便浴著雨後淡淡的陽光，沿山崖那迂迴綠徑，走向草山公園。

這公園順著山勢迤邐，面積不算大，但那種一塵不染的幽靜，我想不出國內哪一處公園可以比擬。一叢叢杜鵑花紅得錦團似的，半熟的櫻桃鈴鐺般掛滿了枝頭。我們上去時還望到遠遠的山巒，和衣帶般的河流。可是，一會兒便又雨霧濛濛，山光水色，全在虛無縹緲間。山上最多的是澗水，水從山巔流下來，有時激成瀑布，有時儲匯成小沼，我們揀臨水的兩塊石頭坐下來，默默地看水流怎樣急急忙忙地從岩石上激盪而下，在沼裡緩緩地徜徉一會，又在一處缺口變作激流奔向底下的溪牀。水聲和鳥語組成了一支和諧的樂曲、言語，在這裡竟成一種最無意義的東西。

這晚，我們宿在空軍新生社，旅社亦是依著山勢建築的，漫長的樓梯上鋪著猩紅的絨氈，走上去闃然無聲。我們揀了一間有走廊的房間，可以望得到公園的一角和山谷，底下是一個絢爛的花圃，靜得讓人以為是深山古寺。晚飯後，在〈藍色多瑙河〉的節奏中下了一局棋，一個舒服的溫泉浴洗去了一天的疲憊。回到房裡推開長窗一看，喲！那滿山滿谷，滾滾騰騰的濃霧，挾著不可禦的寒意，直湧上樓台，只待要竄進房間來——猛然背後伸過一隻手拉上了窗門，拉窗的人猶自笑著說：

「快關上吧，我怕妳會駕著那雲霧騰空飛去！」

●

亂哄哄忙了幾天，會開完了，驟然落入清閒中，主人在廚下忙碌，我拈著一本紀德著的

《窄門》，字在眼底滑過，思想卻是一片混沌。囂鬧的市廛聲，火車汽車不斷地長嘯短呼，隨著都市特多的煤灰塵埃，讓風送到我枕畔。我闔上眼，腦海裡忽然浮上一片綠蔭，使煩躁的心獲得一片蔭涼，呵！是的，我應該回去了。我惦念著那幽靜的，兩旁綠樹拱遮的馬路，惦念著小城那份為我所熟悉的恬淡的氣氛，窗前播下的花籽該已長得綠葉滿枝了，花母雞不知可曾帶了牠的雛雞出巢？都市果是陸離燦爛，瞬息千變，但習慣於恬淡生活的我，已越來越惦念打開窗戶承受那一片透過綠蔭的潔淨的陽光和細碎的鳥語。回去小城的欲望如同來時瞻仰都市的誘惑一般不可抗拒地支配著我，不管主人怎樣挽留，我還是動手收拾起行裝。

臨走前，我又在都市作了最後一次巡禮。街上永遠氾濫著人的流，車的流，那麼匆促那麼迫忙。那些高貴的紳士淑女有著同樣凜然的神情。可是，奇蹟似的，有時突然會從你背後伸過一隻手來，親暱地拍肩拉臂，牽裾引衣，或是衝著你堆一臉殷勤的笑。你也許會驚訝這陌生的城裡那來這些熟人，這裡面有小腳伶仃的老太太，有中年主婦，有妙齡女郎，還有六七歲的小妹妹，他們並不是跟你有一面之識，只是向你兜銷一張愛國獎券。你要略一猶疑，他們立刻便展開包圍攻勢。七嘴八舌，獎券直觸你鼻下，你要敷衍了一個，馬上無數隻手臂全向你皮包裡亂塞，口沫也朝你臉上飛濺，這是把生活寄託在別人僥倖心上的一群，三百六十行之外一行。

在這裡，那莊嚴的建築裡，在一個目標下多少人勤懇地工作著、策劃著，把軍事、政治、經濟混凝成一股反攻大陸的力量。在這裡這堂皇的殿堂裡，在一個前提下，多少人絞著心血腦汁，把音樂、美術、文藝、貢獻給大眾，建立起反共抗俄的心防。別了，你這戰鬥中國的司令台，你這自由中國的神經中樞。你一直是在不停地變化，不斷地躍進，希望當下次看到你時，比現在更莊嚴、更偉大。

鈴聲一響，火車由緩而速的移動了。一隻隻揚著手臂終於失落在車後。我退回座位，悵然若失。造物可真吝嗇，才給了人一份相聚的歡樂，馬上又用別離的辛酸來抵償。

來時短短的秧苗，如今已一片綠波。我把倦澀的眼光從大自然中收回來，打量著那些旅程上的同伴，全是陌生的臉和倦態的神情。坐在我對面的是一個本省籍的中年婦人，也跟我一樣，是孑然一身。我們曾經用微笑打了個招呼，可是由於言語不通，各人說了一句話，換來的卻都是惘然的神情，我打開了帶來的書本，但沒看到幾頁，心裡便像有什麼直往喉頭湧來，多漫長而寂寞的旅程呵！

如今，我又靜靜地坐在窗前，對著滿院的蔥蘢和淅瀝的雨聲，給住在葉尖的友人寫信。這次去台北不是沒有收穫，使我抱憾的是，多少計畫中要去看的友人不曾去拜候，多少打擾過的友人不曾去辭謝，不知這些友人能不能接受我誠懇的道歉與謝忱！

民國四十年五月

編註：本文原刊於《中央日報・副刊》，一九五一年六月十二、十四、十五日，第六版。

當我回到家鄉的時候

離故鄉越遠，對故鄉的憶念越益深沉。

記得離開故鄉時，正是「暮春三月，江南草長，雜花生樹，群鶯亂飛」之際，火車沿著綿綿的春野進行。對這趟遠離，我並沒有太多的留戀，因為跟著父母出門已不是第一次，但沒想到這次離鄉中間卻經過了兩次戰亂。那時，我還是個浸沉在父母的溺愛中，忙著給自己編織夢幻的大孩子，有點懵懂，也有點羞怯，除了幼時嬉戲活動的小圈子，對周圍一切都感到隔膜和陌生。因此，如今在我憶念中的故鄉，也恍惚霧裡看花，影影綽綽卻更婉約引人。

我不太熟悉那些曾經為多少遊人讚賞頌過的名勝，那些曾經為多少騷人墨客題詠過的山水，在我記憶中構成故鄉的是一些蜘蛛網般遍布在全城的，迂迴曲折的河流及各式各樣的石橋和拱橋，和一條條用光滑的鵝卵石鋪砌的街巷。小巷裡森嚴的黑漆大門緊連著砌花的圍牆，三兩枝吐蕊的桃花，豆一般的青梅，頻頻探首牆外。陽光便從枝葉間悄悄地灑下，像灑下一地燦燿的金錢。清晨，賣花孃清脆的喚賣聲響徹了冷巷，還有賣雜貨的悠悠的鈴鐺，和賣甘草梅子的那搖得的溜滾圓的搖盪鼓，這一串單純的音樂串起了小巷的永晝——我便偏愛那份恬淡寧靜的氣氛。

我還記得母親總愛在我們睡的那張紅木大牀上，雪白的羅帳中間懸上一只綴滿茉莉和梔子的小花籃，每天由賣花孃來換插上新鮮的花朵，睡時只聞得花香幽幽，沁人脾肺，如今，每夢著故鄉，鼻際彷彿兀自繚繞著那縷幽香。

我愛故鄉，只為那是我生長的地方，那裡的一撮土、一枝樹，都使我夢牽魂縈——「白日縱歌須當酒，青春結伴好回鄉。」這正是時候，正是時候！我的信心告訴我，當真理抬頭的時候，當強權覆滅的時候，便是我回到故鄉的時候。

那時候，當我回到家鄉的時候，我將花一年的時間，親自從廢墟中建立起新的家，那些古老腐朽的建築已摧毀的就由它摧毀吧！我們重建的家將是簡樸、堅固、美觀而充滿了了解和溫馨。我將親手整理荒蕪的田園，剷除莠草，撒下美與善的種籽。

那時候，當我回到家鄉的時候，我將花二年時間，遍遊全國的名山巨川。祖國的河山是如此壯麗！而我們這一代卻耗費太多時間在逃避戰亂中，為著補償這一段空白，那時候便由故鄉作出發點，我願一寸一分，讓足跡印遍祖國豐沃的土地，我從大自然這部偉大的書中，盡量的吸蓄寫作的靈感，培養寫作的情操……當我倦遊歸來，胸襟豁朗，十幾年的積鬱，一股腦付諸白雲流水，再重新提起筆桿讓豪情奔放，熱忱溢注，文思暢流。

那時我將擁有一個我夢寐渴求的圖書室，好讓我隨心所欲的讀一讀那些巨著名書；那時我將有一間明窗淨几十分幽靜的書房，好讓我靜靜的寫作；那時候，文藝工作者的筆已不是向妖魔小丑挑戰的武器，配合著祖國重建的大業，它將是一支多彩的畫筆，描繪出新生中國的富強、壯健！

我渴望著那一天，期待著那個時候，那一天，當我回到家鄉的時候！恐怖、饑饉和逃亡已由人間遁跡！和平將統轄著世界！

民國四十二年六月

編註：本文原刊於《讀書》第三卷第一期，一九五三年七月十六日，頁十七、三十九。

山城憶

儘管歲月埋葬了年華。時光帶走了無數的夢，在有生之年，當你從煩囂俗慮中獲得片刻寧靜，悄悄地用思想的翼尖撥開時間的塵封，你將驚奇那些與你生活有過密切過往的事物境遇，依然那麼清晰地保存著，就似一部嶄新的拷貝。有人說：「生活剩下回憶，人生已無價值。」然而現實中若缺乏了憶念點綴，生活又豈不成了空白！「一切在剎那間過去，而過去的都值得回憶。」這淅瀝的雨聲，這濛濛的雲層，怎又不令人惹起往事如夢，我緬懷著山城，那曾經消磨掉我十年歲月的山城。

一座毗鄰著一座，彷彿是密密的蜂窩，城鎮全嵌在這群山叢中，萬壑爭流，千巖競秀。就是那一環青嶂，阻擋了外界的騷擾與進展，保留著山城那種忘世紀的靜謐和安詳。河流載負著歷史的憂鬱，這山繞到那山地蜿蜒潺湲著，兩岸青翠的樹木倒映在清澈晶瑩的水底，游魚恰似從枝葉間穿逐，有時驟然一個潑剌騰躍出水面，想是錯把樹巔花蕊當作食餌。古老的渡船緩緩地引渡著兩岸行人，櫓聲咿呀，槳搖頻頻，剎時攪亂了水底雲天。樹影晃得滿河綠色，白雲碎成朵朵棉絮。但船過處，須臾間又渾凝成一片，分不清是天上水底。

層層的梯田剛從山麓直翻耕上山巒，滿山遍野嫣紅的杜鵑和雪白的茶花，更給樸素的山城增添無限春色，夏天裡一片馥郁芬芳的柚子花香，瀰漫在空氣裡只薰得人沉沉欲醉，收穫的季節更到處是纍纍的果實和黃燦燦的稻穗，除了隆冬，隨時隨地你可以隨心所欲的挾一卷詩集，抑或挽著你親切的伴侶，緩緩地穿過田徑，爬上綠草芊綿的山坡。有泥土的地方總有茸茸的綠氈，揀一處憩下，或是仰看碧空萬里，雲波詭譎千變，或是在綠蔭下唸一首幽美的詩，或是和著松濤高歌一曲，心靈與自然在默默中契合，一天的困頓，轉瞬便化入虛無縹緲間。而寒風凜冽的冬天在山城逗留的日子也不多，當溫暖的驕陽從萬山嶺上直鋪瀉到大地時，人們便又可以嗅到春的氣息了。

山城的居民勤儉，刻苦而樸質，他們從不奢望豐衣美食的享受。窮富一樣地操勞作息。日出而作，日入而息，是他們一直保守下來的生活規律，清靜的街道上，代替紅綠燈的是一排蒼鬱的樹木，皎潔的明月有時比古舊的路燈還更光亮。就是這麼一個落後的小城裡，在那層層疊疊的峰巒下卻埋藏著國家珍貴的資源——鎢礦。當我第一次看見那黑色、發光，而輪廓分明、黑鑽石似的鎢粒，就同一般沒見過鎢的傻女孩一樣：把來鑲成各種各式的戒指戴在手上，嵌成玲瓏的別針扣在胸前，還仔細地用棉花錦盒包著，如同珍寶般寄給遠處的友人。誰也不會去想那竟是製造殺人的利器不可少的原料。我初次向社會獻出自己小小服務熱忱的，卻便是掘發這黑色石頭的機構——晃眼已是十年過去了。縱使時間是一分一秒都會從你身畔，從你眼底，從你指縫間經過，猛然寧神，總覺得它是逝去的無蹤無影。它使有收穫的人驕傲，使浪費的人沮喪，十年中，山城曾留下我失怙的悲痛，生活的酸辛，和青春的歡笑。稚弱的心終經磨練而堅強。面對現實，面對苦難，我用自己的脊骨挺立在工作崗位上，山城曾經塑造我也局限了我，不知道應該感恩抑是抱怨。迴溯中，卻只有一份深沉的惆悵。

山城，山城，你的靜謐樸實和十年寄居的那份情感，使你在我記憶之城占著龐大的一角。在你安詳的懷抱裡我避去第一次戰爭的劫難，如今，第二次更慘酷的戰亂，卻驅使我離開了苦難中的你。竹幕沉沉，憑誰寄我這份惆悵！

民國四十年八月

◎輯四

白雲故鄉

采采自從看了〈綠野仙蹤〉電影回來，成天就唸叨著仙人仙人，一個肥皂泡在空中飄飄欲墜，她說是：「仙人乘著花車來了。」一朵白雲在藍天掠過，她說是：「仙人駕著帆船走了。」傍晚，她偎依母親坐在階前，指著天上的白雲天真地問：「媽，那裡是仙人住的地方嗎？」

「嗯，仙人住的地方。」年輕的媽媽順著她的口氣回答，眼望著詭譎多變的白雲。一會兒化成人物，一會兒幻作山川。深沉的思念隨著清風遠颺，遠颺……「就在那白雲下面，海的那邊」，她用著做夢似的聲音說：「有很長很長的河流，有很高很高的山，有密密的森林，和廣闊無垠的豐饒的平原……仙人住在那邊，更多更多的人們也住在那裡，有幾個為人類最渴慕，也和人類相處得最親密的仙人叫作快樂、和平、豐足、融洽、恬靜——他們像輕風般悄悄地飛來飛去，便把快樂、和平、豐足、恬靜、融洽，布散在人們心裡，和人們住的地方。」母親頓了一頓，看見采采正仰著臉，一眼不瞬地傾聽著。於是又接下去說，說得更輕更緩。

「那裡非常的、非常的美麗，當春天來臨的時候，一片綠茸茸的大氈子從山巔一直鋪到平原，千萬朵黃的、白的，紅的、紫的小花灑在綠氈上，開在漲滿了水的小溪畔，柔細的柳枝還不住在澄清的水面畫圓圈，岸邊的桃花開得密密叢叢，遠看就像這美麗的雲，人在花下，臉映紅了，衣服也紅了，一陣風吹過，花瓣便紛紛落在看花人頭上、身上，人便同喝醉了酒一樣。

「春天的草原是牛羊的牧場，也是孩子們的樂園。

「夏天那裡有些地方還是很涼爽的，就是熱的地方，也不像這裡火辣辣的太陽烤得人出油，擠在小小的木板房間裡悶得人喘不過氣來。

「在那裡的河流比這裡的溝洫還多，有大河、小湖、還有池塘和潭，都美麗柔靜。不像海那麼猖狂。綠悠悠的水載著一艘艘輕巧的遊船。就像藍天飄浮著朵朵白雲。最好看的是蓮花開放時，滿塘亭亭玉立的荷花，襯托著肥碩的的綠葉，幾里外聞到陣陣清香。摘下的藕比隔壁胖小弟的手臂還白，還要嫩，蓮蓬就似一隻隻綠色的大蜂窩。船要打蓮塘經過，不但把蓮藕吃一個飽，回家去還在夢裡縈繞著那清幽的芳香咧！」母親說時，漸漸落入沉思中，采采用小肘子輕輕地推她，碰醒她，邊問：「還有呢？媽。」

「噢，還有，還有秋天更美啦——那時果子和稻麥全成熟了。紅的蘋果，金黃的杏子，大紅的橘子，紫的葡萄，還有刺蝟球似的栗子……種類多得很呢！

「秋天裡，楓樹像一支支燃燒著的大火炬，映紅了山谷，也照亮了庭院。楓葉比這裡的鳳凰木花還紅得深哩！夾在書裡，三年、五年，拿出來的還是一樣的紅。為著比賽誰拾的紅葉多，孩子們會一口氣從山腳跑上山頂。

「等滿街響起叫賣『白果、糖炒栗子、和尚菱』的聲音，就快要過中秋節了。這是一年中最富於詩意，噢不，應該說是最美最富人情味的節日，一到晚上，家家都在門口供上香案，擱下十幾碟鮮果，還有插香的斗。重重疊疊，疊成寶塔似的。上面紮著『嫦娥奔月』，『玉兔搗臼』的故事，裡面還撒上檀香末，燃起來滿街香煙繚繞，彷彿騰在雲霧裡。月亮上升時，一家人便團坐在月光下，興高采烈地吃著團圓筵。

「孩子，妳還不曾見過雪吧，雪就同最白的糖一樣，一到冬天，那裡就會下雪，雪花輕輕地，悄悄地飛舞著，像滿天的仙女在彈著棉花。

「北風一緊，雪，就凍成了結結實實的冰。於是青年人又一個個套上溜冰鞋，在光滑的冰上飛快的溜著，只聽見風在耳邊呼呼地響，五顏六色的圍巾跟衣裙在風中飄揚，就像蝴蝶在花叢裡穿來穿去——孩子，妳看見一定會拍著手跳起來呢！

「一下雪接上就快過年了。過年才真真熱鬧哪，那時連大人也變了孩子的。吃的、穿的、看的、玩的！呵！太多了！簡直三天三夜都說不完──」

「媽！多好玩呀！」采采羨慕地嚥下一口唾沫，收回盯住在母親嘴上的小眼珠，又去仰望那片飄忽的白雲。「媽，妳去過那裡沒有？」

「傻孩子，媽本來就生長在那裡的喲！連妳也還是在那裡生的哩──。」母親笑著拉起采采的小手在她有酒渦的臉上摩挲著。「那時妳還小的很呢，有一天晚上我抱著妳在窗口看星星，天很高，很藍，彎彎的月亮像一把雪亮的銀匙，忽然我看見兩顆並著的星星在搖晃著，一下子就變成二道白光直射到我懷裡。我駭了一跳，連忙低下頭來看時，卻見妳正睜著一對明亮的眼睛望著我微笑──星星變了妳的眼睛！」母親說著望著采采那雙烏黑、明亮、水銀般盈然欲滴的眼睛。透明的眸子反映著霞光，正像美麗的虹彩般閃爍著。

「我不來，媽瞎說！」采采撒嬌地一頭納入母親懷裡──一會兒又抬起頭來，眼睛睜得大大的。「噢，媽，那裡那麼好玩，妳為什麼要離開，為什麼又不回去呀？」

「唔。」彷彿一片雲翳遮掩了燦爛的太陽，母親輝朗的臉立刻陰沉下來。「因為那裡現在出了妖怪。」

「跟電影裡一樣的妖怪嗎？」采采本能地貼緊了母親。

「比那個還要兇，還要狠。起初牠們都戴著和善的假面具，說著美麗的謊話。哄得善良的人們入了他們的圈套。牠們就把假面具一去，露出原來猙獰面具。牠們把許多許多人的房子占了、燒了。把許多許多人活命的糧食、財產搶了。牠們還壓迫許多許多人去做奴隸、做苦工、做炮灰……誰要是稍微違抗他們的命令，牠們就拖來活活地打死、殺死。牠們把『快樂』、『和平』、『恬靜』這些仙子關閉在黑暗的地窖裡，把『豐足』、『融洽』她們打傷了，丟在深谷裡淌著血……」

「怕！媽，我怕！」采采雙手掩住臉，倉皇欲泣。

「不怕，孩子，妖怪是不敢到這裡來的。」母親忍住悲憤，輕輕拍著采采的背心安慰她——采采突然放開掩住面孔的雙手，像想起了什麼似的，神情嚴肅而果敢的望著母親說：「媽，箱子裡不是有一把爸爸的指揮刀嗎？」

「嗯。」母親茫然回答，記起那天曬箱子時確是有一把指揮刀，刀柄上鐫著「革命魂」三字，還是采采爸爸在軍校畢業時的紀念品。

「那為什麼不拿刀去殺妖怪呢？」采采做了個有力的手勢，責備地看母親。母親先是愕然一怔，接著突然激動地把采采擁在懷裡。眼睛裡噙著兩眶熱淚，喃喃地說：

「孩子，妳說得很對，總有一天，爸爸、媽媽，還有千千萬萬從海那邊給妖怪趕出來的人，會一起殺回去，把可惡的妖怪殺死，把受苦受難的仙人和許許多多善良的人們解救出來。仙人原是最喜歡孩子的，我們要讓『快樂』、『和平』、『豐足』、『融洽』、『恬靜』他們，永遠永遠伴著我們——孩子，我們正在等著那一天哩！」

「那一天不會太遠的。」一個沉毅的聲音在母女倆身後響著。兩人回過頭去，六隻眼光交融在一起——是采采的爸爸。采采從媽媽懷裡伸出手去拉住他的手，握得緊緊的。三人不約而同地望向遠天。那忽聚忽散，縹緲幻譎的彩霞不知何時已渾凝成光燦絢爛的一片，緩緩地，緩緩地移動著。風過處，隱隱地傳來莊嚴、深永的集合號聲，那麼飄忽、輕悠，彷彿來自雲霄的仙樂。

民國四十一年七月

編註：本文原刊於《中國勞工》第四十五期，一九五二年九月十六日，頁三十～三十一。

母女

窗前栽的絲瓜藤還未爬上窗台，街上強烈的陽光已反射進來，熱烘烘地，關上窗吧，只堵住了偶而吹來的溫風，熱流卻依然透過玻璃氾濫。噯，又是夏天了。可是，誰又曾見過春天來著，縱使有，也只似蝴蝶掠過眼前，才炫耀於它的綺麗璀璨，一瞬眼便又去得無影無蹤。

懣怨春光太吝嗇嗎？抑是擔憂長夏催人老？可是四季長綠的樹木偏是青春永駐。這緊挨著北回歸線的城市，就是這般使人困惑。

寶島有四凶，而這裡（屏東）的太陽便是四凶之一。那無垠無涯，奪目灼膚的遍地火焰，幾乎有使鋼鐵彎曲，磚石碎裂的銳勢。尤其是午後二三點鐘，被烤炙得灼熱的空氣中，似乎摻著一種營營地、使人頭脹眼困的聲音。路畔的樹木一齊軟軟地垂下了頭，偶或懶洋洋地伸展一下枝葉，像困在一個醒不來的夢裡。木履敲著石板已失去了那種清脆的節奏，三輪車、腳踏車上的膠輪一路緊吻著將融的柏油，機軋機軋地聽得心頭說不出的難受。賣冰棒的鈴聲，使人想起在沙漠裡蹀躞的駝群……

馳騁在字句間的眼光逐漸滯澀，意識緊隨著鈴音遠揚……驀地醒來，悶熱的空氣使人窒息，額上項際已滿是涔涔的汗水。我索性起來到窗台上去，希冀那棵老榕樹會帶給我一些涼風。

老榕樹衝出在街上，彎腰曲躬似在恭迎著行人，樹蔭正好遮住屋子的一角蒼勁的樹枝上疏落地懸掛著些根莖，像一排排棕色的鬍鬚。

我瞧著那排長鬚，思想像山谷裡的雲霧般混沌，這時，一陣熟悉的鐵輪輾地的嘈音由遠而近。不多時便在拐角上轉過一輛遮著紅傘的孩子睡車（嬰孩睡的小鐵牀上按了四個輪子），由一個頭髮結成辮子盤在頭頂，穿一件褪色花麻紗旗袍的中年婦人緩緩地推著過來，旁邊還跟隨著一個四、五歲的男孩子。

好些日子來，每天差不多一定的時候，我總看見和聽見這輛車子打這裡經過，終摸隔了一、二個小時，又打從相反的方向回來。有時車子後面跟著一個孩子，有時跟著二個，（還有一個六、七歲的）很少時候光推一輛車的，車子上遮著紅傘，跟著走的孩子帶著大草帽。那婦人卻光著頭臉盡灼熱的太陽烤灸。原來不怎麼大的眼睛瞇著細著，擠得眉稍額角全是皺褶，寬寬的臉上冒著亮晶晶的油和汗，旗袍背後時常還給汗浸濕了一塊，緊黏在背上。腳上一雙白帆布鞋給灰塵染成了灰黃。她的裝束彷彿經過了艱辛的長途跋涉。但她那平靜而略帶困倦的臉上，從未流露出一點煩擾的神情，一路走著還不住關心地牽牽傘蓋，照扶一旁走著的男孩，輕輕地向他說什麼。

現在，她們正朝榕樹底下走來，那男孩緊扯著她的衣角，顯然在鬧彆扭。她在樹下歇下車子，先在車內整檢一下，然後替男孩子解除了草帽，扯下車欄上的毛巾給他擦了擦汗，指著樹根溫和地說：

「坐在這裡歇一歇吧，有風。」

「我不歇，我要喝水。」孩子嘟起嘴將身子一扭。

「乖，等冰棒來了給買冰棒吃。」她一面安慰孩子，一面舉起手來遮著眉額，向馬路兩端探望——可是這時街上靜靜的，一隻黑狗伸著鮮紅的舌頭打橫過去。賣冰棒的卻渺無影蹤。

孩子纏著他母親吵得更厲害——

「小朋友，要喝水這裡有。」我倒了杯開水，便在窗口遞出去。

「噢，真是，這怎麼好……三兒看全是你，還不謝謝這位阿姨！」做母親的感激而忸怩地過來接了杯子去，孩子卻不管那些，貪婪地就著母親手裡便咕嘟咕嘟大口喝起來。

「別喝光了，留點給你姊姊囉。」她悄悄地關照孩子，我看見她不自覺地舔了舔乾裂的嘴唇想來也很渴了。

「喝完了再倒好了。」我說，詫異她說的「姊姊」在哪裡。

「那怎好盡麻煩你。」

「沒有關係，可是這麼個大熱天，你每天推著孩子去那裡呢？」

「唉，就為這苦命的孩子囉，每天得送她去受電療。」她說著還是端著那半杯殘餘的開水，一手解下了車上的陽傘，睡車裡的孩子便整個地顯露出來。那孩子的頭臉看起來似乎比旁邊那個男孩老氣得多，頭髮不長不短，也分不出是男是女，兩隻白多於黑的眼睛茫然翻向上面，露出一嘴的白板牙在傻笑。腹上搭了一條大毛巾，下身還是繫著尿布。最不相稱的是那瘦小的四肢，細得就像螳螂腿似的，上肢還似胎兒般蜷折在胸前，手心向外。下肢卻因牀太短了，O字形的彎曲著。孩子的母親一手插進枕下去托住她的後腦，輕輕地把頭抬起，抬到頭部約莫離枕頭一、二寸，頸項就強硬不能彎曲了，她將毛巾塞在她頸圍，挪出隻手來，就那麼懸空著身體，彎著腰，將茶杯小心地湊了過去，她的嘴唇一碰到杯沿就嬰兒似的吮啜著，可是儘管她怎樣小心，水還是沿著兩頰淌到毛巾上。

「哎！」她餵完開水，就似鋤了半天地站直來，一手撫著腰肢吁了口氣，大顆的汗珠在額際滾滾欲墜。她拉出手帕來擦抹了一下，又把來當作扇子般急速地揮動著，望見我正關切地看著她等待下文，於是笑了笑緩緩地說：

「說起來，我在這孩子身上花的心血，可以匯成一條河了。……」

原來那是她結婚後第一個女孩子，生下來十一個月就得了急性腦膜炎，僥倖不曾死，卻成了這副殘廢狀態，兩條腿永遠緊緊地貼在一起，兩隻手永遠曲折地彎在胸前。要把她抱起來身軀就弓一般彎向後面。而她的智慧更從此像墜星失去了光芒。她唯一剩下的本能是哭，餓了就哭，其他冷熱、尿屎、喜怒哀樂卻完全無知，也不知看過了多少醫生，沒有一個能減輕她的病狀。這次朋友介紹了個電療醫生，說是二個月包醫好，現在醫了半個多月，兩腿居然稍微可以伸曲了──

「有這般神奇的醫術！二個月是包括恢復智慧嗎？」

「這個，醫生倒沒有說，」她吟思著，臉上掠過一層淡淡的陰影。「不過只要她能夠走動、能夠自己管理吃的痾的，已經是謝天謝地啦！妳想，現在這麼大我已經抱不動了，再下去可怎麼辦？」

「那麼她現在有幾歲？」

「十一歲。」

「十一歲！」我再望望睡車裡那張木楞楞毫無表情的臉，那個畸形的身體。望望那做母親的結實而矮小的身體，驚異那小小的身軀內怎會蘊藏這許多毅力和恆心，「妳就這麼侍候了她十年？」

「可不是就這麼侍候了她十年。」她幽幽地說：「記得那年逃難，她爸爸不在家，我抱了她走了半個月，溺的尿還把我穿的一件厚棉袍給浸爛了，現在一到陰濕天，兩隻手臂就疼得抬不起來。」

「哎！虧妳這番好耐心！」脫口說出這話，我又覺得自己太突兀了。

「有什麼法子呢！好歹總是自己的骨肉。」她說著眼眶紅了，掩飾地俯下頭去整理牀褥。

十年，多麼悠長的日子！花十年的精力在一項學識的研究上，可能成為專家，花十年的功夫在理想的追求上，生活將充滿希望。就是栽了十年的樹木也能開花結果。而她卻任怨任煩地，將十年的精力和功夫花在一個沒有感情、沒有智慧，更不談報酬的殘廢肉塊上，一個無望的累贅，最可悲的是含辛茹苦地撫育了十一年，還不會喚一聲媽媽——這是為了什麼，只為她是她的孩子，而她是她的母親！

母親的愛是一片無遮攔的驕陽，沒有偏私的一概給予光和熱，母親的愛是綿綿的春雨，不管沃土瘠地一般的予以滋潤！

那母親正小心地試著把孩子細小的腿伸直又曲起，帶著無限欣慰和全神貫注的神情，而癱子卻依然露出白板牙傻笑著，漠楞楞地瞪著她母親。突然間我看見母親那疲困的臉上洋溢著一層光輝，像聖瑪利亞抱著幼子耶穌那種無比聖潔、慈祥的光輝，那光輝使她平凡的臉顯得聖潔而美麗。

「得回去了，弟弟還等著我吃奶哩。」她像對我又像對那猶自瞪著她傻笑的癱子說，仔細地給她蓋好毛巾，把蜷著的腿弄舒服些，遮上傘。又給男孩子繫上草帽——那些小動作裡都蘊藏著取之不盡，無窮的慈愛。於是她推著睡車，照拂著男孩，又一再向我致謝道別。

那鐵輪輾著地面的聲音，和那推車的人略現蹣跚的背影逐漸遠了、淡了，終於消失在一叢紅葉樹後。

一陣涼風掠過，榕樹嘩然歡呼私語。賣冰棒的鈴聲串起了一片的岑寂。

半天，我把眼光從豔麗的紅葉收回，肅然打開手頭的書卷，那第一句閃入眼簾的便是：

上帝不能每一個地方都存在，所以創造了母親。

民國四十一年四月

編註：本文原刊於《中國一周》第一〇七期，一九五二年五月十二日，頁二十二。

拐角那一家

二個月以前，下女走了。我想這樣也好；每天早晨上街遛達一趟，運動運動，換換新鮮空氣。於是，我帶著點靦腆，開始提起了菜籃子。

我上菜場喜歡去得早，常常當鄰近的主婦們還在盥洗化妝或是收拾屋子，我便穿過猶是靜靜的小巷，輕快的走上街道，這時，馬路兩旁繁茂的樹剛從綠色的夢中醒來不久，葉子上還閃爍著昨夜的露珠，更顯得清翠蓬勃。涼沁的晨風就像一支輕輕的塵拂，拂除了一切隔夜留下的悒鬱，而清晨的街道看來是那麼整潔、寬敞，趕上班的腳踏車平滑地飛馳著就似飛燕掠過水面。搭早班火車來上學的學生又似一群從森林裡竄出來的麻雀。一路上嘰嘰喳喳，跳跳躍躍，偶或匆匆地走過一個赴早市的菜販，籮裡那青翠欲滴的蔬菜還散發出一種來自田野的氣息……這一切都沐浴在早晨那柔和的朝陽裡，看來是那麼蓬勃而富有生氣。我覺得我的血液迅速的在血管內流轉著，一身充滿了生之活力——我在不知不覺中深深地愛上了這小城的早晨。

一天天走熟了，我熟悉這兩條街上的建築和草木，就同熟悉我排列在書架上的書本一樣；閉上眼我可以默數出來那裡是一座小樓隱藏在樹叢裡，那裡是一帶赭紅的圍牆。圍牆盡頭佇立著一棵彎曲的相思木，就似一個躬身延客的老人。再過去便是一帶鋪面，有竹器店、雜貨店、小吃店，而這些店鋪中給我印象最深的卻是拐角上一家小小的豆漿攤。

豆漿攤就擺在兩家北方小吃店前面的人行道畔。整個買賣帶調製只在一輛台灣習見的像桌子又像櫃台的小車上。車上是一鍋熱氣騰騰的豆漿，一隻玻璃櫃裡擱著調味品、碗碟和油條燒餅，三面還空出一路櫃台好讓顧客們坐著吃，這一切都收拾得很清潔，照顧這一切的是個年輕的女人。有時去得早，也可以看見一個瘦瘦的男人在一旁幫著收收錢，一個六七歲的男孩子在她跟前盤旋著，旁邊一架搖籃裡還躺著一個小的——但大部分時間總是她一個人手不停腳不停的張羅著，一會兒這邊要一碗甜的加雞蛋，一會兒那邊要兩碗鹹的帶燒餅。她一面應接不暇的應諾，一面還不忘記招徠新主顧。她有一副苗條的身材，蛋形的臉上嵌著一對靈活的眼睛，生得很秀氣。但她並不像一般作生意的女人那樣著意修飾自己，用色相以廣招徠，她經常總是穿一件半新舊的淺藍陰丹士林旗袍，臉上保持著本色。唯一使她顯得動人的裝飾是唇畔那一抹親切的不帶絲毫矯揉做作的微笑，每天早晨走過豆漿攤時。她就用那微笑向我招呼著：

「豆漿熱的，喝一碗吧！」

聲音裡那份親切殷勤的味兒，就似一個友人招呼你同她喝一杯咖啡，經不住她一次二次的邀請，我終於也作了她的座上客。不過我從未在那車座上坐過，因為她後面那兩家北方小吃是向來不做早市的，由於她聯絡得好，早晨那一段時間便算屬於豆漿攤的「雅座」了。

也許由於她那份親切得體的招待，小小的豆漿攤總是生意興隆，不斷的人來人去。因此有的人看著眼紅便動起腦筋來，有一時緊靠著原來的豆漿攤也擺了那麼一座，貼著大張的紅紙廣告，二三個人在那裡張羅著，幾乎是拉夫式地強邀著主顧，我看看有點不平，趁她端豆漿來時向那邊呶呶嘴問她：

「跟你競爭來了？」

「做生意都是一樣的。」她不在意地笑笑，依舊用那溫和的聲音說。

但另外那座攤子沒擺上半個月，又悄悄地推到別處去了。

那天我又看見那男的在那裡收錢，等我喝完豆漿出去預備把錢給他時，他卻不知什麼時候已換上一身整潔的中山裝，手裡執著一卷書，牽著大的孩子穿過馬路去了。

「這是妳先生？」我問她。

「嗯。」

「他怎麼不來幫忙妳？」

「他呀！越幫越忙。除了一早給推了一把磨，什麼也做不來。」她望了一眼走遠去的背景，笑著調侃道。「不過他教一天書也忙得很。」

「他是？……」

「小學教員。就在這裡××國民小學。」

我這才恍然大悟他為什麼穿的那樣整潔，而模樣也文質彬彬的。

「他本來在大陸一直就是教書的，少說也有六七年了。」她一面招呼生意，一面同我攀談起來，說到自己的丈夫雖然那麼半諧半謔的，語氣當中多少帶著點善意的標榜：「當慣了教書匠，搞什麼都彆彆扭扭的……我們剛一來台灣時才慘啦，事情找不著，一點積蓄又快光了。後來還是我出主意，說是先做點小生意什麼的湊合湊合，不是嗎？路都是人走出來的。後來我們那個找到了學校裡的事，還攛掇我把豆漿攤歇了。我說你教你的書，我擺我的豆漿攤，我們河水不犯井水，花力氣掙錢，又不會少掉點什麼的，妳說是不是？」

「那當然！」我笑著點點頭。「恐怕妳先生教書的待遇還抵不上妳擺豆漿攤掙的錢多？」

「那又不同啦！」她眼睛一抬，嚴肅地說：「教書雖然清苦點，好歹總是一份事業，精神上有個寄託。至於我這個，」她把杓子在豆漿鍋上一敲，「是沒有辦法才幹的，當真還能幹一輩子不成。你想現在跑到台灣來，是真弄得『赤腳地皮光』了，別的不說，多少也得積一點將來回老家的盤纏。不怕妳見笑，我學一句現在最流行的新名詞，這也叫『克難！』」

她笑得那麼直率爽朗，以致把「雅座」裡一些主顧都引得回過頭來。

「妳住的離這兒不遠吧！」我這麼猜測著，因為每天早晨不管你來得多早，她的攤子總是比你更早。

「哪！就在這裡。」她手裡配著鹹豆漿的作料，只用嘴向後面一呶。我朝她指點的看去，那原是二家北方小吃店中間的一條夾弄，前半截挨壁擱了三張吃豆漿的小桌子，後半截便用一扇薄薄的板門擋著，頂上蓋著舊鉛皮、樹皮什麼的。

「就是這夾弄裡？」我幾乎有點不信任自己的耳朵。

「可不是，這年頭大陸上多少人還沒吃的沒住的，只要有一角能夠遮風躲雨的也就滿足啦。」她笑著向我點點頭，一手端起一碗豆漿，扭動著腰肢，迅速地向雅座走去——

那天晚上我們看了電影回來，走到拐角處遠遠地便看見那條夾弄裡投射出一縷淡淡的光亮，想著那一家人不知怎樣踻踏地生活在那狹隘的小天地裡，我不由得放慢了腳步——

夾弄裡那扇薄板門敞開著，就在弄底緊嵌著一張牀鋪，擺豆漿攤的女人便安詳地坐在牀沿上織絨線，一面用膝蓋輕輕的撞著面前的搖籃，一張吃豆漿的小桌子擱在中間，那男的正在埋頭批改著什麼，旁邊還堆著一大疊本子，桌子對面跪著那個男孩子，聚精會神的用蠟筆在塗畫，電燈吊得矮矮的，用一張硬紙剪的燈罩罩著，在四周投下一圈柔和的光輝，所有的人便沐浴在這一圈光輝裡。

那女的忽然笑起來，眼睛裡揚射著讚美和鼓勵的光采，男的也抬起頭來注意的看著，抿緊的嘴角鬆弛了，浮上一抹微笑。原來那孩子正揚著一張紙，向父母炫耀自己畫的作品，小臉期待什麼似的仰起著，——突然間，我覺得那簡陋狹隘的小屋子忽然變的美麗而充滿了幸福，這一幅畫面也給了我一個啟示……就是形成一個安樂的「家」的，不一定是那些寬敞的屋子、華麗的窗簾、精緻的地氈、舒適的沙發……而是那些常被人們忽視的，一個親切的微笑，一個溫柔的瞥視，一種安詳、恬靜而溫暖的氛圍和一種知足常樂的情懷……

明天早晨，噯，明天早晨我將痛飲一碗濃濃的豆汁，為他們祝福！

民國四十一年十一月

編註：本文原刊於《國風》第四期，一九五二年十二月十五日，頁五、七～八，原題〈豆漿攤的女人〉。

春雨

春天的太陽恰像一個愛嬌而又善感的少女，方才還是一副嫣紅的笑靨，放射出一片喜悅的光芒，剎時間卻又在爽朗的臉上堆起一團陰翳，撒下成串的淚珠。春雨濕潤了大地，像愛的甘露滋潤人類的心靈。

一個淺綠裙裾、淺綠辮結的女郎，像一枝才出土的柔荏的小草，經不住驟雨的襲擊，悄悄地縮在屋簷下。望望天空，灰雲密布，深巷裡街景冷寂，只有雨聲伴著沉默，秀長的眉毛立時在光潤的額前打了個緊結。

「小姐。可不可以允許我送妳一段路？」一個殷勤的聲音，一頂向雨示威的傘，一個青年在她身畔停下來。

「唔，」她躊躇著。再望望天空。依然灰濛濛的毫無晴意。「不太麻煩你嗎？」她感激而又羞澀地瞥了他一眼。

「不，這在我是無比的榮幸。」

「那麼，謝謝你。」

傘面上的滾墜著雨滴，傘底下回響著腳步的韻律。遙遠的兩岸間架起了小橋，兩顆年輕的心與心之間撤除了陌生的屏障。

春天的陽光在水面鋪上了密密的金鱗，春天的花朵在水底下倒映出嬌豔的倩影，河心，一隻藍色的小艇輕輕盪漾，艇內洋溢著青春的歡笑。

驟然，千萬支纖細的銀絲，在恬靜的水面激起了千萬個圈連圈的漪漣。

「下雨了哩！」玫紅的手指浸在碧綠的水面，帽上綠色的絲帶飄揚在風裡。

「避一避吧？到那邊去。」結壯的手臂緊划著槳，小艇飛也似地滑過水面，像一支脫弦的箭。

亭亭的荷葉張開了綠色的翠蓋，隱蔽在葉間的小艇，恰似覆在綠陰裡的鳥巢，木槳擱在舷畔，草帽丟在一邊。人兒悄悄的沒有一句話，深怕驚破了這青春的溫馨。

「瑜……」他輕柔地，像撥著小提琴的低音的E弦。

回答是一個甜甜的微笑，如四月裡初放的薔薇。

磁和電接觸了，默默地，兩道深情的視線拉短了兩心的距離，兩個靈魂密切的偎依，兩顆心融成了一顆。

雨珠頻敲著荷葉，淅瀝，淅瀝……

淅瀝，淅瀝……雨水把碧綠的葉子洗得閃亮，把潔白的小屋洗得耀眼。蔦蘿牽纏的竹籬圍著紅的玫瑰，紫的丁香，黃的美人蕉……春在小園裡常駐。

她緩緩地漫步在園中，這裡，一朵待放的蓓蕾吸住了她的凝視，那裡一枝歪斜的枝幹需要她輕輕地扶起，偶一回眸，她記起了簷下還有二盆未沾春雨的茉莉。

門開了，進來的是他。

「看妳，……」聲音跟著腳步一起搶到她的身邊。

「我只是想讓它沾點雨水。」她忸怩地擱下了花盆。

「就不愛惜自己！」責備而愛憐的眼光滑落下來，逗留在她隆起的腹部。她笑著不語，只是低下頭摘了朵盛開的茉莉插在鬢邊。

「香不香？」她問道，湊過臉去。

嗅著的鼻子從花瓣溜到沾著雨的頰上。

「香得很，我分不出什麼更香──噢！妳這樣愛花，我猜小東西生出來準是個夏娃。」

她還是笑。雨更大了，他將雨衣敞開，小心地裹住她走進白色的小門。

時間是永恆的流，季節是流中或明或滅的泡沫。

春天是一首美麗的樂章，陽光和雨水便是那裡面的音符。流水無休止地流著，樂章反覆地演奏。春雨一度又一度地滋潤了大地，像愛的甘露滋潤人類的心靈。

民國四十年十一月

編註：本文原刊於《新文藝》第一卷第一期，一九五二年一月，頁三十九，原題〈溫馨的愛〉。

我是怎樣從事寫作的

——是遠在十年前，正值我無憂無愁地遨遊於夢之王國，生命像三春陽光下的花朵一般蓬勃燦爛時，家庭裡一個突然的變故，把我從理想的雲端打入生活的泥沼。周圍的一切是那麼陌生而複雜，稚弱的心靈一時不能適應這驟臨的現實的考驗，我變得苦悶、消沉，就在這時恰似一個溺水的人撈著了一張浮木般，我終於找著了寄託心靈、宣洩情感的路了——學習寫作。我寫著自己心裡的聲音；我寫下對光明的渴念，也寫下對黑暗的詛咒，慢慢地，我不再消沉苦悶，我不僅敢正視現實，對生活也堅定了信心。我把學習寫作當作一支舵，按上我那時漂流在人海風濤中獨自奮鬥的小舟。不管波浪猖獗，風飆獷厲，我只潛心把著我的舵……這一段摘錄自我寫在第一本集子——《青春篇》的前面，約略說明了我是怎麼開始寫作的。

不過這裡所謂開始寫作，是指開始對外投稿而言。遠因是我從小就是個小說迷，一半受愛書成癖的父親的薰陶，一半是有著寂寞的童年和青少年，當像我這般年齡的孩子正在學校演算雞兔同籠什麼的，我卻常常在家生吞活嚥地啃父親書櫥裡的章回小說、彈詞腳本，看完自己家中的、親戚家的，父親還替我去圖書館借那時的新小說。也許，就是那樣打下了一點國文基礎，和對文學的愛好。當我越級進入中學時，居然第一篇作文就得到國文老師的賞識，記得發作文時叫我自己唸一遍，說什麼我也羞得低頭只不作聲。倒是老師用他唸古文的腔調朗讀了一遍，真使我說不出的惶恐，高興又得意！之後當場還賦予我一份特權說是「妳如果有題材，可以自由發揮，不必限於我出的題目。」他還鼓勵我給校中的壁報多寫點東西，記得我那時曾學寫了一個獨幕劇，什麼題目已忘記了，交給曾老師去修改，不想他看了過後卻代我交給縣裡一個小報去登載，可是那家報紙只載了一個開頭，又遺失了原稿，要我重抄一篇給他們。我卻已把底稿丟掉，這個有始無終的劇本在我的寫作記錄上，自然是沒有地位的，這以後，忙於功課也就少寫，值得一提的，便要推算到正式投稿的另一篇處女作了。

記得父親去世不久，故鄉又為烽火隔絕，生活的負擔迫使不懂世故的我離開學校，糊裡糊塗地進入社會。心靈的創痛和環境的突變，確使我一時消失了年輕人那股蓬勃的生氣，一天八小時上班之外很少參與年輕人的活動，唯一的排遣是一卷在手，僥倖的是我的工作恰被安排在圖書館中，這一下我就像小老鼠跌進了米缸裡，整部整部的中外文學名著就那麼狼吞虎嚥地啃下去。雖然那時我看書一向就不習慣作有系統的研讀和分析，但看多了，無形中也就得到不少啟示和鼓舞，有時看過一篇自己頗有同感的作品，常常自己跟自己說，「我也正是這般想，為什麼我不寫呢？」偶然，我也試著寫下些感想和雞零狗碎的斷片，可是當我拿來與別人的一比較，再看看副刊和雜誌上的稿約，總覺得自己太差勁太不夠條件，以致連在學校裡時給壁報寫稿的勇氣都沒有了，只是讓那些斷章殘稿像見不得公婆的醜媳婦似的，關在抽屜裡，永受錮禁。

但不久，我終於獲得了嘗試的機會，那時江西省婦運會辦了一份《江西婦女》月刊，有一次公開徵文，題目自選，但內容必需含有抗戰意識，我自問還能應付，便懷著亢奮的心情，花一夜功夫擬好大綱，悄悄地動起筆來。可是，事情卻沒有想像中的進行得快，白天被八小時的工作限制了，就是偷得一點閒暇，也像做小偷似的，用一張白紙蓋在稿紙上寫一行遮一行，生怕讓別人看見了，而有時剛想到一點頭緒，卻又被來借書的人打斷了文思，幾個熟悉的同事看到我那煞費推敲的神情，還要取笑我說：「怎麼有什麼心事嗎？」而晚上，不大健康的身體又不允許我多寫，稍微寫得晚一點睡覺，母親在隔壁敲著板壁催我，說是明天還要上班呢！限期將屆，原稿還沒有殺青，而我寫字的速度又慢，眼看著將不得不放棄這次應徵，我感到十分焦灼。這時，一個比較接近的同事問我遭遇了什麼事，我囁嚅地告訴了他，他立刻鼓勵我儘管寫，他負責替我繕寫，並保守秘密。他那一手整齊的蠅頭小楷一向便為我所知道，自然喜出望外，重新繼續寫下去。我一面寫，他一面抄，果然如期完成。那時因為買不到稿紙，我記得還是自己打了格子用道林紙抄好，再裝訂成冊，——那是一篇一萬多字的小說，題目「意外」，描述一個青年別愛從軍了，結果他的愛人得到消息說是他在一次衝鋒中失蹤生死不明，她悲憤之下，毅然從事救護工作，開赴前線，不意卻在野戰醫院會晤到受傷的愛人。

稿子寄出去後，像是失落了點什麼，又像是有什麼黏住在腦子裡，雖然我極力要自己不去想它，但不知不覺卻又在計算著稿子是哪天寄出的，要哪天到達，現在是不是已經評閱……一串日子過去了，我突然接到一位陌生人劉君的來信，他自稱是參與這次評閱的委員，認為我的稿子一定可以入選，他預先為我慶賀並且希望和我結為文字之交。我還在信疑參半間，接著一本雜誌，一張通知單和一張稿費收據，又同時寄到我手裡，噢，真是太出我「意外」，竟還是第一名！

不用說，那給予我的是多大的興奮，而且還給我帶來了對寫作的信心，覺得自己還可以寫。於是我立刻用第一筆稿費的一部分去印了一千張稿紙，並且取了現在用的這個筆名，緊接著我把禁錮在抽屜裡的稿子，揀了兩篇自己認為可以的加以修刪一下，又試寫了一篇散文，寄給兩家報紙，贛縣的《青年報》和《正氣日報》，《青年報》的副刊編輯很快就寄來一份剪報，和一封滿紙鼓勵的信；一個初學寫作的人，能夠獲得主編和讀者的鼓勵，那份感奮是難以形容的，我開始感到人間並不像我想像中的那樣冷酷。除了命運安排的工作，也還可以選擇自己喜歡的路。另外一家隔了不久也就採用了一篇，我記得那時的稿費很低，很多只附來一些郵票代稿酬，但精神上所享受的愉快遠勝於物質方面的，稿酬有沒有根本就不放在心上。

記得第一篇散文〈尋求〉原是在贛縣的《正氣》不知道還是《青年報》發表的，事隔數月，卻在麗水版的《東南日報》發現了，並且換了個題目。雖然，我為自己的作品能被重視而感到高興，卻怪他不該擅換題目，讓人誤會我是一稿兩投。於是我寫了封信去責問，那位編輯先生回信卻幽默地說：「好文章本該向廣大讀者介紹。」末了還歡迎我給他們的副刊「筆壘」寫點東西，這算是我第一次得到特約「撰稿」的榮幸。

雖然我投稿的開始還算是順利，沒有碰什麼釘子。但由於本身工作的限制，加上那幾年我身體很壞，接連患了兩次九死一生的急性肺炎。痊癒後除了八小時上班，不敢再絞腦汁，而且由於缺乏生活經驗，常常感到找不到可寫的材料，因此還是看得多，寫得少。接著又是逃難，又是疏散，動亂中簡直不能寫什麼。等稍微平靜時，我便接受了當地一家縣報——《凱報》的副刊編輯工作。追溯起來，這份工作也還是由寫作無意中得來的。

副刊工作使我有機會接觸許多愛好文藝和從事文藝工作者，那時東南一角受敵包圍孤單落後，各報副刊正熱烈展開一個東南文藝運動，我除了響應這個運動在所編的副刊上極力強調文藝配合時代的重要性，寫些呼籲號召的文字外，那時因年紀輕血氣盛，看不慣的就想說，因此比較喜歡寫點針對現實的雜文，散文也寫，小說寫得較少，為了寫雜文還得罪了一些「官兒」什麼的，多少惹了點麻煩。我第一次感到做一個文藝工作者的不容易，一方面需要戰鬥性的作品，鼓舞民心、提高士氣「建立心防；一方面又要針對現實，揭露黑暗。假如真的揭發了某些人的瘡疤，使他們惱羞成怒，利用職權隨便找點小麻煩，卻也使你啼笑皆非。但儘管這樣，我寫作的立場始終是堅定的。

那時有一個朋友辦了個出版社，有意給我出個單行本，可是我把稿子整理一下，覺得自己稍微滿意的作品實在不多，不夠成熟。還談不上結集，那時大概是三十三年，事情一擱下來，想不到一隔隔了七年，才在台灣出版了第一個集子《青春篇》。

做了二年編輯工作，之後我又踅回原來那個機關裡服務，這以後便時斷時續，沒有什麼像樣的作品，一直到三十八年來了台灣，那時寶島的文壇十分沉寂，沒有一個文藝刊物，報紙副刊也十分貧乏。想起八年抗戰時，儘管物質條件不夠，交通阻塞，稿費低微，但文壇上卻呈現一種蓬勃的氣象。一時有所感觸，而那時在而那種「真空」狀況中也感到十分寂寞。於是我又試著提起筆來，起初只是寫一些短文投給報紙副刊，慢慢地，籠罩在自由中國文壇上的雲翳消散了。接著文藝運動展開了，文藝刊物發行了，文藝的團體成立了。我的寫作熱也隨著這蓬勃的氣象發展到最高潮，我參加了文藝運動的吶喊，我在反共抗俄的筆隊伍中充當了一名小卒，我得應付報章雜誌的索稿，我，除了生病，我沒有擱下過筆。

我不慣坐在桌前苦思，平時要寫什麼，總是晚上躺在牀上先把腹稿擬得妥貼，往往在桌前坐上半天，一字不成，待躺到牀上預備入睡時，靈感卻又翩然光臨。可以一晚上安排好一個題材，甚至把段落等粗枝大葉的處理差不多了，第二天才拿起筆來斟字酌句的寫到紙上去。但也有思考過久，引起失眠，有時卻不得要領便朦朧入睡。

當我要描述比較突出的人物時，我便成了個調製拼盆的廚子。我必須把各種原料拼湊起來，製造一個近於典型的人物。譬如說我預備寫個嗇吝的人，我就得打開那個記憶之箱的蓋子，筆記本，把平時所認識的，書上看到的，和聽人說起的，有關那一類人的外形、個性、舉止、笑貌以及相同的靈魂原素，選出最合適的來湊上去，然後藉著那些形象再加上自己的想像力，設身處地的去體會他可能做點什麼，發生點什麼故事。有時當我熱中於人物的塑造時，我會不知不覺地模仿筆下那個主人公的動作，喃喃地背誦著他說的話。如果我覺得這個人物還塑造的合適，隔了很久都還是活在我心裡，就像我真正認識這麼一個人似的。如果失敗了，那就同曇花一現般，隨著時間過去，不留下一點痕跡。但多半經我塑造的人，都會留下一點不大深刻的印象。

有時，我是有了主題才去塑造一個配合故事的人物，有時卻是偶然見到或是聽講的某一類型的人物有所感觸，為他編製一個故事，而主要地表現那個人。我覺得前者寫起來比較容易，但不深刻。後者比較不容易寫得好，但它卻能給讀者介紹一個活靈活現的人物，和他的遭遇，而把這些栽在讀者心裡。

有些作品，我固然是從自己的生活經驗中採取的題材，有些卻是根據收集來的材料寫的，譬如去年我因為聽說鹽民的生活怎麼怎麼困苦，決計預備寫一篇有關鹽民生活的小說，以引起各界的注意。於是便開始從報紙上收集有關這方面的材料，例如一則鹽民代表晉省請願的消息，一則有關產鹽區建設的通訊，一篇鹽民生活的報導，等收集得差不多了，我便加以整理並使它們在我心裡融成一氣，一如我曾親身經歷過這種種。然後加上故事情節，寫下了那篇〈銀色的悲哀〉，結果看到這篇文字的朋友還以為我真去訪問了鹽區哩！

在寫作過程中常常遭遇的困難就是「起頭」，文思就像一團棉線，只要抽到了頭自不難徐徐抽下，但困難的是因為有時找不著頭。往往煞費思考起了無數的頭，卻沒有一個合用的，有時卻是斟酌一個合適的字、一個句子、一句對話，或是推敲一個恰當的形容詞，或是寫成了文章卻想不到一個合適的題目。而且越是文思滯澀的時候，越容易煩躁，心裡像有無數小毛蟲在蠕動著，爬行著，逐漸蝟集成一團堵住胸口，使我有窒息的感覺，本來來台灣後，環境所使，我已習慣在嘈雜中致力寫作，但逢上那樣的時候，隔一重板壁廚房裡的笑語，窗戶外孩子們的嬉戲，都一句句清楚的灌進耳朵。有時弄得頭昏腦脹，灰心喪氣，實在疲乏不過，便放下筆弄弄花草，把玩一下小玩意讓腦子澄清澄清。可是如果正在寫一篇小說，儘管我去跟朋友家人扯談，上街去散步，或是找一本書看，心裡卻總會時不時的感到一種不安、一種憂鬱、一種莫名其妙的憤怒，這時我會覺得吃飯沒有滋味，睡覺不再安寧，這份情緒一直要延長到稿子完全殺青。完成一篇難產的作品，就似完成了一樁苦工，又似割除了一個贅瘤。那時的心情特別輕鬆愉快，而飯也吃得下了，丟下碗，不管房子裡怎麼吵鬧，我可以倒在牀上便酣然大睡，彷彿從來不曾睡過那樣香甜的覺。

但有時也逢上文思洋溢的時候，可以一氣呵成一篇作品，就如寫的那篇〈當我們並轡馳騁的日子〉，五千字的小說，連構思帶完稿只花了一天一夜的時間。而自己還覺得滿意。因為我平時筆下不太流暢，一天五千字已是最高紀錄了，不斷的練習不斷的寫，確是從事寫作一條跌撲不破的定律。

我覺得寫初稿時，雖然也有障礙重重，但憑著一股子熱勁寫下去，總是充滿著亢奮和新鮮。最艱煩的莫過於初稿完成，重新來一遍、二遍的審察、修改、繕正，常常我情願再開始一篇新的，不願意去繕正已完成的，上面說的是寫小說的大致情況。

我自問看過的中外文學名著實在不少，使我憾恨的是當我有機會浸沉在書城裡時，我只顧埋頭大嚼，卻不會作系統的研讀，不曾留下詳實的筆記，以致事隔多年，大部分書的印象都已淡去。但也有些我心愛的作品，曾一讀再讀，一直還保留著深刻的印象，記得第一本給我印象最深的是奧爾珂德著的《小婦人》。我曾為那簡潔樸實的筆調，親切的語氣，以及那充滿著溫情的氛圍所深深感動，而那四個個性迥異的「小婦人」，尤其是二姊「喬」，許久許久都還活在我心裡。冰心、落華生、綠漪、麗尼的散文也很喜歡讀。後來我又喜歡讀那些風格超潔、細膩、深刻、帶著一種憂鬱的美，而有著詩和散文情調的作品。像泰戈爾的散文，紀德的《地糧》，梭羅的《湖濱散記》，梭羅斯特的《屋頂間的哲學家》，岡洛察夫的《懸崖》，拉瑪丁的《葛萊齊拉》，屠格涅夫的《貴族之家》，洛蒂的《冰島漁夫》以及哈姆生的《牧羊神》等等，其他如莫泊桑和普式庚的短篇創作，傑克倫敦的《野性的呼聲》，托爾斯泰的《安娜．卡列尼娜》，密忘爾的《飄》，羅曼羅蘭的《約翰．克利斯多夫》，以及我國的《紅樓夢》和徐志摩、陸蠡、朱自清、梁遇春、冰心、綠漪、豐子愷、肖乾、沈從文他們的散文。我常常愛某一作家的某部作品，卻不愛他全部作品。而有些作品我卻並不是愛它的風格和內容，只是因為它曾給予我一種啟示。我也許會從我所心愛的每一部作品裡吸收一點東西，至於說究竟是什麼書會給予我寫作的影響，我卻不能確實的說出來，我要為自己的作品製造一種適合於我自己的風格，但那還是一個濡濕的泥坯，有待費神去琢磨。

許多年來，文藝界一直為著文藝的二條寫作路線起著爭執，一條是「應該」寫什麼？（文藝必須配合時代）。一條是「願意」寫什麼？（為寫作而寫作）。可是我卻認為兩者是可以兼容並存的，就如羅曼羅蘭所說，寫作是「——由於社會責任和你的良心，或者某一種的內心需要所驅使……」譬如我寫反侵略、反極權、配合國家戡亂政策、反映時代精神的作品。那是我做為一個文藝工作者當前「應該」肩負的使命和責任，也就是「由於社會責任和良心所驅使」。但我也挑選我自己喜歡的題材來寫，因為寫自己所熟悉和「願意」寫的，比較容易寫得好。所以，我現在是兩者都寫。

從開始學習寫作到現在，我曾經獨個兒在黑暗中摸索前進了這些年月。在那些歲月中，除了書本和從生活中去體驗外，我不曾得到過任何指引。我惋惜那些不曾為自己好好把握的時間，應付生活和不斷的逃亡，更使我喪失了不少光陰。我常常覺得自己對文學的修養是太淺薄了，而且寫得也不夠。當我有時看到我的名字被列入自由中國的作家群中時，總使我慚愧萬分。但幸好文學是一種不受時間限制不受環境阻礙，隨時隨地可以自修的學識，我曾經花費那麼些忍耐的精神去學習，我仍舊可以支付更多的忍耐和精神，追隨諸文壇先進同文之後，從事學習。在「充實自己的」工作中，我永遠是飢渴的。

我希望有那麼一天，我的足跡印遍祖國美麗豐饒的土地，訪問過祖國莊嚴偉大的河山，然後再回到蘇州那森嚴，幽靜的古屋裡，或是在山明水秀的鄉間結屋三椽，摒除一切瑣事俗務，靜靜的從事寫作——這樣的一天已不會遠了，是嗎？

原載《女作家寫作生活》．民國四十一年九月二十四日

編註：本文原刊於《讀書》第一卷第九期，一九五二年十一月十六日，頁十～十二，原題〈黑暗中摸索前進了這

些年——我怎樣開始寫作的？〉。水芙蓉出版社版本，於文末加記按語：「本文係四十一年，應《讀書》月刊主編傅紅蓼先生之邀，為『女作家寫作生活』而寫。（共九人，命運中還有若干子題如：「怎樣寫作和構思」、「所遭遇的困難」、「所喜歡閱讀的書」等等。）當時年資尚淺，又按題作案限時繳卷，寫來如同流水帳，淺薄繁瑣，談不上什麼心得、見解和寫作經驗；其所以幾經考慮而不曾剔除，只為留下學習過程中的點點滴滴，供他日回味而已。民國七十年・夏。」

漁者有其船

——新版的話

颱風來襲，各方安全措施；近百艘漁船進港避風……電視一面播報新聞。螢光幕放映出港灣中一排排漆髹鮮明、雄姿昂揚的機帆輪船，一律掩帆熄火、密切傍依著，靜靜地停繫在堤旁，構成一幅壯麗美觀的畫面。

「現在的漁船有這樣神氣！」今年八十八歲的母親湊近畫面，讚歎中摻著些感慨和懷疑。她老人家也許還依稀記得蘇州運河裡卸風舒帆的雙帆漁船、霧雰迷離的太湖中載浮載駛的舴艋扁舟，卻早已忘記她女兒塗寫的那許多篇章中，曾經寫過一篇有關海和漁船的〈漁港書簡〉。如果那時攝下了照片，附印在文中，也就有圖為證了。

而那時候，是中華民國四十三年。

上萬個日子在潮升潮落中逝去，拍岸浪花瞬息迸放幻滅，沙灘不會留下歲月的痕跡。但是，留在腦海中的印象，卻偶爾也會隨著心潮起伏、浮泛湧現。那時住在南部，數處漁港海灣如：枋寮、東港、琉球嶼、安平……都曾踩下我叩訪的履蹤。我看過漁船兒近海作業，在濛濛的晨霧中出發，一網網兜盡曉月霞曛、煙靄霞彩；海天一碧、波濤萬頃間，卻顯得有點孤孤零零不勝載負。也有就在灣內撒網的，五六個曬成古銅色的大漢，踩著齊腰深的浪花、合力拉拽著長長的巾著網，網孔裡隱隱閃爍著銀色的鱗光。漁婦們耐心地補綴著漁網，忙著晾曬魚乾，半裸的漁家孩子在沙灘上晾著的魚網旁嬉戲。我也看過新建造的機帆輪出海的慶典——那幾艘漂亮軒昂的大漁船，從頭到尾懸著七彩旗幟，甲板上堆疊著新的纜繩、新的漁網、新的鐵錨，只待出發去乘風破浪。漁民像過年般穿戴得新新嶄嶄、個個興高采烈，鑼鼓聲、鞭炮聲，馬達低吼，笑語喧譁，交雜著浪濤拍岸聲，被粗獷的海風吹捲得忽遠忽近——那些純樸勤懇的形象，那些感人動人的情景，在我心中交流回響、融貫契合，自然便與情思融鑄為文字，寫完該篇。我真正感到了參與的喜悅，也付出了由衷的祝福。當時正好應文協三周年紀念出書邀稿，刊於正中書局出版的《海天集》選集中。

是年，出版文藝叢書不遺餘力的高雄大業書店，邀我出版一本集子，乃選了另外二十三篇，有寫親情的、有寫鄉土的、有刻劃思想感情和描述生活情趣的，便以「漁港書簡」為書名，出版了我的第二本散文集。之後書店歇業，書也早就售罄絕版了。

如今，在水芙蓉出版社的敦促下，這本塵封了許久的小冊子又將再見天日。審視舊作，一些情景依稀可以追尋，一些感情仍然不變，而那樣的心境卻難再。畢竟快三十年了！自己也臨到〈無盡的愛〉中寫的母親那般年歲，卻遠不及她老人家清健勤快。回首當年寫下那些不成熟的篇章，不管幼稚或淺薄，卻也都曾融進我對自然萬物的愛心，注入我對周圍一切的關懷，以及對鄉土執著的眷戀；自己沒有健康的體魄，相信作品卻有著健康的氣息。而在寫作的路上，我始終以〈寫在前面〉裡所提示的：「一切藝術永遠是聯繫著時代的。它不僅是表現一己的感情生活，更要從這時代人民大眾豐富的生活中去提煉。它不僅是刻劃個人的希望和理想，更要刻劃出這時代人類對明日的希望和理想。」作為努力的方向。雖然，目標總是在不斷地提升，幾乎越來越高不可攀，卻也促使自己一步一步向前超越、向上突破！文學的道路，原是永無止境的。

接受出版者增加篇幅的建議，我補進了當時未收入的五則短文。另外，又添了一輯遊記。其實那時交通不便，名勝地區也還不曾大力闢建拓展，寫得更是平淡無奇，說不上是什麼遊記，只是留下一點萍蹤履痕，再則沒有比較，又哪裡顯得出現在的進步繁榮，只是收在一起，多少有點不協調。

最後，選刊了三篇評介；謝謝朋友們那時給我的指正、鼓勵和寶貴的意見。糜文開先生還由本書引述了一個創作問題，不過這問題現在似乎已不成問題。江聲先生誇獎本書「是一個寬厚的心靈，向世界發出愛和鼓勵的語言」。易叔寒先生引用了托爾斯泰批評屠格涅夫小說的兩句話作結論：「它像是鄉下姑娘編織的花邊，那裡面織入了伊人的情思和綺夢。」我真心希望自己能做到這些溢美之詞所給予我的期許。

於中央新村倚風樓・民國七十一年初秋

栗子之戀

小時候是沒有什麼季節感的，只曉得金桂香未逝，菊花又吐蕊的時候，又該是父親帶著我最愛吃的糖炒栗子回來了。父親辦公的地方到家裡很有一截子路，每當我接過那一包小心煖在袖筒裡，尚是熱烘烘的紙包時，總不禁由小心眼裡泛上感激的笑意。如今父親長眠已將十年，而離開家鄉我也有十幾年不曾親近過良鄉栗子的芳澤。偶然翻到晁公溯「風隕栗房開紫雲」句，不由得又撩起栗子的戀念。

紫檀色光澤玲瓏的顆粒，乍一咬，硬殼迸開首先一股熱香就誘得人口饞。那毛茸茸的二皮，不用剝便隨著硬殼脫落了。放進口裡只要牙齒輕輕磨上一磨，又糯又甜的栗肉立刻碎成細膩的齏粉，真夠味。飢時果然是美味的點心，閒來剝剝，更是美好的消遣，別說孩子們愛若至寶，大人先生們又何嘗不愛剝剝嚼嚼，那時家鄉賣糖炒栗子的，還只是沿街擺一口木桶，旁邊放一疊包裹的草紙，小販引吭高喚：

「糖炒栗子吃哦！三個銅板一包。」

「阿要吃百熱火滾良鄉栗子！」

一晃眼數年，販賣已變成了大規模的攤販，小販不再直著嗓子叫喚，卻按裝了留聲機和收音機。包裹也不是草紙而是特印著——「良鄉栗子」紅字的牛皮紙袋了。白布或紅紙的幌子在秋風裡招展著，旁邊還擱上一口大鐵鍋，半鍋油亮的黑砂裡滾動著褐色的栗子。現炒現賣，熱香四溢，直惹得行人饞涎欲滴。

烽火把我們從江南趕到了贛南，我們待的那個小縣——上猶，也正是盛產栗子的地方。那一片栗林與我住的樓房只一水之隔，每在編報閱稿之餘，我總愛上那兒去遛達，粗壯的樹幹支撐著密密叢叢的葉子，宛似一幢幢龐大的傘蓋，遮蓋著芊綿的草地，栗花很像柳絮，一串串流蘇珠絡般懸垂著；一只只小刺蝟似的栗子，累累墜墜衝出在葉叢外。外面是銳利的尖刺，裡面又是堅韌的硬殼，造物安排下的種種保護，還有什麼比栗子還來得周密?!

普通的栗子我們家裡叫作「板栗」，肉粗味淡，只有在半熟未熟，硬殼還是牙黃色時，鮮嫩有蓮實味，並且還有股桂花香，那時正植桂花盛開時，「桂花栗子」是很名貴的。要不就將熟透的栗子懸在不見太陽的廊簷下，吹上六七天，那就是既嫩且甜的「風乾栗子」。栗子煨雞肉味道鮮美無比，是蘇州的名菜。「板栗」也可以用糖砂炒著吃，只是總不及良鄉栗子的細糯甜醇。因此嘴裡嚼著板栗，心裡往往會牽記良鄉栗，記得有一次居然在另一個小城裡發現了一個糖炒栗子攤，紙招上大書：「新到上海良鄉栗子」，良鄉搬到了上海，這不知是哪年哪月的事，我買來嚐嚐，原來就是揀板栗的小個子冒充的。

翻翻日曆，現在正該是糖炒「良鄉栗子」旺市的時候，不也正是「栗子燒雞」最膾炙人口的時候，島居長日悠悠，不由得令人想抓一把剝剝嚼嚼。可是，誰又曾見過一粒半粒來？

我想問問家鄉的栗子攤是否還那樣旺盛？我想問問那第二故鄉的栗子是否還裝得滿筐滿籮？但是書得滿紙問訊，卻又憑誰寄。

《新生副刊》・民國三十八年一月

編註：本文原刊於《台灣新生報・副刊》，一九五〇年一月十日，第九版。

初歷地震

「怎麼全是些小房子？」一進港口，懷著滿腔熱忱左右眺望著的人們，就帶著點失望嚷起來。可不是嗎？那麼些鱗次櫛比的，全是短短方方，玩具似的建築。

「為的是避颱風和地震哩！」一個本地人解釋著：「台灣是個孤島，不怕干戈，卻怕天災。」

颱風已是領教過好幾次了，至於地震？在我們那裡（蘇州），關於地震有這麼一個古老的故事：說是在人類居住的地面下，潛伏著一條龐大無比的鱷魚，牠本是一個混世魔王，後來被什麼神收復了鎖在那裡，廟宇裡的木魚據說就是仿照鱷魚的頭部形狀塑製的，和尚們天天敲著木魚用經咒鎮壓著，假如有一天所有的木魚都停止了敲擊，那麼牠就會來個大翻身，把整個世界都覆滅了。小時候也不知世界有多大，站在地上，常常會這麼呆想：這腳下踩著的不知是鱷魚的身子呢，還是鱷魚頭尾？要是它擺一下尾巴，豈不要摔一大跤？記得有一次在外婆房裡坐著，忽然紅木箱上的銅環無緣無故的嘀嗒嘀嗒響了幾下，接連三天，大家見面便鄭重地問：「那天鱺魚眨眼睛你曉不曉得？」

直到進了學校，才曉得地震原來是地殼發生變化，並且還有什麼火山地震、陷落地震和斷層地震。日本不時傳來地震的災害，已夠驚心動魄的了。而聽說自己居住在這隨時會發生這種災難的地方，心中能不惴惴？

但要來的還是來了。

那晚三十八年（十一月十三日），我掩上那本《古城末日記》，已是深夜了，矇矓惺忪間，彷彿自己又在那顛簸搖晃的輪船上，正駛向故鄉的海程。突然間海浪掀天，波濤洶湧，船身劇烈地搖晃著，在神智恢復的一剎那，身子仍在搖晃著。睜開眼來，是一片濃厚的黑暗，我疑惑了，夢耶真耶？「哄隆哄隆」，那是玻璃窗跳盪的聲響；「呼呼呼呼」，像是炸彈下墜時的呼嘯。一個令人顫慄的名字突然跳進我腦中：「地震！」接著恐懼而來的，《古城末日記》中描寫羅馬龐貝城崩陷的一幕，立刻又閃現在眼前。……霎時間天地昏黑，日月變色，塵沙飛揚，怪風慘厲，沸騰的泥水，排山倒海地向著街道上沖來，火山爆發了！像蛇舌一樣的火焰，好似把每個人都想吞了下去。當塵雨終止的時候，你能聽到腳底的隆隆聲，和海上波濤的澎湃聲。有時屋宇震坍，有時岸石爆裂，一切都充滿了恐怖和死亡。在黑暗中，妻子失去了丈夫，父母分離了兒女，他們永無再見的機會。……多麼可怕的場面！一剎那時間彷彿凝固了，血液停止了循環，什麼鬥爭、憤激、仇恨、妒嫉、情欲，都是多麼地愚蠢、癡騃！只有生命，真實的生命，才是最最可愛、最可貴。我屏息凝神，預備作生存最後的掙扎。可是二分、三分鐘過去了，玻璃窗停止了震顫，頭胸雖然還在旋轉，身體卻終止了搖晃。黝黑黝黑的黑暗裡，除了死似的沉寂，再沒有一點動靜。

半晌半晌，我舒一口氣，慶幸可愛的生命依然無恙。

第二天一問本地人，果然有這麼回事：「那是小地震，不算一回事。」

編註：本文原刊於《台灣新生報・副刊》，一九四九年十二月十四日，第八版，原題〈地震〉。

綠色幻想曲

窗外植立著三五棵不同的樹，綠蔭恰好遮滿了小院，在陽光裡，它們欣然款擺，將金光飾成遍地斑爛，在月亮下，它們輕偎密依，讓扶疏的蔭影鋪排出一片幽邃，在微風裡，它們切切絮語，婆娑曼舞，在霖雨中，它們姿容煥朗，葳蕤濃郁，更是儀態萬千。那橢圓形的、梭形的枝葉還從矮牆上探伸出去，正好與牆外的參差錯雜。睡著望去，只見一片無涯無垠的綠，一片把藍天擠得星散的綠。綠，有著強力的誘惑力，誘使那思想之鴿飛入它深邃豐盈的懷中，它鼓舞你作綺麗的幻想，慫恿你作孩子氣的傻想，挑逗你作無稽的遐想……每天凌晨，當碧光翠色映上枕畔，當綠色無聲的音樂輕叩著夢的邊緣，我從漫漫的長夜中醒來。但當惺忪的倦眼一接觸那片悅目撩人的綠色，我又不能自止的墜入無眠之夢幻，任憑思想之鴿縱情地遨遊於綠色的海洋……

綠色的記憶，耐人尋味；綠色的遠景，讓人憧憬；綠色的故事，更是縈迴難忘，望著那披拂纖柔的柳樹，總不由我想起那個美麗的希臘神話，那個神話中美妙的女郎，那女郎原是優悠自在地遨遊在大自然中，以森林為家，以鹿兔為伴，興來時，在高山原野上馳跑，疲倦時，便在藍天下，草地上憩息，無牽無絆，逍遙自由，可是一個魯莽的逐獵少年卻愛上了她，女郎不願受愛情的束縛，於是一個忘命地逃避，一個拚命地追逐，追逐著來到一道河邊，前瀕絕境，後有追兵，女郎急得仰天悲呼，河神憐憫她憨，當少年的手臂正圍住她的纖腰時，便使她變成了一棵樹，秀長的金髮化作披拂的綠葉，曼柔的肢體化作苗條的枝幹，而精緻的雙腳卻化成無數鬚根，迅速地鑽進泥土，那酷愛自由的女郎，從此便亭立在河畔，永遠地、永遠地沐浴著自然的恩澤，享受著自由的風光……人說柳樹太輕狂，我說柳樹拔萃挺秀，正似那酷愛自由的女郎，我衷心仰慕敬愛的女郎。而那衝過屋頂一望無際的大橡樹，常使我記起那個動人的童話，說是在很久很久以前，世上有那麼一棵大樹，樹蔭連綿數里，樹梢像傘蓋般直矗進雲霄，沒有人知道它究竟有多大多高，很多好奇的人帶著乾糧上去探索，但不是失足摔了下來，便是半途而廢，最後一個勇敢的青年終於艱辛的爬進了葉叢，那上面竟是另一個天地！只見一片青翠，整潔爽朗，人們熙攘往來，個個都是健康快樂，一起工作，一起遊憩，融融洩洩，沒有猜忌，沒有傾軋，到處充溢著和平和安謐——這又是多麼令人嚮往的所在！

綠色象徵著生命，綠色蘊蓄著青春，綠色是詩，是大自然中的大調和，綠是永生、是無極，一切的綠都包含著生長、發展、向上。我愛綠的蓬勃，也愛綠的幽邃，但更愛綠色故事中的自由、和平。自由和和平，這正是人間企求而又不可得的。在綠色世界中卻遍布密排，只是人們都讓名利耀花了眼睛，讓物欲蒙蔽了心靈，不知領略穎悟。

感謝造物者的安排，把我從赤焰灰霧中救了出來，放我在這綠島上的綠色都市，讓我盡情領受。我要在綠叢中仰臥，環顧群綠簇擁，一碧千頃，只覺得心下澄明。我要在綠徑上躑躅，俯視嫩綠芊綿，襪不沾塵，說不出心頭恬靜，我要在綠茵上翻滾縱跳，一任童心來復……呵！綠，你這大自然的驕子！你為我在塵囂凡俗中安排了一處清靜的天地，你為我在殘酷欺詐的世上拓展了一個和平的國土，你更為我苦悶的神思，安排了一條出路。是你給予我的啟示，使我瀕於絕望的心靈又看到了一點光、一點希望、一點對綠色遠景的憧憬，我要讚美你、謳歌你、頌揚你……

《當代青年》．屏東．民國三十九年七月

編註：本文原刊於《當代青年》第二卷第二期，一九五〇年七月九日，頁十三。

方老教授

學校裡和附近一帶的人家，都把方老教授當作一只標準鐘，其正確，不下於收音機裡播送的中原標準時間。

每天清晨，當方老教授挾著一卷書，精神抖擻地從郊外回來，在窗口看見他的主婦們，便趕緊去催醒猶自酣睡的丈夫或孩子：「看人家老教授都作早課回來啦，懶骨頭，還不起來！」

每天下午，當方老教授啣著板煙斗，悠閒的去散步時，在門口聊天聊忘了時間的主婦們，立刻又會說：「該作飯啦！看老教授都出去散步了。」

老教授被一致公認為最善於把握時間，懂得運用時間的人，他把每一分，每一秒時間都安排得恰到好處，儘管他一天要上課、編講義、著作、讀書、接見同學，總是從容不迫，從來不顯緊張。而每天的早課和散步是向來不間歇的，還有閒情在小院中整理花草。方老教授也不像一般忙人要人一樣，不時看看腕上的手錶，嘀咕著幾點幾刻該做什麼什麼，他甚至於連手錶都不戴，完全憑直覺。他說：這是數十年來養成的一種習慣，而培養這習慣的，卻是一只相隨數十年的鬧鐘。

去過方老教授家的人，沒有不見過這只鬧鐘的，它就同珍貴的小擺設一樣，被供在疊滿了厚本書籍的玻璃書櫥上，那是一只式樣古老而簡單的普通鬧鐘，裡面的磁面已發黃了，字目也有點駁蝕。只是外面的殼子卻始終保持著光亮，沒有一點鏽斑，足見使用它的人，是怎樣愛護而勤於擦拭。

方老教授告訴人家說：他一生有三個最密切的伴侶：第一是鬧鐘，第二是太太，第三是板煙斗。而其中又要推鬧鐘相隨的日子最久，資格最老。

方老教授又說：鬧鐘在他生命中占有三重紀念性，一是對母親的，一是學業上的，一是愛情的。那天我去拜訪他，話題從時間上一談就談到鬧鐘上來。於是，我才得以聆聽到這三段紀念性的故事——

方老教授八歲時就沒有了父親，由母親一手撫養，栽培他從小學而中學。那時方教授年紀輕，血氣旺，說他多愛睡，他就多愛睡，每天早晨總要他母親喚呀揉地叫幾遍才起牀，等起牀一看，時間已不早，又急忙草草拭一下臉，胡亂塞些冷飯在嘴裡，連水都來不及喝一口，拔腳就跑，走了一半路才清醒過來。後來要去省城進高中了，臨走時他母親淚眼婆娑的，塞了一包東西在他箱子裡，囑他到了學校裡再拆開來看。

到了學校裡，他一安頓下來，便急不容待的拆開那個小包。拆了一層紙包，又是一層紙包，紙包裡還有布包，包裡還裹著棉花，裡面原來是一只嶄新的、在那時看來十分漂亮貴重的鬧鐘！方老教授知道在家裡那個偏僻的小縣裡，是沒有這種鐘的，他也知道自己家裡很窮，不能一下就拿出一筆款子來買鐘，他猜想一定是母親早就顧慮到他愛睡懶覺這一點，於是累年累月，省下錢來托人在省城給他買的。其中的用意，不難測知。他想到母親對他的這片苦心，不禁感動得把鐘貼在臉上，流下眼淚，他立下誓願，絕不辜負母親的這片苦心，要一分一秒的爭取時間，開始第一天上課，他就把鬧鐘撥到比學校裡的起牀鐘還早一個鐘點。

第二天黎明，他果然一聽見鐘響就起來了，便挾一本課本到校園裡去。那時月亮還未下落，暗藍的天上稀疏的綴著幾顆閃爍的晨星。四周寂無人聲，宇宙顯得莊穆而寧靜，涼颼颼的曉風，一會兒就澄清了昏睡的神志，他打開課本，便一面走著，一面在朦朧的曙光中溫習起功課來——早上的腦筋清楚，思路敏捷，他覺得清晨一小時的溫習，遠比晚上兩小時的自修更有效。這以後，他便一直是個早起者——從中學而大學，而為人師表，從未間斷過。因此，他在學業上有了飛快的進步，在學校時，一直保持著優秀生、高材生的榮譽。

當方老教授念大學二年級時，一個清晨，他居然在學校後面的小河旁，碰見了另一個同他一樣起早的人，手裡也執著一本課本在看，那是一個少女。起初方老教授以為偶然碰巧，只一會兒，那份淡淡的驚訝，便融化在對書本的熱忱中了。可是接連第二天，第三天，他去河邊，那少女總在河邊，一面沿著河岸緩緩漫步，一面默誦著課本，他們的方向正好相對的，走近了，先是用眼睛打個招呼，以後是點頭、微笑，終於開口說幾句禮貌上的客套。慢慢地交談起來，他才知道她是中文系的一年級的新生。青年人和青年人之間是沒有隔膜的，天天見面，日子一久，自然而然的感情上有了新的發展。當他們有一天宣布訂婚時，同學們都驚奇不已，說是還不曾看見他們談戀愛哩，怎麼就訂婚了？——這位女同學就是現在的教授夫人。

方老教授說這鬧鐘不僅有故事，還有傳奇。是他們生下最小一個孩子時，白天裡大的孩子常常開著鬧鐘去逗小妹妹，有時隨便那麼一撥，擱下了卻在深更半夜鬧了起來。有一個晚上，方老教授也是在好夢中被鬧鐘鬧醒了，睜眼一看黑漆漆的，他想又是那一個小搗蛋害人，便伸手去牀頭櫃上關掉，不想一轉臉卻見窗子洞開著，朦朧中隱約有個黑影在晃動，他迅疾的在枕頭底下摸出電筒，向黑影直射過去，還幽默地說：

「朋友，在黑地找東西不大好找吧，讓我照你一下。」

他這麼一說，教授太太也驚醒了。一看情況，連忙大聲嚷著：「捉賊！捉賊！」這一下可把那個賊嚇得什麼似的，慌忙把挾著的東西棄掉，爬上窗戶就逃跑了。結果起來一檢點，什麼也沒少，倒是那賊因為跑得太匆忙，在室內遺留下一把撬窗子的鑿子。

這只鬧鐘有時可也給人添些小麻煩，方老教授又接著說：那還是他一開始住讀不久的事。清早鬧鐘一鬧，同房間要睡覺的同學都嫌討厭，但他卻不曾顧慮到這一點。以致有一天，他睡呀睡的，矇矓中覺得這個夜好長喲！等他自己睡醒一看，只見太陽已照得一牀，房裡靜靜的早走得一個同學也沒有了，他連忙披上衣服教到教室裡，第二堂課還差五分鐘就下課了。原來同學惡作劇，把開好的鬧鐘撥鬆了發條，以致害他平白無故地曠了兩堂課。於是這天晚上，他就用衣服裹著鬧鐘放在枕頭邊，只在對準他耳朵的方向留開個小洞。第二天鬧時果然沒有吵醒別人，從此他便每晚把鬧鐘擱在枕頭邊，由它唱著單調的催眠曲，一直催他進入夢境。……

「它是我的嚴師，」方老教授凝視著頭頂的鬧鐘，神情肅然地說：「它不停地督促著我，叫我『努力、努力』，一分一秒都不輕易放鬆。有時我想偷懶一下，它又像在說：『時間寶貴、時間寶貴。』於是，我立刻感到無比慚愧，覺得讓自己本來可以把握的寶貴時間白白浪費，簡直蠢得可以。它是我的摯友，它長日陪伴我、鼓舞我、安慰我，從不倦怠。當我工作疲倦，或是遇到挫折時，聽見它的答的答的聲音好像在說：『我在陪你、我在陪你。』『不要灰心、不要灰心。』是的，有它在陪我，我要同著它的腳步一起前進！於是，我又恢復了勇氣和堅定。它也是我的慈母，清晨它催我起牀，讓我有更多的時間，去從事充實自己、認識世界、發掘宇宙的工作，晚上，它那單純的節奏，就似母親小時候催我入睡的催眠曲，柔聲地告訴我：『好好休息，養足精力，好迎接新的明天！』

「數十年來，它與我共過憂患，同過危難，有一次鄰家失火，我從夢中驚醒，慌亂中第一樣搶救出來的便是它；日寇侵犯時，家鄉淪陷，我倉促逃避，孑然一身，隨身攜帶的也只有它。來台灣時，儘管棄了多少重要東西，但行李中總少不掉它的位置，自然，日後回大陸時，攜回故鄉的行李名單上，第一名還是它——我的鬧鐘。

「別看它如今上了年紀，外表比不上一般新出品輝煌，但數十年來未曾有一日疏忽過它的職責，這數十年的朝夕相處，我與它之間已有了一種深深的默契，我們的精神已整個地融會貫通。」說著，方老教授過去把鬧鐘拿在手裡，從褲袋裡摸出塊手帕來仔細擦拭，一面親切地諦視著它，鬧鐘回答他以清晰的「的答」聲。

「散步去，一路走走。」方老教授放下鬧鐘對我說，啣著板煙斗，跨著悠緩的腳步踱出去，開始他每天下午的日課。

「糟糕，方老教授都散步去了，我爐子還沒生呢？」

「得收攤啦！這位老先生出來，準五點，沒錯兒。」

「阿英，把鐘對一對，開到五點。」

隨著方老教授經過，從窗戶中、門洞裡、牆角下，零零落落傳來這些說話，我往後退了一步，跟著走在前面的方老教授。迷濛間，他那微胖而稍稍圓凸的身軀，彷彿幻作一只圓圓的鐘，微禿的頭顱便是那一顆扭開發條的螺絲帽，手肢恰是長短針，腿縮短了，嵌在圓圓的鐘身罩下，他舉步時，腳步聲有節奏的響著「的答的答」……

《中國文藝》・民國四十三年一月

編註：本文原刊於《中國文藝》第三卷第七期，一九五四年九月，頁十九～二十。

有朋自遠方來

噯，是你！難得，難得，真是好久不見了！你好！哪裡！年輕是不見得，不過這幾年生活過得安定，身體也好了。你還是才打從國外回來？在海外多年一定見聞廣博，載得滿腹經綸歸，什麼？這些年一直鑽圖書館研究考古學。做了洋蠹蟲！啊哈，怪不得你的眼鏡似乎又加了二個圓圈！你說久違了的祖國使你感到有點陌生，那為什麼？就為這些巍峩嶄新的建築，這整潔寬敞的馬路，這花園似的城市？說不上！嗯，你的意思是比方說當你離開時還是一個營養不良、身體荏弱，而又病得支離憔悴不堪的人，如今卻忽然長得壯健魁偉，所以乍然重逢，幾乎使你相見不相識了。是的，打從政府播遷台灣以來，一切的確都在日新月異的進步著；不論什麼事情一上了軌道，進步總是快的，這不是奇蹟，是力量的顯示。——唉，你看我真是高興得糊塗了，盡著講話也不邀你上家裡去坐，走這裡去。不遠，拐一個彎再穿過一條街就是了。沒事，我原是出來散步的，順便在花圃裡選了些花秧，回頭讓花匠給家裡送去。春天了，我們那個小花園裡得添些新的花木。什麼？置身在大郵船的房艙裡？喔！你是指這些房子排列得整齊！現在的住宅區都是這樣的。譬如我們這一帶叫紅梅新村的，就全是一律的希臘式建築，種的全是紅梅，冬天來這裡才美咧！還有流線型的，古典式的，每一式都各成一區。每區裡有一座圖書館，一個公園，一、二座設備完善的托兒所和幼稚園……到了，這就是我家。噢，我看這是誰留下的條子——赫！你的運氣可不錯，這個星期日村裡在公園舉行園遊會，還有各種競賽，熱鬧得很嘍！這個會主要的用意是促進鄰舍們的情感。當然亦歡迎外賓。隨便坐，你喝香茗還是咖啡？嗯，這屋子的好處就是空氣陽光充足，環境也清靜。這小小的庭園還富有詩意麼？那麼你就即景吟幾句怎樣？這房子？這房子從前年起算是完全屬於我們的了。什麼！發財！嘿嘿，你現在說這個話未免有點那個……落伍。告訴你，這些房子全是社會處福利局建築的，只要是中華民國的國民都有賃居的權利。只要把遷入的手續辦好，房價可以同付房租一樣按月或者按年繳付。等三年二載把款付足了，房子就屬於個人的了。這沒有什麼稀罕，我們家裡許多東西像電氣冰箱、電視、收音機、汽車……都是用這種分期付款的方式買來的。明年我們還計畫買一架直升飛機呢！哈！看你！把眼睛瞪得那麼大幹嗎？我國早就自己製造直升飛機了。只是因為生產量不多，正在改進中，還不能普遍供應。你曉得飛是最愛旅行的，雖然現在全國的水陸空交通網繁密得就同蜘蛛網一樣，到哪裡都不費一點周折。但自己有一架直升飛機總是更方便些，逢上休假日，上午去逛了昆明湖，下午又到西山去看紅葉，那多愜意！

謝謝你！她們都好，我母親因為胃病治好了，都比從前胖了。今天是星期五，她們松鶴俱樂部有一個什麼「今古講座」，老人家最愛說說過去，在回憶中找尋失去的青春。所以她吃了飯就同隔壁李老太太一同去啦。嗯，不但老人有老人俱樂部，孩子也有孩子俱樂部。那裡面從遊戲到各種進取性的研究，應有盡有。譬如說我們婦女俱樂部就擁有縫紉、烹飪、音樂、美術……等二十幾個部門，主婦們把家事一料理，都上俱樂部去，或者到音樂室去拉一會提琴，或者交換一下有關烹飪和育兒的意見，再不帶著編織物去聊一會天，聽二支音樂。每一部門每月有一次專題講座、演奏會，或是集體交換意見。我的烹飪術還是從那兒學來呢！回頭請你嚐嚐我的手法。真的，一點都不麻煩。噢，可不是，從前我是最怕上菜場下廚房的了。其實哪一個當主婦的不怕？又油膩、又齷齪，還得煞費神思去配菜，現在可不啦。什麼都用電，又快又乾淨。切呀洗的什麼也有各種自動器，燒頓飯頂多不過花上半個鐘頭，至於菜，每天都有家庭服務社按照營養定量配好了，挨戶給送來。本來省事一點還可以到「公務員之家」去包飯，那裡都是採用自助式的，很經濟也很方便，可是媽認為在家裡吃要多享一點家庭樂趣，而且，她認為烹飪也是一樁藝術！傭人？你是問我有沒有「傭人」！哎，這二個字現在只成為字典上專備查考的名詞了，現在每一個人都是為國家社會的需要和自己的志趣在工作，貧富均勻，勞逸自然也平等了。農工兵學商是一樣的。噢，現在一個女人可不用像從前那樣，在家庭和事業之間徬徨啦。結了婚照樣可以安心的從事事業。飯可以包在「公務員之家」。衣服高興自己洗呢，有洗衣器，不高興就乾脆送去「公務員之家」的洗衣部。至於孩子，小的也只要一早起來給穿戴穿戴，托兒所和幼稚園專門接送孩子的車子就叮噹叮噹響起來啦！這一去就得等大人下班以後才給送回來。你看這些屋子，白天裡都是清清靜靜的，一到傍晚可就熱鬧了，從學校、從工廠、從辦公室……一窩蜂似地擁回家，唱的唱，笑的笑，歡樂和溫暖充滿了每一間房子，可是一到星期日屋子又空啦，很多人家都全家出發旅行去，或者到郊外去野餐。近便點就在公園裡。愛靜的，躺在綠蔭下聽一支音樂說幾句話，或是讀一本心愛的書。愛玩的，有的是地方和伴侶。真的，這一陣人彷彿都越活越年輕了。學習的時候不放鬆地學習，工作的時候盡力工作，玩的時候也縱情地玩。

我嗎？寫，當然寫囉！現在寫作的環境合乎理想，寫作的題材又多，還有不寫的？哦！對了，我還不曾帶你去參觀我們的書房哩！怎麼樣？十幾年來我便一直夢寐渴求有這麼一間藏書室了。看這些，這些全是這幾年出版的文藝書籍，還記得從前我們去逛書店，看看這本也好，那本也好，可是一翻訂價，總是在心裡歎一口氣又悄悄地擱回去——現在可不同啦，隨便阿貓阿狗家裡都訂有一二份報紙雜誌，擱上一架兩架子書，現在的工作制度是每天六小時，不是嗎？人有了充裕的時間總是想法來充實自己的。上個月被《一週評論》許為「每月佳作」的一本小說就銷了一千萬冊以上。把這個數目與從前什麼銷幾千冊，幾萬冊比起來真是相差何止天壤！《一週評論》是由中國一些權威批評家辦的。它的批評最公正，沒有吹噓也沒有詆譭，尤其是它推為「每月佳作」的書，過去幾年間就有三分之一被翻譯成七、八國的文字了。——怎麼，嚇你一跳，那是下班的汽笛。你是坐火車來的沒有看到車站前那座漂亮的鐘樓嗎？汽笛就是那裡放的。那只電鐘在夜裡就像一個大月亮。……聽！好聽的來了。這也是鐘樓上放的，每天早晨上班時它就放一支莊嚴的曲子，下班時卻換一種輕快優美的樂曲，讓下班的人帶一份輕鬆愉快的心情回家……唉，飛回來了。你看他還是那副老樣子，走路腳跟不落地，喂，飛，你看這是誰來了！哈，老朋友多年不見啦。別盡嘻嘻哈哈的，坐下來，把衣服寬寬，你陪他慢慢談吧，他這幾年做了洋蠹蟲，對祖國的什麼都感到陌生，真像個土包子似的，我的說話是散文體，東一段西一節，也許他聽不清楚，還是讓你這個政論家有條不紊的給他解釋解釋。吃過飯，再帶他上街兜兜，或者上歷史博物館去看看，「美術之家」、「音樂之家」什麼的留待明天去吧！噢，想起來了，今天國際戲院不正在放映中光公司拍的，百彩立體電影〈中國中國！〉去看一看可以使你多了解一些。啊，媽和甜兒都回來了，我得馬上去料理晚餐。回頭見回頭見！

《自由談》．民國四十一年十一月

編註：本文原刊於《自由談》第四卷第一期，一九五三年一月一日，頁六十八～六十九，原題〈你聽我道來〉。

四重溪之春

——萍蹤履痕

去四重溪已經是第二次了，第一次是前年秋天，那時一日之內遍遊四重溪。石門和鵝鑾鼻燈塔，當天便返屏東，走馬看花，興猶未盡。因此這次趁陽明山同學擇定在四重溪聚會的機會，我又以「眷」的身分，重去享受了一次溫泉的情趣，和再度領略那遠東第一燈塔的風光。

上一日是個陰天，到黃昏時更是灰雲密布，冷風淒淒，一副黯然欲雨的樣子，睡時很擔心明朝天不作美，不想一覺醒來，璀璨的陽光已將一排疏朗的樹影投射在窗上，一聲歡呼，我們以最迅速的動作起牀，檢點好帶去的東西，便乘車去縣府門前集合，平時靜肅的門口，只聞一片寒暄笑語聲，孩子們更是歡呼雀躍，不多時人已來齊，汽車也在眾目盼望中來臨，那是借的空軍交通車，比公路車更寬大，一車剛好坐得滿滿的，九時正，喇叭一聲，大夥兒便出發南下。

屏東原是個農村都市，車行不多時，便見竹舍茅屋，田丘連綿，一片鄉村風光，這天正逢一年一度的農民節，平日胼手胝足，辛苦勤勞的農民們，都放下鋤頭鐵犁，穿上他們最漂亮的新衣，興高采烈地歡度這個屬於他們的佳節，一路上舞獅舞龍的，鑼鼓喧天，歡呼震耳，田野中卻靜悄悄地，耕牛三五，解除了犁具，悠閒地在坡上咀嚼著青草，鵝鴨成群，自在地徜徉在田溝池塘。汽車一會兒駛進密密叢叢，一眼看不透的蔗林，就如夾道矗立著兩幢巍然綠屏，連天都變狹了，一會兒又馳過綿延不絕的稻田，綠油油的新秧盈盈地在春風裡輕晃慢搖；驀地從綠叢中驚起三兩隻鷺鷥，潔白的身影在藍天上輕輕畫一道弧形，又悄然降落；田岸上栽植的香蕉樹，一行行齊整的舒展著寬闊蒼翠的葉子，彷彿是綠色的列兵，正待自然之神來檢閱；矮小的農舍如疏星般或遠或近的點綴在田野，竹籬木柵上蔓繞著一種盛開紫色小花的藤蘿，遠遠只見萬綠叢中一簇簇紫蓋，煞是好看；清澈的小溪在兩岸修竹垂柳相映下，一路蜿蜒引伸，隱約消失在綠蔭深處。村野中那份恬淡寧謐的氣氛，陶冶了我的心情，引起了我的遐想，怎生也能偷得浮生半日閒，來這忘世的鄉間小住！車子駛遠了，我的思念仍留在那不知何處的小溪盡頭——忽然一聲驚噢，車子微微一震，原來是一隻不知危險的牛犢正蹤跳著橫過公路向車子奔來。司機敏捷地一轉方向盤避過了，顯然的，那些生長在野地裡的動物從來不曉得機械的危險性，以致車子不得不不時降低速度，為的是讓幾匹大水牛從容地踱過公路，或是讓母雞安詳地帶開牠的雛雞。有一次，一隻白胸脯的小鳥，就像一位穿著大禮服的小紳士，泰然降落在路中間，側著頭，好奇地打量著這龐然怪物，直到車子逼近牠身前，這才振翅飛掠過車頭，飛向深邃的天際，倏忽間便失了影蹤。

一路上風和日麗、景物如畫，也不知走了多久，風忽然逐漸變得獷厲起來，說是到了枋寮。枋寮是一個臨海的漁村，過去那一段路程純粹是田園景色，而到這裡完全轉換了海濱風光，前者給人以清新愉悅的感覺，後者卻使人感到胸襟豁達開朗，一幢幢灰矮的房子，鱗次櫛比的簇擁在海岸上，那便是漁民的家，迤邐的沙灘上，此刻正曬滿了魚網，有的平鋪著，有的晾在架上，大的又好幾丈長，遠遠看去，一條條像是巨蟒伸直了在曬太陽。東一籮西一筐的新鮮魚，就堆在路畔出售，鱗片映著陽光閃閃發亮，彷彿滿筐滿籮裝的白銀。好些附近的鄉人正圍著就地交易，黧黑的、赤著足的漁家孩子，為爭奪一只最美麗的貝殼彼此嬉戲追逐著，那些粗獷而淳樸的漁民們，吃在海裡，住在海邊，終日逐獵海上，與風浪搏鬥，他們的生活中充滿了波光潮聲，也充滿了駭浪驚濤，吃魚的人們誰又會記取他們的辛勤！海洋是豐饒的，如同大地是肥沃的一樣；該有多少人們，依靠它們為生！

車子很快就把灰矮的屋子拋在後面去了，沒有了阻隔，海更一無遮攔地伸展在面前，浩淼壯闊，一碧萬頃。我一直嚮往著的大海，它不僅吸住了我的視線，也懾住了我的心神，平靜的海水是那麼藍，藍的那麼神祕，神祕中潛藏著一種魅力，誘使人只想投向它，像一個嬰兒投向他舒適的搖籃，那片蔚藍，海天渾然一色，天上數朵飄浮著的白雲，看似海裡的船帆，海上行駛的三兩艘白帆，又疑是天上的雲朵，水波盪漾，緩緩地湧上海岸又徐徐退去，彷彿一簇簇忽明忽滅的曇花——海是那麼平靜、那麼安詳，而路在這時卻特別不平、特別顛簸，一會兒像在籮篩中篩，一會兒又像在畚箕裡簸，海邊風又大，車窗拉上了，車子那麼猛然一震，整排的玻璃窗又一起跌落下來，路壞、車顛，更顯出大海的寬廣涵博、雍容端莊，我不由得假想如果那也是路，一條廣袤無比的大路，迴繞著地球，那世界想來該又是怎樣一副景象？也許是融融洩洩，人與人之間再沒有隔閡，沒有種族觀念，也許野心家更得以逞他統治的野心……噢，只管貪戀著看海，偶一回頭，才發現左邊不知何時起，已巍巍然矗立著一座座的山，峰巒綿亙，山勢起伏，分寸土地都擅於利用的農人，便依著山勢開拓了層層疊疊的梯田，遠遠看去，宛似重重上天梯，種植的不是稻也不是蔬菜，而是一叢叢如直立的寶劍般的菠蘿。汽車一路在山巹海灣中迂迴前進，過了枋山，海與山更密切偎依，就只中間嵌著一條公路。有時海就在路前面包抄過來，銜接了山，看著已是山窮水盡，車子彷彿便直朝著海裡衝去，可是猛一拐彎，路又出現了。海水在這裡忽然清晰的分成二色，貼著天際的是一抹湛藍，偎著山崖的是一片蒼綠，藍綠分明，蔚為奇觀。沙灘上怪石嶙峋，有的看去像一尊彌勒佛，有的看去像一隻伏虎，還有像哨兵似的默默守望著遼闊的海洋。過了莿洞村，路終於逐漸離開海岸，蜿蜒旋繞於群山叢中，一路上，更見山花迎人，一片紅嫣紫姹、奪目耀眼。這時車子一個直角轉彎，駛上一條短短的斜坡，停在一方整潔的廣場上。原來已抵達了四重溪歷史悠久的景福旅社。一到門口，便有女侍笑臉相迎，遞鞋接行李，好不殷勤。旅社是日式建築，樓上樓下，全是榻榻米的，四面紙門拉上，算是一間間房間，一打開便成了大統艙，好處是乾淨整潔。走廊上一排落地長窗，明朗軒敞。旅社裡早得到通知，已準備豐富的午餐，這一頓採取自助餐式，大家吃得十分痛快，飯後略加休息，便去溫泉池入浴，這裡的溫泉是碳酸泉，熱度在四十七度左右，不僅沒有一般溫泉那種難聞的硫磺氣味，且清澈透明、潤滑膩脂，浴後數天肌膚猶滑不留指，據說還有一種特色，對治療腸胃和風濕症頗具特效。我想下次應該同母親來，試試對她那數十年為患的胃病是不是有用。浴罷，精神重新振作，大夥兒又乘車直放鵝鑾鼻，抵達恆春古城時，卻遇到一個小小的阻礙，險些兒半途折返。原來這小城還保留著二座城門，門洞比我們的篷車矮了不足一寸，左試右比，總不能通過，車子倒撞癟了一塊，有說可以繞道過去，但車子駛了一段路，又發覺狹窄的鄉道承受不了而轉回頭。最後只得與公路局打交道，向他們另包了一輛公路車，才算穿過了城門。

出城不久，路又沿著海岸彎曲伸展，海在這裡顯得更壯闊，煙霧溟濛中，遠遠便望見什麼巍然聳立在海邊，彷彿一艘停泊在那裡的帆船，又似一座介於海天之間的屏風，臨近一看，才知原是一座孤零零峭立在海裡的岩石，海濤在石下沖激撲擊，浪花四濺，水聲喧譁，巨石卻昂然屹立，毫不為動。石名就叫「船帆」，好一座不懼風浪的船帆！

終於抵達了最後的目的地——寶島這一瓣長綠葉子的梢尖，但見丘上一帶圍牆環繞，白塔便聳立於牆內，派代表與駐守人員先接洽後，大家便魚貫進入塔內，很費力地爬完四層鐵梯，陡覺眼前豁然開朗，已置身在四不靠邊的最高層塔頂，只見白茫茫一片渺無涯際，海和天融接一起，海面風平浪靜，天上澄清無雲，陽光傾瀉直注，形成一團撲朔迷離的光霧，人在海天之間，渺小得連自己也忘了存在，而獷厲猛烈的海風吹得人搖搖欲倒，說話的聲音剛一出口，便立刻被大風吹散，消失於大氣中。據說在空氣明淨的時候，從塔頂可以眺望呂宋七星岩以及紅頭嶼，但我雖然極目遠眺，看到的依然是蒼茫的雲天。風越吹越勁，大家唯恐真的乘風而去，羽化登仙，不敢多事逗留，一個個披散著頭髮，掩按著衣襟，匆匆拾級而下。

離開鵝鑾鼻，順道繞去墾丁尚未開闢的「公園」，參觀了那裡的畜牧實驗所，牧場面積不怎麼大，牛和馬大部分都關在柵欄內，顯得羸弱而缺少生氣，種類卻有不少，計有日本種、印度種、西班牙種，其中西班牙種的牛身小巧而結實，一身黃白相間的花斑十分好看，這時正有一位遊客，站在離牛群不遠處，向他的同伴批評指點，猛不防其中離得最近的一頭小牡牛把下巴向內一勾，矗起兩隻銳利的角，便朝他們直衝過去，不僅那兩人嚇得轉身就逃，連站在柵旁的我們也起了陣騷動，幸好那牛追得不遠便停住了，使力用四足踢著地面，大概牠的血統中還遺傳了祖上那好鬥的性格。牧場主人請每人飲鮮牛奶一杯，為大家壓驚。

返程中，車子在有船帆石的海岸小停片刻，大家下到沙灘上走動走動，卻發現沙灘上到處都嵌滿了各種貝殼，和給海水沖盪滌洗得奇妙的海花石，石上的花紋都排列成圖案，有的像一朵朵小菊花，有的像一支支珊瑚，精緻勻淨，玲透瓏剔，彷彿全出自雕刻家之手——誰想得到那粗獷豪放的大海，居然還有這一份細巧的手藝！就像發現了寶貝般，不分大人孩子，大家全彎著腰，起勁的從砂礫中拾取貝殼和石子，裝進帶來的手提袋，衣服上的口袋，什麼也沒有的便把帽子脫下盛載，這邊一聲歡呼，那邊一陣嬉笑，夾雜在撲岸的浪濤聲中。人在海的面前，都暫時忘記了年齡、忘記了矜持，個個童心來復，重又返璞歸真，直到夕陽將墜，才喜孜孜滿載登車。

晚上是駐防的一位朱師長請客，並準備有晚會助興，但我已感到疲倦，跟大夥兒在一起熱鬧了一整天，很想領略一番四重溪的靜趣，因此大家都在恆春下了車，我同惕非卻悄悄地回到旅社。他又一次去沐浴溫泉，我端一杯新泡麥芽茶，獨自憑欄閒眺。樓的左邊是農業試驗所茂密蒼鬱的叢林，樓的右邊有一口花木掩映的池塘，再後面是一座綠沉沉的青山，山上小徑曲折，隱約可辨。而越過樓前正中那一排紅葉樹，遠遠半壁絢麗的彩霞，一脈綿亙的黛山，如入圖畫。倦鳥返棲，枝頭一片細碎清脆，配合著山林中傳來伐木叮咚聲，湊成一支黃昏組曲，只覺得一天的尋勝覓景，都不及這時給人性靈上更多的領悟。

這時山風勁急，已頗有寒意，我披上了大衣（在屏東還穿單衫哩），同惕非緩步走下斜坡，坡下便是小鎮唯一的街道，長不過數百步，倒有三四家旅社，另外十幾家飯店和小雜貨店，板門半掩不閉，十分冷落，街頭更少行人，只有山風肆意的橫衝直撞，颳得簷前那些紅紙招貼滴溜溜飄揚個不停，這是個樸質而未經人工雕飾琢磨的山鎮，連同它周圍那些幽邃樸野的風景，宛如一個不著半點脂粉的村姑。

我們漫步走完小街，走上蜿蜒的山徑，為的是想探尋溫泉的源流，但結果卻在一處山麓有了新的發現，一帶矮樹上全懸結著一簇簇葉非葉、果非果的球似的東西，近前審視，才知原是由十幾枚豆莢結聚成一團，在那些已經裂開的夾殼邊沿上，便點綴著一粒粒鮮豔的紅豆。豆渾圓而結實，四分之一為黑色，紅黑分明，嬌小美麗。我一面採擷，一面不禁低誦著王維那首詩：「紅豆生南國，春來發幾枝，願君多採擷，此物最相思。」惕非也幫著我採。這是另外一種野生的紅豆，一般叫作相思子的好像是扁形的，比這個稍大，顏色純紅，是桂林的特產。我也記得曾經拿來鑲嵌過戒指別針的，正是他所說的這種純紅豆。直到後來回家後一查辭海，卻明明又這樣寫著色鮮紅，有黑色之斑點，供裝飾藥用……但不管人們如何品題褒貶，無益於它的自由生長，也無損於它的美麗嬌豔。

暮色四合，風更浩蕩，連大衣也不足以禦寒，我們滿捧紅豆，逕返旅社。女侍隨後便端上晚餐來，她恭謹地跪在榻榻米上，從黑漆的托盤裡搬出飯菜，那些小碟小盆擺在同茶几般矮小的桌上，就像我們幼時跟小朋友玩的擺「姑姑酒」，只是湯盤比我們用的飯碗還小，而飯碗卻有我們用的湯碗大，由此可見他們的習慣吃菜一定很儉省的，菜大概是日式料理，有二式味道很鮮，但略嫌甜淡，飯卻是蒸的，半生不熟，不易下嚥，我與惕非相對盤膝而坐，第一次領略到這別饒風味的一餐，雖然吃得很少，卻覺得很有趣。

女侍把殘餚收去，赴宴的人尚未回來，整幢大樓只我們兩人，除山風一陣接一陣不住地震撼樓窗，再無一點聲音。靜是靜極了，恍惚如置身深山荒谷裡，更不知山外還有紊亂複雜的世界，囂鬧繁瑣的人間，站在那一塵不染的走廊上，只見窗外一片清冷皎潔的月光，就在我們用餐的片刻，自然之神已重新把大地飾成一個銀色世界！滿地婆娑的樹蔭，一池疏淡的花影，水光與月色相映成輝，就如萬千點銀鱗閃爍不停。那遠山、近樹籠罩在朦朧的月光下，更顯得幽邃蒼鬱。周圍凝蘊著一種寧靜、和諧而莊穆的氣氛，彷彿創世才七日——在靜謐中，我們默默倚窗，只覺心境已至淨化，再無半點塵慮俗念，思想漸趨昇華，忘卻身在何處——追述這難忘的一夜，就只寫得一個「靜」字。

翌晨，我醒來第一件事便是走出那紙盒似的房間，到走廊上去，看清早的山谷又是怎樣一副面容，但當我的視線剛接觸到玻璃窗，不禁低低發出一聲驚呼，窗外什麼也沒有，什麼也不見，只是一片灰暗。我連忙推開陽台的長窗，沁涼的寒意同著一團灰暗、濡濕的霧雰，直向我迎面撲來，我小心地摸索著走上陽台，極力想從灰暗中看到一點東西，但是全沒有用，一片混沌，宛如天地未闢，昨天的山和樹，昨天的天和地，昨天的一切都消失得無影無蹤。而那冰涼的霧雰卻密密地包圍著我，沾濕了我的頭髮，我的臉頰和衣服。

女侍在廊上招呼我進去用早餐。

「這霧會不會變成雨？」我擔心地問她。

「不會，等一下就散了。」

「妳們山裡的霧真特別，常常這樣麼？」

「春天，就是現在這時候最多。」

等我吃完早餐，收拾好東西再出來時，那漫天漫野，滿壑滿谷，似乎填塞了整個宇宙的濃霧，終於遲緩地開始移動著，翻滾著，就像煙雲迷濛的山峰間，果真有「神女」在伸出纖纖玉手，一層層挽起億重輕絹，逐漸地，四周隱約露出綠沉沉的樹梢，紫奼紅嫣的山花，重重疊疊的峰巒，當朝陽掙出霧雰的重圍，把光燦燦的無數金箭投向這幽靜的山谷時，我們也坐上汽車，在陽光裡駛向歸程。

《大道》．屏東．民國四十一年春

編註：本文原刊於《大道》第二三〇期，一九六〇年五月十六日，頁十九～二十二。

白雲深處覓歌舞

——山地門記遊

或說：「到了台灣不去山地觀光、見識見識山胞的生活，算是白到了。」高山人倒是常見的，總是三五成群，頭頂著滿筐的番芋、花生、波蘿什麼的，向我們交換舊衣服。他們依然保持著原始時代的物物交易方式，以及有關他們的種種傳說，引起我莫大的好奇心。湊著是星期日，冒著烈日的烤炙，我們這一行五十多人乘著三輛卡車，浩浩蕩蕩地向山地人族居的「山地門」出發了。「山地門」原高雄管轄，由屏東去約車行四、五十分鐘。

驕陽炎炎，綠浪滔滔，車過處，驚起白鷺三四，沿途一片綠疇田野，如詩如畫，正盡收美景於眼底。車子乍一轉彎，卻拐進另一條僻靜的公路，左面一道山脈，綿延迤邐數十百里，右面亂石嶙嶙，寥寥然一片荒瘠的草莽，道路迂迴曲折，行人稀少，車輛不見，眺望前面，只見叢山連綿，峰巒起伏，聳入悠悠白雲間，若隱若現，神祕幻譎，想著曾有多少無辜的頭顱便犧牲在這白雲深處，不由從心中有點寒慄！

汽車在一道堤壩前停下來，壩係用巨大的石鵝卵堆砌膠合，有一二丈高，據說當山洪暴發時，屏東一帶全仗這道堤壩保持安全。過了堤岸就抵達山腳，山麓中瀑布高懸，沿水閘分作二股，奔騰直瀉，傾入水槽，浪花沖激，珠璣四濺，晶瑩耀人眼目。正對著瀑布有一座吊橋，憑欄聽激流澎湃嘯傲，水光相映成趣，說不盡心曠神怡，情趣盎然。

登山路有二條，我們選擇了瀑布上側的小徑，盤旋而上，一路只見碎石遍地，據說這都是漲水時殘留下來的，水高時，半座山都浸在水裡。行不多久，老遠就看見一線黑影橫曳。在兩山之間，這便是有名的鐵索橋，整個橋身著力處就靠二支手臂粗細的鐵索，斜斜地懸繫在半空，約有十餘丈長，橋身全用鐵絲像籠子般密密編成，中間鋪三塊四五寸寬的木板，風過處便左晃右搖，人走上去，更簸動得厲害，伸著二手，偏搆不著二邊的欄杆，扶著一邊吧！又傾斜得發慌，從稀疏的鐵絲網裡望下去，只見萬丈深壑，怪石嶙峋，盡教人心驚膽怕。大家攙扶著，佝僂著，一步一移地摸索著緩緩前進，有幾個膽小的索性爬下峭壁，穿過山谷，再從陡坡爬上來，現在還是水枯季節，壑裡只淺淺地一道水流，若在漲水時，想像那風浪滔滔，白茫茫的一片，一定更是驚心動魄。通過橋大家拍胸揮汗笑作一團，再回懸橋，二個頭頂籮筐的山地姑娘正娉婷地走過來，神情自若，腳步堅定，見我們這副狼狽模樣，相視憨笑不止。

行行重行行，過一道斜坡，又一道斜坡，這時我們的手杖全在過橋時丟光了，行來更覺吃力，最難受的還是口渴，烈日烤得唇枯舌焦，卻找不到一口水潤潤喉嚨。幸好爬完最後一道山坡，便見一片曠地豁然開展在眼前，綠蔭蔚蔚，迎風招展，夾道紅嫣白俏，滿栽花枝，山地鄉公所就建立在這上面，我們這飢渴交迫的一群，便在漂亮的鄉公所內外憩息下來，拿出帶來的乾糧汽水，大嚼一頓。

傳說中高山人是很粗獷強悍的，但與他們一接觸，才曉得滿不是那麼一回事，一路上逢到幾個山胞，都是笑面相迎，小孩子更是鞠躬行禮，當我們到達鄉公所時，住在附近的山胞都出來觀看，一個中年婦人同著二個孩子正好在我身畔，我順手遞了些餅點給孩子，那婦人趕緊擱下手中的針線，恭敬地接了過去，不一會便給我們送來了一擔水來，水，在山上是相當可貴的，得花相當時間穿過崎嶇的山道去汲取，她不僅曉得「投桃報李」，還懂得揣摩別人的需要，多麼誠摯、可愛的性格。

山胞們的生活多半很貧苦，多少還保持點原始人的風味，走進他們的村落，要不知道在先，我幾疑是走到了什麼公墓，房子全用長方形的石板蓋成，屋簷只齊腰一般高，敲掉半截石板便算是窗洞，側首有扇草扉，也得彎了腰才能進去，屋裡的空氣很惡濁，黑黝黝的，面積不到二丈見方，半間煮飯堆雜物，半間鋪上石板的就算是臥室，一家老小全擠在一堆，嬰孩則用吊床懸在空間，因為山上土地貧瘠，水源困難，禾穀不易生長，他們平時都吃番芋、落花生、芋艿等雜糧。

當我們從村落裡打了一轉回頭，預備跳舞的山胞已聚集在廣場，他們都穿一條短褲，露出一身咖啡汁似的棕膚，腰間還斜佩著腰刀，一個穿紅褲，頭紮紅布還插一束花朵的大概是首領，起初大家都二隻手交錯在胸前，攙住了左右的舞伴，繞著大樹站成一個半圓形，由我們的人端著酒碗挨次敬過酒後，舞蹈便開始了。先是二進二退四步式，帶黃花的那個唱一句大家便哄然響應，腳步也轉速成二步，載歌載舞，由緩而急慢慢地半圈變成圓形，唱詞也更高亢，步伐劃一而齊整，交錯著的臂腿，就像一幅活動的圖案畫，他們跳一回喝一回酒，直跳到樽空興盡，方才停止。

下山時我們走了另一條路，起初大道坦坦，樹木蒼蒼，不想一岔道卻又是羊腸小徑，陡險曲折，鬆軟的沙土一腳踩上去直往下溜，這可苦了我們幾個著高跟鞋的，全身力量全支持在腳趾上，不想別個剛剛跳一陣土風舞表演給我們看，我們馬上就回敬了一次趾尖舞。

下得巉坡便是一道寬闊的乾枯了的河牀，只中間還留得澗水淙淙，澄瑩清澈，水中青苔凝翠，白石婉約，我們索性脫下鞋襪，赤足涉水，沁涼冽骨，一身暑熱塵灰，全讓清流沖盡了，留戀再三，才爽然登車返程。

屏東・民國三十八年五月

山在虛無縹緲間

——琉球嶼記遊

若是打開一幅台灣地圖，便可發現正對著最南端的鵝鑾鼻，有一個小小的孤島，樣子就像本地人戴的笠帽，那麼無依無傍，四面臨水地屹立在海中央。那便是隸屬於屏東的琉球嶼，一個似乎被人遺忘了的小桃源。

從屏東坐汽車到東港是點把鐘的路程，還有一半路程便是水道。東港到琉球每天原有一班小輪船來去，渡資也很低廉。只因我們去的人多，便另外包了一艘機帆輪船。當我們到達港口時，那艘藍色的專輪早已翹首而待，一並排停著還有十幾艘相仿的漁船，有的卸下了魚，作片刻的憩息，有的在朝岸上搬運著大塊的冰磚。還有一艘嶄新的，從頭到尾都披掛著彩色繽紛的錦旗，據說還剛舉行過下水典禮哩。

馬達一陣聒噪，緊接著船身便左右傾斜，大家沒提防，直晃得前俯後仰。就在嬉笑聲中，船身緩緩地掉過頭來，駛出了船塢。這時，只見兩岸挺秀的蘆葦，就似一排翠屏；一葉輕巧的竹筏，滿載著一捆捆蘆葦，正穿屏披綠，順流駛下。女的坐在船尾，一手肘著蘆葦，笠帽在臉上投下一抹柔和的陰影。男的從容撐著竹篙，神態都那麼悠閒……這熟悉的情景，竟使我以為自己正置身在故鄉的篷船中，穿過兩岸低垂的柳枝，新荷拂面，櫓聲咿呀，順著潺湲的河流駛下。那是一年一度的清明節，去鄉下祭祖掃墓的日子——可是一拐彎，綠屏撤去，眼前驟然一亮，馬上又展現了另一片景象。噢！那才是真正的大海，浩淼汪洋的碧波，連接著遼闊無涯的天際，海天中間撲朔迷離的是一團金色的霧。大朵潔白璀璨的浪花，詭譎地此起彼落，時明時滅，一忽兒又攜手結成無窮盡的一排，向一個方向洶湧著奔、捲、撲擊。將幾葉渺小的漁筏，一會兒拋上天際，一會兒又沉落潮底。成群的海鷗，飛繞漁舟忽上忽下地盤旋。大家指點著漁舟海鷗，不覺船已駛出海灣，船身搖撼的更厲害了；談笑間彼此已有了暈意。慢慢地言語遲鈍了、勉強了。終至一個個蹙額顰眉，支頤扶臂，連愛誇嘴的男士們也變得沉默寡言。震耳的馬達聲、浪濤聲中，唯有舵手依然把著舵屹立在船尾。看他雙手操縱著眾人的生命，迎著海風，披著驕陽，肅然凝注前面，真的像一個乘風破浪力挽狂瀾的勇者。

暈眩間也不知時間怎樣過去，忽然一聲「琉球到了！」立刻又振奮起來，舉眼眺望時，只見海天之間那一團迷離的金色霧雾中，透出一抹蒼綠。綠色的邊緣鑲織著一帶白堤，環山迂迴。一座白塔，守護神似的巍聳在堤端。船緩緩地繞進矮堤，那裡已歇著三四隻漁船，船塢裡一片叮咚聲，一群造船匠正圍著二艘未完成的船坯在努力敲打。

島形像小山，地勢傾斜。一上岸就開始了攀登，走完一段陡削的山徑，便有一片廣闊的平地。綠樹叢中，住屋掩映，別有一番恬謐的情趣。而我最愛的便是島上那份寧靜淡泊的氣氛，頂上是蒼茫無際的藍天，腳下是浩淼奔騰的大海，除了濤聲風嘯，再沒有城市的煩囂。不是世外桃源又是什麼？

這是個純粹的漁島，直徑有三十里，卻沒有一丘稻田，也不見一畦菜圃，原因是缺乏淡水。島上食用的水，全靠島腳下一注清泉。居民全是弄浪狎波的海上健兒，當漁船聯袂出海捕魚時，島上只剩下女人和孩子。有機帆船的漁民，便駛出海外捕魚，一出去三四天不等。貧困一點的便只得駕著漁筏小船在裡海逡巡，黃昏出海天明歸。當吃魚的人兒好夢正香時，他們卻冒著風霜，凌著波浪，在渺茫的大海中尋索一尾尾活潑潑的魚兒，海上風浪無情，生命沒有保障。因此打漁的人全把信仰寄託在「神」身上。別看這島嶼僻陋，一座「天皇廟」卻修建得壯麗莊嚴；綠瓦飛簷，雕樑畫棟。一尊天皇菩薩也塑裝得燦爛輝煌，據說那還是若干年前從廈門迎來的。漁人一出海，妻女便來廟裡祈福求祐。我們進去時，正有一個年輕的少婦在虔誠地膜拜，嘴裡喃喃地禱告著，看見我們，顯得有點靦腆；也許正為她的新婚丈夫祈福哩！

島上有一座小學、一家旅店、一條小得可憐的街。街上倒有好幾家經營海產的小店，陳列了些海花石、海貝殼、海龍蝦，老遠便聞著一股腥味。瑩白、微黃的海花石都有盆子大小，珊瑚枝似的石苗一根根縱橫矗立，參差有致、玲瓏透剔。每塊三元至十元不等。最美的是一個大龍蝦標本，身子足有一尺多長，赭黃色的硬殼上點綴著斑斕的暗紅色花紋，鬚眉清晰如生。只是索價要四十二元，沒有誰敢去問津。

我們的午餐的座位，就在船塢邊一片敞坪上，四棵遮天的大榕樹下面。當大家都在據案大嚼海鮮時，我悄悄擱下筷子，獨自踱向坪沿眺望，一回眸，卻見兩個赤足孩子正捧著小木盒，在我身後盤桓兜銷。木盒裡原來是些美麗的貝殼和海螺。這一發現，頓時使飯桌上很多人都放棄了正端上的「炸彈魚」，將那兩個孩子包圍起來。二角一把、五毛一捧，任人挑選，大手小手擠塞在木盒裡，就是掘金者發現了所羅門王寶藏也不過這樣欣喜。可是半小時後，局勢演變，我們卻被更多賣貝殼的孩子包圍了，有些濕淋淋的還是才從海裡撿來的哩。

飯後，我們把那裡唯一的甘蔗攤搶購一空，大家一路啃著甘蔗步下海灘。海灘很狹，兩旁峙立著猙獰的岩石，有的像一尊彌陀，有的像一座睡獅，有些深邃幽暗的岩洞裡，冷泉滴滴、陰風淒淒，不由得使人想起了電影裡的盜穴。

海灘越走越狹，岩石幾乎把海全隔絕了，迎面又擋著二座作勢擁抱的岩石。從石縫中穿出去，這才看見了另一片寬闊的天地。首先映入眼簾的是一座孤零零屹立在海畔的巨石，下狹上寬，石頂上繁生著雜草，儼然是一只碩大無比的花盆，供奉在海天之間，這便是與鵝鑾鼻船帆石媲美的花盆石。石下海濤怒湧，浪花飛濺，正是漲潮時候，在遼闊的海天懷抱裡，人彷彿都拾回了失去的童心。有的攀石遠眺，有的尋攝鏡頭，有的蹲在砂堆裡發掘貝殼，有的索性脫下鞋襪，在水底石隙掏摸。一時笑聲語聲和浪聲融成一片，都覺得一天的遊程要算這時最痛快。可是時間不留情，太陽冉冉下沉，海面不知何時起，飄浮著一層輕煙似的薄霧。想起那一段顛簸的水程，大家只得收拾未盡的遊興，登船歸去。

歸程中，漁舟都已紛紛出海，逐波浮沉。來時蒼綠的海水，此刻轉成深沉的藍，海風也比來時獷厲。海上暮色四沉，煙霧迷茫，海天已不易分辨。回望那一脈暗綠色的島嶼逐漸隱沒在夜色朦朧中，船上有誰低低地唱起了——

山在虛無縹緲間……

屏東・民國四十一年一月

編註：本文原刊於《中國語文》第一卷第二期，一九五二年五月，頁六十一～六十三。

晴山綠縈西子灣

西子，多麼富於誘惑性的名字！也許是美人終於泛五湖而去，這一代尤物便與水結下了不解緣，不是嗎？杭州有西湖，山清水秀，名振全寰，而在台灣又有個西子灣枕山懷海，也是遐邇聞名，我早就慕名嚮往了！上一個週末適巧有一個機會去高雄，自然，我們不會忘卻訪問這位海濱姑娘。

伴著我們同來的是《新生報》的江先生，暫且充作嚮導，走出報社橫過一條馬路，又穿出那條登山路，便見一泓淺水，一座青山介於路口，山上沒有峰嶺峻峭，也不見岩石嶙峋，綿綿無盡地只是一片綠，一片茸茸的青翠，宛似一道綠色的長堤。就在這長堤中間，鑿開了一座幽邃的大隧道，從炎熱的陽光下走進去，頓覺闃寂蒼昏，清涼沁人，隧道很寬，雖然在頂端按了一排電燈，卻仍是黑沉沉、陰森森，陡然使人想起偵探小說中神祕恐怖的場面。一聲長嘯，四面便哄然回音，繞繚不絕，走了約莫七八分鐘，右面突然衝出一幢石屏，隧道頓時狹了一半，繞過石屏，便不見後面，這便是出口了，原來石屏是故意用來遮斷洞口的光線，使隧道顯得更神祕幽邃些，設計的巧妙，不能不令人讚佩！

走出洞口，一片金光翠色迎面撲來，一邊是峭壁屹立，一邊是綠堤蜿蜒，中間小徑曲折，垂楊披拂，綠叢中樓榭隱約，如在圖畫中，正當左顧右盼，美景不勝收。乍抬頭，卻見一片蔚藍赫然就橫在面前，清淡的是天，暗蒼的便是海，壽山從右邊彎彎地伸延出去，把海灣從猖狂不羈的後海隔開，強項地半擁在懷裡。左邊便是使高雄成為寶島咽喉的壽山和旗山。巍然如雄獅臥龍，相對踞峙，海在山的圍繞中看來是那麼平靜、那麼柔和，微波遠遠地盪漾過來，才撞激著沙岸，便欣然濺躍，翻展成一朵朵白蓮！沙灘迤邐展延著，細砂鋪得軟綿綿的，誘使人只想躺下來舒展一下身肢——據說：西子灣最特出之點便是這砂礫，比任何海濱的都來得細柔軟潤。砂礫中更有無數精緻的海螺、美麗的貝殼，在燦爛的陽光下，把沙灘綴飾得光豔絕色。

成群的孩子遊散在海畔，有的追逐嬉戲，有的弄潮為戲，女孩子卻珍惜而慎重地俯腰揀拾遍地的珍寶，在海天浩瀚的懷中，原最容得童心的來復，幾次我欲脫去那雙代表著文明嬌貴的高跟鞋，加入天真的一群。但回眸見遊伴正襟莊容的神情，又只得悄然終止，另一邊有人在捕魚，長長的大魚網浮沉在水裡形成一個V字，十幾個漁人赤膊裸腿地浸在水裡用力拉拽，隨著激盪迸濺的浪花，魚網逐漸緊收靠攏，一個銀光的閃耀，一個輕疾的騰躍，魚兒終於上岸，人在歡笑，海在低吟，我們繞過一道矮矮的白堤，又轉到了內灣，這裡在夏天是開闢浴場的，今天卻闃無一人，一座棚廠索然孤立在海灘，海在這裡是更沉靜更溫柔了，像巨幅藍灰色的絹緞，從沙岸一直延展到天際，風過處，輕晃頻搖，明媚已極！數隻潔白的海鷗，迴飛天空，一忽兒翩然高翔，雲羽相映成趣，一忽兒蹁躚低翔，又微步凌波，極目四望，天蒼蒼無涯，海茫茫無垠，撲朔迷離，只一片青藍充沛宇宙，我們凝靜佇立，只覺得胸襟寬舒，一切塵囂煩慮，盡付諸瀰淼大海，心下明澈澄清，更無半點俗念！

沙灘已是遍印足跡，暫回頭，卻又是一條平坦大道，沿著山麓逶迤綿延，兩旁樹木蒽鬱，凝翠漾碧，這路原從山中開鑿出來，還有岩石三五，寥落矗立海濱，有險巉削立，有峻峭崢嶸，別有一番神韻，緊偎著山麓有一座八角涼亭，石桌光滑如鏡，綠蔭倏忽掩映，坐聽風嘯海濤，爽然怡然，而從樹隙石岩望出去，海天一角，清晰在目，帆影幢幢，從水平線上悄悄升起，悠悠泛波，近樹、遠山，藍天、白帆。此情此景，空靈和諧已極，我只恨我不是一個畫家，無以將這色與景的大調和搬向人間。文字竟是最無用的東西，這等美景卻不能描畫一二，黯黯鄉魂，深深旅思，卻被牽惹撩撥得不能自已！但將一片心靈，縈繞著白帆遠揚——直到他們催促再三，才逝返歸途，又一次穿過隧道。再回首望上臨別的一瞥，彩霞紅嫣烘襯，晴山更見青翠欲滴，隘道口上的一家製冰廠正在運冰，一道懸橋從岸上直擱到泊在港灣的漁船，大塊霧氣蒸騰的冰塊從上面滑下來，透明瑩澈的結晶體在陽光下反射出七色虹霓，光耀眩目，蔚為奇觀，這時我才發現離漁船不遠，有二隻紫色遊艇雙雙縈縮。原來海灣裡還可以盪舟呢！如果在群星閃爍，月光氾濫了海天的晚上，駕一葉輕舟，在海面款盪徐之，輕輕地打槳，緩緩地徜徉，柔波粼粼，光影迷濛，風飆侵拂，春衫嫌薄，置身在這等恍惚迷幻的銀色世界中，該又是怎樣的畫意！怎樣的詩情！——可是我們還得趕上那一班南行的火車，須待後會有期了。

列車在黑暗中進行，旅客都是昏沉欲睡，且喜車廂內寥靜無嘩，我靠著軟軟的椅背，身體端是倦怠，心中卻愉悅暢朗，冷寂中，腦中驟然掠過龔定庵「……都道西湖清怨極，誰分這般清福？……」若將西湖改西子灣，我卻已分得這般清福。

屏東・民國三十九年四月

編註：本文原刊於《暢流》第一卷第九期，一九五〇年六月十六日，頁十六～十七，原題〈晴山綠繞西子灣〉。

從贛南到台灣

告別山城

三十八年初，當家家都在忙著預備迎接一個歡樂的日子——舊曆新年——我們卻得整頓行裝，去飽受旅途的風塵。「海上樂園」、「美麗寶島」這富於誘惑性的名字，真似磁石般向外發射著她的吸引力，我們不過是被吸引中的幾枚小針罷了。

別了，上猶——這寂寞的山城，五年的寄居不能說不悠長，雖然那止水般靜寂的環境和單調沉悶的生活，忍不住教人厭倦，但那種忘世紀的清靜和安詳，別處怕是難以領略了。尤其是曾經讓我們躲過戰亂，在流離顛沛中度過一段苟安的日子，更讓人難以忘情。而握別相處數載的同事和友好，黯然傷情，幾不能忍禁，別了，寂寞的山城，願妳永遠保持著寧靜和平。

到唐江雖說只三十公里路程，卻煞費籌劃，當局已是宣布了幾次通車日期了，公路至今還是堆滿了亂石的荒徑，除了船和轎子，那就得靠腿了，我們花了九牛二虎之力，才僱得四揹轎子，加上四挑行李和十個武裝礦警，一路浩浩蕩蕩，倒也熱鬧。自幼時在家鄉乘過那古老的交通工具，江西的簡易竹轎我還是第一次坐，生長在二十一世紀居然還能領略到十八世紀的風味，不知是幸運還是一種對現實的諷刺；當上山下坡時，轎夫都靠著邊沿走，轎子就像空懸在山崖，望下去只見腳下萬丈深壑。潺潺碧流，怎不心驚膽怕？而帶著孩子坐難免有點轉側，轎夫又馬上向你提出警告，沒奈何，只得半僂著身子，權且充一次出會的菩薩。走了三十里抵娘娘坑，這一帶是匪徒出沒的險境，四面山巒起伏綿延約十里地，礦警們全警惕地把武器開了保險提在手裡，排成一條長蛇陣，東探西望，空氣頓時緊張起來，一直到油籮湯渡口，神經才得鬆弛，抵達唐江已是四點多鐘了。

唐江是贛南四大商鎮之一，屬南康縣管轄，每逢墟日鄰近各縣全來此交易，我們到時正值墟期，沿途只見肩販摩肩接踵，絡續不絕，滿街都是籮擔攤販，擁擠得連轎子都無法通過，只得轉彎抹角繞道小巷。街上商店鱗接，生意興隆，還不愧是個商業重鎮，這裡的蜜餞是有名的。

過浮橋，車剛馳到，我們棄轎登車前進，去南康這三十里的公路也壞透了，不但崎嶇不平，二道車轍足有半個車輪深。南康的柚子是著名的，味同桂林沙田柚而汁水更多，可惜產量不豐不能暢銷各處。

贛縣，這打虎將軍蔣經國先生的發源地，這以「新贛南」三字出足風頭的城市，雖只六十公里的相隔，我可還不曾矚仰過它的丰采哩。在「陶陶」旅社安頓好行李，便要非同著我們去觀光觀光，當然它只是從蠻荒中開闢不久的城市，在戰時才嶄露頭角，如果要拿大都市來比較，自不啻小巫見大巫，但，它實在是居家最適宜的地方。有一個小都市的規模，卻沒有都市的惡習，繁榮而不奢侈，質樸而不偏僻，寧靜的氛圍和良好的治安，都教你生活感到安定。以生活費用來說，比起我們經過任何一縣都便宜得多了，這次京滬疏散就有不少人來此避風雨，過去曾有將江西劃分為二省而以贛縣作省會之說，我想它是當之無愧的。

在贛縣耽擱了二天，第三天一早便趁公路總局第三聯運處的車子去曲江，車子是什麼臨時班車，那老朽的樣子教人擔心它一路不知得抛幾次錨，而一排木椅實在難以容納五個冬裝臃腫的乘客。坐在第一排膝蓋雖不至碰痛，可是面前那一排汽油桶可真討厭，車一開，它們就一個頂著一個往外擠，弄得我一雙長統襪上滿是油污，最發噱的是車到青龍有一個軍官要下去，但只聽見他在座位前窸窣了半天都不見站起，卻直著喉嚨嚷起來，原來是一條腿給坍下去的椅子壓住了，結果還是前面坐的人一起站起來把椅子端高，幫他脫了靴子才算出險。

十二時至大庾打尖，大庾是我一度居留之地，也是生活遭遇變故的傷心之地。父親不幸在這裡遽然病故。靈櫬還暫葬在金蓮山麓，只是行期的迫促，竟連讓做女兒的想祭掃一番都抽不出時間，等了八年抗戰，如今又只有等和平兌現再恭迎靈柩安厝於故土了。心中不禁默哀禱告父親在天之靈，願這一天早日來臨。

進站那一瞥給人的印象很是不壞，一面是崗巒聳翠，碧流曲抱的公園，一面則是堂皇的車站，但經過一番浩劫，靖安橋畔的酒樓食堂已是冷落多了。城屬西華山以盛產製燈泡和槍炮原料——鎢——聞名中外。過了那「十月先開嶺上梅」栽滿了花的梅嶺，便是粵境了，回首望一眼「天下第一關」墨書的「再會！祝君一路平安」，心中不禁黯然，再會，幾時再會呢？你這蹭蹬了我十年歲月的山國！

踏進了華南的心臟

一進廣東境第一個不同的作風就是沿途檢查得嚴，每一小站都有臂上繫著紅布的男女檢查員上車來驗看身分證，女的一式是短襖大腳褲的廣式便裝，到南雄下榻於嶺南旅社，規模也許是南雄數一數二的了，只是設備不甚整齊，而且沒有電燈，那麼高的樓房用水都得一盆一盆地從底下端上來。

南雄的街面很狹，人行道是梯形的，食堂都兼著茶樓，偌大一間堂屋，放下幾百張小巧的桌椅，上午專賣茶點，下午專賣飯菜，過了他們規定的時間，你縱使想吃點心也只有飯了。

開曲江的車子算是對換了一輛新的，座位雖然舒服了點，可是膝蓋在椅背上撞呀撞的可不大好受，而且路基不平，顛簸得厲害，吃了飯上車肚子一直痛，我還懷疑顛出盲腸炎來哩。

曲江車站和城區中間隔了道很寬的河，大的旅社餐館全在城裡；為了明天搭車便利，我們便在火車站的「雅園」住下來，名義上是叫旅社，實際上可比最小的客棧還要小，房裡容納一牀一几就擠得連行李都堆不下了。進去後才曉得那裡還有個地下室，是專供妓女營業的。我們進去時正巧見到二個在樓梯下送上幾個衣冠不整的客人來，見有外人馬上又退回去了。她們那濃厚的胭脂粉掩飾不了憔悴的臉容，終日就像鼬鼠般生活在黝黑的地下室裡。當我們踏著樓梯去底下上廁所時，總有幾對空漠卻又帶著些許期望的眼睛，從半掩的門縫裡向外張望著。據說在曲江，每個角隅都充塞著這些出賣自己青春和健康的可憐蟲。

雖然貫通兩岸的血脈——橋——是炸斷了，過河卻別有趣味。一到碼頭上，只見黑壓壓地渡船像一條長蛇般，密密擁擠在灘畔，一片片「坐船啦」、「坐船啦」的喧嚷，簡直使人眼耳應接不暇。我們就近乘了一艘，二人一隻專船只花費五元錢。船艙很寬爽，漆沐著黃色的油，考究的還鋪上彩色的漆布，收拾得乾淨俐落；撐船的大多是女孃。她們全是以船為家依船為命，據說船上還可以住宿，一晚大概只要一、二百塊錢（等於開一間房間）。船至河心就見一座建築相當雄偉的大橋橫貫河面，僅在靠岸那邊斷了三截，但橋樁還是很完全的，問船孃才知那是抗戰時炸毀的，後來重加修建，可是只修好了橋樁經費便用完了，於是又擱置下來，正是功虧一簣，但這一來也僥倖了這些引渡人。

曲江的熱鬧區成一十字形，街道很長，還有城門洞，馬路旁隨處點綴著攤販，有好幾條街與店鋪還懸著汽燈；我們橫衝直闖地從這端跑到那端，也沒發現什麼值得駐足欣賞的。回去時走了一大截黑路，尤其是河邊那一段沙灘，鞋跟直往沙裡戳，黑黝黝地又望不清渡船的方向，船孃們那招攬客人的尖銳叫喊聲，在靜夜裡聽來是那麼地淒厲，我緊挽著非高一腳低一腳地蹣跚著，幸好那會拉生意的船孃老遠看到我們電筒的光亮，便跑上前來接引。船上已坐滿了人，船孃還在嚷呀嚷的，在大家催迫下，她才戀戀不捨地離岸。船一開，可真晃得厲害，河水深邃幽暗，彷彿無盡無垠。數十條性命就操縱在一個弱女子手中，懷著緊張的心弦，好容易才到達彼岸。

開廣州的火車是早晨八點鐘起程，原來規定九個鐘頭到達，可是連一個三家村似的小站也得歇上老半天，特快車竟成為特慢車了。車身既狹，坐位又壞了彈簧，連日局促在汽車裡，原想上火車來舒鬆舒鬆筋骨，不想累得人更苦。一路上經過了四五座隧道，進道時惡濁的煤氣直衝腦門，長的要走四五分鐘之久，回顧那危崖絕壁，不由人歎服工程的偉大，到達廣州時已是萬家燈火了。

在群利酒家住了一晚，一早起來茶房便拿了筆墨來塗改房價，但我們不受這榨取，當天就加入空軍疏散眷屬集團——一座小學裡，開始了打地鋪、吃大鍋飯的難民生活。

在廣州，幾乎使人懷疑是出了國境，什麼都用港紙來計算，同樣一張花紙，人家的是身價扶搖直上，我們自己的卻天天貶值，有好些奸商一聽你是外鄉口音，更昧著良心在東西上大大地加上一頂帽子，而以港紙折價，他們更有一套花頭，譬如說今天港紙可換金圓一百元，他收你港紙時算是九十元，收你金圓時又說要一百一。你要差一分精明，那就準得上當了。

要上街逛逛夜市，他就不住會說：「廣州可真熱鬧。」一頂繁榮的從第十甫街，店鋪差不多全自成一個集團；這一帶賣綢緞的就盡是五光十色的綢緞鋪，那一段賣皮鞋的又光是鬥奇爭妍的皮鞋店，食品店裡堆滿了名貴的糕點、珍奇的糖果；銀樓裡黃澄澄的金子相映著碧綠晶瑩的翡翠……賣手巾、玩具、紅封套、裝飾品的小攤，要想壓倒收音機播送的流行歌曲，也拚命地賣弄嗓子，這些那些都吸引著熙熙攘攘、摩肩接踵的行人們；別克、小吉普，風馳電掣地在柏油路上奔馳，一些以押寶、猜獎等賭博為主的所謂「國民健康娛樂圈」舞廳，戲院子也是擠得水洩不通。女士們個個打扮得珠光寶氣，華麗無比，輕燕般嬌媚地偎在紳士氣十足的男仕臂彎裡，神態悠閒，談笑風生……看著這一片升平氣象，你會相信在同一塊國土上正在流血、殘殺。

廣州，這華南的心臟，雖比不上上海的廣博龐雜，但也極盡繁華之能了；尤其在政治經濟兩股激流一度南下的今天，它比上海有著更大的魔力。你想來觀光觀光或借枝暫棲嗎？那麼請先摸摸口袋裡有多少港紙吧！

沙丁魚的生活

候了四天，總算有上船的準備。我們這一批是四百多人，分為九組，先一晚就三組一船地搬上江邊的駁船，以便明晨馳向歇在江心的輪船，誰知一晚又一晚，一直到第三天黃昏才正式登輪。原來它從上海開來裝了去廣州和台灣的二批貨，結果把次序顛倒了，要把台灣的貨先卸下來，然而再卸去廣州的裝上台灣的，一番事情花費了幾番手續。

船是招商局的貨船「繼光」號，載重約二千五百公噸，船身很狹，看樣子只似走長江的。公家為我們接洽的地盤是二三丈深見方形的一個貨艙，無窗無門僅有一架沿壁直立的鐵梯可以上下，大家一看，禁不住倒抽一口冷氣，這哪裡是住人的，簡直是載豬載牛，裝沙丁魚，而每組一分鋪位，家裡每人平均只得三個拳頭寬的面積，縱使你是骨瘦如柴，也難擠軋。我同非只得露天睡在艙面上，能呼吸這麼一口乾淨空氣也還算是幸運哩！早晨醒來一瞧，大家不禁啞然失笑，原來一晚的煤煙把每個人都化裝成包黑頭了。

說是上午七時開船，結果還是下午三時開的，船一開風就大了，水波有韻律地起伏著，成群的海鷗追在船後翱翔、迴旋，倏然一落，彷彿翅尖沾上了水面，一振翼卻又飛過了船尾；記得在〈海鷗〉一曲裡，稱牠們是「暴風雨之女皇」，那麼這樣地追逐不捨，該不是有什麼徵象？這原是偶然的遐想，不料竟然成為事實。當晚九時許經過香港，第二天醒來只覺船晃得厲害，帆布篷滿孕著風扯打著，本來這時一個個拿著面盆、鍋碗的人，都絡續從艙底爬上來了，炊事兵亦抬著大籮大籮的米走進廚房；可是現在卻靜悄悄地。我撐起身來一望，只見船外是灰濛濛一望無際的海水，波浪或近或遠的拍打著，有的巨獸般猛然矗立起來，有的卻成一朵朵大白蓮消失了。慘澹的陽光照著近處的浪花，那冰屑似的水珠裡，碧綠的菡萏接二連三地湧上來。轉瞬又化成琢玉器裡的碎翠般，散落在無邊的黑淵裡。我們的船飄行在這茫茫大海中，宛似激流中一片落葉，隨波起伏；上升時可以看到水平線正在船舷邊，下落時卻連天都不見了，這時後面開始有人嘔吐起來，接著右邊的人也跟上了。一陣噁心，我忍不住也把才吃下的餅乾吐個精光，一動也不敢動地躺著，迷糊間也不知過了多久，只聽得說：「這一早晨算是白開，又踅回香港避風來了。」這邊又說：「二百噸淡水只剩得一百多噸了，等上三天就沒法維持。」那裡又在點算著帶來的糧食……翌日一早，船還是開了，風浪卻更大，我半僵地蜷臥著，嘔了黃水又綠水，根本忘卻了一切危險，只覺得船身顛晃得更兇，彷彿要把人的心從口腔裡撼出來，「嘩啦」，是浪頭打上了甲板，水珠直飛向我臉上，孩子的哭叫和大人的呻吟，滲入在風浪的空隙，我掛念著艙裡的媽和恬兒，可是我卻拚不出半點力氣爬起來……當船在第五天晨曦中望見高雄港口時，大家就像哥倫布發現新大陸般歡呼起來，掙掉了棉被撲向舷邊，用渴慕的眼光瀏覽著燈塔、長堤和那矮矮的房屋，可愛的寶島，我們終於投到妳的懷裡了！

桃源一角

一上岸，強烈的陽光照得人暈眩，頭腦跟腳底都是虛飄飄地，脫剩一襲夾衫還是熱得背脊發燒。迎著玻璃盒裡那黃澄澄的西瓜和一塊塊的冰棒，使這批來自大陸的人們愕然了！究竟是冬天還是夏天？對了大概是島上冬天裡的夏天罷。

碼頭就靠著鐵路，非常方便，一下船就有一批手裡握著台幣或敲著銀元的人圍上來兜攬生意，假如你有金圓券就得趕緊換掉，進去，是等於廢紙了。一路只聽說銀元在台灣不值錢，誰知卻跟外埠一樣地吃香，現在跌了點，一元約換台幣四萬多。

我們的目的地是屏東市，據說只三十分鐘的火車，也許因為是公家調用的緣故，似乎走了不止三個三十分鐘。沿站都栽著修剪的齊齊整整的樹木，站上還有梳洗處的設備，一應鏡子臉盆瓷杯俱全。建築的最漂亮的要算高雄車站了。一長列宮殿式的房屋，輝煌地屹立在黑夜裡，內部裝備得臻善臻美，地道全由磁磚鋪成，站外墾植著連綿的花畦，紅嫣紫奼，豔麗奪目，最難得的就是那種整齊和靜肅，排隊買票，排著隊上車，秩序井然，全無京滬各地車站上那種煩囂混亂的樣子。

屏東市是台灣九大市中最末一個，有十一萬人口，面積很大。在市面上看來，它稱為一個「市」是不夠條件的，它缺乏「市」該有的繁榮，沒有一處熱鬧的中心區；街道縱橫，店鋪星散，為了懼怕颱風和地震的侵襲，也沒有一幢堂皇的建築，它唯一的特點就是幽靜、清潔，到處樹木蒼鬱，藍天白雲下飄曳著熱帶特有的椰子、棕櫚、香蕉等長長寬寬的葉子，正符合它的別名「農村都市」。同時社會秩序良好，大有夜不閉戶、路不拾遺的古風，在街上我還未遇見過一個警察，住家自不失為好地方。

雖說因有八、九個中學而有「文化區」之稱，但文化在這裡還是相當落後的。全市僅有的一個介壽圖書館，藏書倒有大半是日文的，幾家書店裡陳列著的全是些《潘金蓮》、《三門街》什麼的章回小說或是馮玉奇的色情故事，頂蹩腳的是做為一個市竟沒有一張它自己的報紙，除了智識分子或商人能講國語，一般老百姓連聽都聽不懂，好些商店印的收據，看了簡直教人莫名其妙。

這真是一個腳踏車的城市，馬路上穿梭般風馳雲捲的全是腳踏車，賣冰淇淋的、送貨的、買菜的、上工上學的……他們騎車的技術可真高明，車後放上一簍炭不用捆，肩上掮二根木頭也無所謂，女人們還有背上揹著孩子，手裡提著菜籃油瓶的；少女們更是身輕如燕，馳走在光滑寬闊的馬路上，那般輕快勁兒，真令人羨煞。

這裡的女性比哪兒都活躍，粗粗細細，沒有一項職業裡沒有她們的足跡，乍一眼看去，教人懷疑男子怎麼這樣少呢？她們的服裝一律是西式的衣服連裙，也有二截分開著的，衣料只講花色鮮豔，不問質地，只要一件短外套，幾件花洋布衣服，便可長年扮得花蝴蝶似的，再加上少女們從十三、四歲起就學會了燙髮塗脂，望去只見個個唇紅臉杏，鬈髮如雲，花枝招展地；但底下卻都是赤足木屐，那木屐的樣子與內地又不同，兩頭尖圓中間寬，就像一艘舢舨船；梯梯拖拖走在灰沙厚厚的街上，可真不太雅觀，而在晚間，三五成群徜徉馬路上，一片「劈拍」之聲，簡直震耳欲聾。

鳳梨（即波蘿蜜）是屏東的特產，就同香蕉和番茄一樣；每家水果店都有出售，甘蔗更多，三步一攤，五步一店，走渴了，隨便掏出幾百塊錢，便可以買一段削得光溜溜的，邊走邊啃，若圖方便也有現成的甘蔗汁，那沁甜的汁水簡直甜得膩人。一種專門製砂糖的蔗有手臂那麼粗，因為這裡有家規模很大的糖廠，火車站裡甘蔗常常堆得山樣高，這裡的辣椒每隻足有四五兩重，肉很厚，但不甚辣，本地人對雞有一種迷信，說是有痲瘋菌，其實是日人要運回他們本島，卻蒙蔽百姓說是經過打針消毒的。因此雞在這裡很少繁殖，雞蛋像鴿蛋那麼大，卻要一千四百元一個。

如果你曾經留心過台灣種種，你一定不會忘記那粗獷、強悍的高山族人，他們曾以雞蛋碰石柱的勢力，在日人暴力壓制下一而再地崛起反抗，現在他們那種酋長統治部落的作風，仍是潛伏在政府管轄的背後，除非得了他們族人的引領，有些尚未完全開化的僻遠山區，外人是沒有這勇氣進山的，過去他們以那種戮殺人頭多寡來競勇的風俗，聽來仍然教人寒慄。但已開化的一些都很自由的下山來，背一些自產的農作物，什麼番芋、芋頭、花生等等，沿家挨戶的走去，拍拍袋中所載又拍拍你身上所穿，意思就是調換舊衣舊鞋，鈔票他們可不要。女人穿的衣服還保留著清朝的式樣，斜襟、寬袖、長襬又滾邊又環珠貝，頭上頂一籮幾十斤不用手扶，他們的皮膚全是黧黑的，眼睛深深陷在眶裡輪廓凸出，有種原始的優美。他們自耕自作，與世無爭，倒也樂在其中。

風光旖旎，氣候溫和，台灣自不失為美麗之島，但並不是所謂的「神仙世界」，每個人都還是腳踏實地在工作。這「桃源」也並不完全屬於「世外」。它的拓展繁榮，完全配合著這個大時代。

《民國日報》．屏東．民國三十八年三月二十四日

艾雯全集1【散文卷・一】

作　　者　艾雯
編輯顧問　張瑞芬　陳芳明　應鳳凰（依姓氏筆劃排序）
主　　編　封德屏
執行編輯　王為萱
美術設計　不倒翁視覺創意

編輯製作　文訊雜誌社
10048台北市中山南路11號6樓
02-2343-3142
出　　版　朱恬恬
11147台北市忠誠路二段50巷8號
02-2832-1330

排　　版　浩瀚電腦排版股份有限公司
印　　刷　松霖彩色印刷事業有限公司
初　　版　民國101年（2012）8月
定　　價　全10冊（不分售）平裝新台幣4,600元整
ISBN　978-957-41-9319-6（第1冊平裝）
978-957-41-9318-9（全套平裝）

◎財團法人|國家文化藝術|基金會贊助
台北市文化局 Cultural Affairs Bureau of Taipei 贊助

國家圖書館出版品預行編目資料

艾雯全集 / 艾雯作. -- 初版. -- 臺北市 : 朱恬恬, 民
101.08
冊； 公分

ISBN 978-957-41-9318-9（全套 : 平裝）. --
ISBN 978-957-41-9319-6（第1冊 : 平裝）. --
ISBN 978-957-41-9320-2（第2冊 : 平裝）. --
ISBN 978-957-41-9321-9（第3冊 : 平裝）. --
ISBN 978-957-41-9322-6（第4冊 : 平裝）. --
ISBN 978-957-41-9323-3（第5冊 : 平裝）. --
ISBN 978-957-41-9324-0（第6冊 : 平裝）. --
ISBN 978-957-41-9325-7（第7冊 : 平裝）. --
ISBN 978-957-41-9326-4（第8冊 : 平裝）. --
ISBN 978-957-41-9327-1（第9冊 : 平裝）. --
ISBN 978-957-41-9328-8（第10冊 : 平裝）

848.6 101013788